U0239972

本草品汇精要 ①

北京市 2018 年度优秀古籍
整理出版选题扶持入选项目

〔明〕刘文泰 等／撰

曹　晖／校注

北京科学技术出版社

图书在版编目（CIP）数据

本草品汇精要 . 1 /（明）刘文泰等撰；曹晖校注 . —北京：北京科学技术出版社，2019.10

ISBN 978-7-5714-0216-7

Ⅰ.①本… Ⅱ.①刘… ②曹… Ⅲ.①本草—中国—明代 ②《本草品汇精要》—研究 Ⅳ.① R281.3

中国版本图书馆 CIP 数据核字（2019）第 047811 号

本草品汇精要1

校　　注：曹　晖
责任编辑：侍　伟　李兆弟　董桂红　吕　艳
责任校对：贾　荣
责任印制：李　茗
封面设计：蒋宏工作室
图文制作：樊润琴
出 版 人：曾庆宇
出版发行：北京科学技术出版社
社　　址：北京西直门南大街16号
邮政编码：100035
电话传真：0086-10-66135495（总编室）
　　　　　0086-10-66113227（发行部）　0086-10-66161952（发行部传真）
电子信箱：bjkj@bjkjpress.com
网　　址：www.bkydw.cn
经　　销：新华书店
印　　刷：北京捷迅佳彩印刷有限公司
开　　本：787mm×1092mm　1/16
字　　数：539千字
印　　张：45
版　　次：2019年10月第1版
印　　次：2019年10月第1次印刷
ISBN 978-7-5714-0216-7/R·2607

定　　价：980.00元

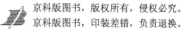

我国古代最后一部未刊药典——《本草品汇精要》的编纂过程及其版本源流

（代前言）

　　药典作为专门记载药品标准的典籍，是一个国家有关药品质量规格的最高法典。通常由国家组织力量编纂并由政府颁布施行，具有法律的约束力，为药品生产、供应、检验和临床应用提供依据。我国编纂药典的历史非常悠久。早在唐朝初期，在结束了南北朝分裂的局面后，国内形势相对安定，经济和文化得到了迅速的恢复与发展，医药事业空前兴旺，加上交通与贸易的发达，中外交流更为频繁，许多国外的药品不断从西域和海上输入。在这样的背景下，唐朝政府有条件也有实力组织全国力量编纂一部国家药典。659 年，苏敬等 23 人共同编纂完成了我国，同时也是世界历史上第一部药典——《新修本草》，也称《唐本草》。《唐本草》开我国封建时代王朝政府编纂药典之先河。

　　在欧洲，最早的地方性药典是 1498 年出版的《佛罗伦萨药典》，比《唐本草》晚 839 年；而最早的全国性药典是 1878 年颁布的《法国药典》（亦有人认为欧洲最早的国家药典是 1618 年英国颁行的《伦敦药典》），比《唐本草》晚了近 1220 年。

　　在美洲，首部本草药典是 1552 年墨西哥印第安民间医生马丁·德拉克鲁斯用纳瓦语写成的《巴迪亚纳古抄本》，也叫《印第安本草药物集》，晚于《唐本草》893 年。

宋朝政府十分关注和重视医药事业的发展，为方便药典的编纂采取了一系列的措施，发布了各种有关诏令。

北宋开国不久，国家尚未完全统一时，宋太祖便两次诏命医官、儒士修订药典，并亲自撰序诏颁天下，这便是973年和974年相继问世的《开宝新详定本草》和《开宝重定本草》。宋太祖的这一倡导得到了后继皇帝的效仿，其后人先后三次修订药典。第一次是仁宗皇帝于1061年、1062年颁行《嘉祐补注神农本草》和《本草图经》；第二次是徽宗皇帝于1116年颁布《政和新修经史证类备用本草》；第三次则是宋室南渡后高宗皇帝于1159年下诏修订《绍兴校定经史证类备急本草》。

继南宋之后，元朝政府也曾修订过一部药典，即元世祖诏令诸路医学教授增修，于1284年完成的《至元增修本草》。惜该书失传。

到了明朝中叶，我国已经进入封建社会后期，明朝政府远不如唐宋政府那么重视医药事业。唯有孝宗弘治皇帝即位后革弊兴法、勤政爱民，使明朝当时经济、文化得以迅速发展，史称"弘治中兴"。在清代编《明史》者看来，明孝宗皇帝是一位颇值得称颂的贤君，"独能恭俭有制，勤政爱民，兢兢于保泰持盈之道。用使朝序清宁，民物康阜"（《明史·孝宗纪》）。不仅如此，明孝宗皇帝还喜好医药，据《明实录》记载，其曾在故宫南城墙外修合药丸剂，赏赐臣民。他即位后思前代政府有修订药典的传统，同时南宋金元时期至弘治时已历300余年，对此期间的医药发展详情实有必要进行一次整理总结。于是孝宗皇帝在弘治十六年（1503）八月初八诏令太医院编纂修订一部新的药典，宗旨是删繁就简，拾遗补阙，按图索骥，以便于医药家临床用药和采集鉴别药物。该药典编修由司设监太监做总督，由太医院组织编写班子，包括誉录和绘画人员在内共49人参加，这也是历史上编修药典参加人数最多的一次。

编纂工作于弘治十八年（1505）三月初三初步完成，历时一年半余。承德郎太医院院判刘文泰、王槃和修职郎太医院御医高廷和上表进呈，孝宗皇帝亲赐书名为《御制本草品汇精要》，并亲自撰写序言。全书分42卷正文和1卷序例、凡例、目录，仿照《永乐大典》格式装帧成36册，装入楠木盒中保存，因而成为明代官方的正统抄绘本。

正文药物根据药物来源分为玉石、草、木、果等10部，全书共收药物1815种（实存1809种）。用朱、墨两色分写。每药正文之前配有精美的彩色写生图，共达1383幅之多，这可能与孝宗皇帝爱好绘画有关。据画史记载，明代宫廷绘画到了成化、弘治时已是极盛，画师人才济济，绘画风格主流为两宋画院的"院体"，讲究精工刻画，色调浓艳，工笔重彩。浙派绘画代表人物之一吴伟就曾经应诏进宫为孝宗皇帝绘画，深得皇帝宠爱，获授"锦衣卫百户"，并被赐一枚"画状元"印章（见清人姜绍书《无声诗史》卷二）。

因此，《本草品汇精要》的编纂主持人为迎合孝宗皇帝的心意，竟舍弃当时已经比较成熟的雕版刊刻印刷技术，改由14位抄书工匠分色缮写文字，8位宫廷画师负责描绘药图。正文字迹隽秀，近于赵体；药图彩色绘成，精工细描，极其珍稀。本书算得上是我国本草史上现存最大的一部彩色药物图谱。

该书作为我国古代最后一部官修药典，问世时间甚至还早于1546年欧洲纽伦堡元老院颁布的《纽伦堡药典》（严格来说，这是一部由个人搜集的古代希腊、罗马和阿拉伯的处方汇编）41年。由于编纂动机只是满足皇帝偏好医药和绘画的愿望，以及恰巧书成后仅两个月孝宗皇帝便"驾崩"等一系列历史原因，加上当时彩色印刷条件的限制，这部药典被深禁内宫，未能颁行天下，历史上便鲜有人知了。李时珍《本草纲目》的完成时间晚于它仅73年，这位曾经查阅经史子集及野史、笔记等达800余部书籍的伟大医药学家在其著作中没有提到过这部明朝政府组织编纂的药典文献就是一个明证。李约瑟在《中国科学技术史》卷六中写道："16世纪中国有两大天然药物学著作，一是世纪初（1505）的《本草品汇精要》，一是世纪末（1595）的《本草纲目》，两者都非常伟大；而前者的名声和影响之所以低于后者，只是因为它从未出版过。"

关于《本草品汇精要》的编纂过程及成书后的遭遇被深藏秘府而又如何在民间得以流传，以及原书正本如何流落海外等问题，一直是当今学术界所关心的。在广泛查阅现存国内外历代有关文献资料的基础上，笔者在此做一详细的历史考察。

一、编纂始末

《本草品汇精要》自明弘治十八年（1505）编纂完稿进呈孝宗皇帝后，一直未被刊行，深藏内宫，达400年之久。尽管在清康熙三十九年（1700）至四十年（1701）圣祖皇帝命武英殿监造赫世亨、张常住和太医院吏目王道纯、江兆元等分别"再行绘录"了一部（即康熙重绘本）和"校正注释"了一部《本草品汇精要》，并取《本草纲目》补充了《本草品汇精要续集》十卷（即康熙校正本），其亦同样被深藏内府，直到1936年才由商务印书馆首次印刷成书。一部本草学巨著如此迟缓地问世，在本草学史上实属罕见。遗憾的是商务印书馆铅印本仅录文字，缺最具特色的彩绘图，未能使广大读者看到它的"庐山真面目"，使这部书的学术价值大打折扣。

在《本草品汇精要》纂修完稿后73年，李时珍以其惊人的毅力完成了著名的《本草纲目》，并将之刊行于世，在此后的三四个世纪里此书被传遍亚洲、欧洲和美洲，声誉极高，以至于让人们觉得明代其他的本草学著作都黯然失色。在历史上，《本草品汇精要》几乎被人遗忘，明清时期所有的官私书目及医药书籍中都找不到它的踪影，其编纂过程和成书后的经历更是鲜有人知，这为其蒙上了一层神秘的色彩。

《本草品汇精要》从成书到刊行历经400余年，横跨几个朝代，就《本草品汇精要》这样一部御纂的本草学著作而言，其仅可谓是历史长河中的一个小小的涟漪，要想了解这样一部书的编纂始末，的确困难重重。史册偶然有所记载，也只是少则十来字多则百余字的条文。在清康熙、乾隆年间几度续修《通鉴纲目》之前，只有明末清初史学家谈迁的《国榷》和查东山的《罪惟录》对此书有所记载，其他几种明代编年史都将这些记载删去了。因此，长期以来此书不为人们所知悉。非常值得庆幸的是，由于《本草品汇精要》的编写人员涉及明代政治上的重大事件，故此书的编纂过程及遭遇连带被写在了明代档案资料中。这些档案在历史的长河里又幸存了下来，这就是修编明史主要资料来源的《明实录》的一种——《明孝宗实录》。

（一）编纂时代背景

《本草品汇精要》是奉皇帝的旨意而编纂的一部官修本草，

当然被指派的编写人员必须要符合皇帝的意愿，否则就会招来谴责甚至杀身之祸。因此，官修之书总难免要受到修书时代的政治约束。那么，明朝孝宗时期的政治背景又如何呢？

明朝孝宗时的政治制度已不同于宋、元朝。一是有内阁而无中书、尚书两省，明朝的内阁也叫翰林院，"嘉（靖）、隆（庆）以前，犹称翰林院，以后则称内阁"（《明史·职官志》）。这样也就造成了国家处于不具有行政首脑的"无政府"状态。二是司礼监秉笔篡夺了皇帝的一部分权力，并控制内阁，使之不能行使职权，造成了历史上罕见的奄寺政治。这两者的交相作用，使百业政事包括修书事业深受影响，至今仍令人为之叹息痛恨。《本草品汇精要》的纂修不能善始善终，也正是明代奄寺政治之祸造成的。

本来明太祖在开国之初已沿随历朝之制，立中书省，设左右丞相（宰相）行使中书令、尚书令的职权，由中书省发号施令，让尚书省执行。当时丞相之职是有相当高的权威性的，内府六部九寺全归其统辖。不料，没过多久，因丞相胡惟庸谋反，太祖皇帝盛怒之下，废除中书省，明令不设丞相之位，并把它的权力下放分散到六部，而六部直接隶属于皇帝。这样就导致皇帝要处理的事务太多，因此，皇帝身边就需要助手协理各种政务及日常事务。到了成祖、仁宗、宣宗之时，就逐步形成了内阁制度。皇帝诏命两三位大学士入阁，代替皇帝处理部分国家大事。这时无形之中大学士成为事实上的丞相，但他们又不同于唐、宋朝的丞相，没有对六部九寺的统辖之权，也不能调动各直省。这种有丞相之实而无正名，假皇帝之名以行丞相之权的制度，注定了国家会因没有政府行政首脑而无法正常运作政事。难怪明末清初学者黄宗羲说："有明之无善治，自高皇帝罢丞相始也。"（《明夷待访录》）这种政治制度就为后来的奄寺政治埋下了种子。《本草品汇精要》一书还在拟议之中时，内阁的意见就受到抵制，其原因也正在于此。

明洪武初，太祖皇帝鉴于汉唐奄寺之祸，为了稳固大明江山，严防奄寺政治的重演，曾在南京皇宫门前设立了一个铁碑，让子孙后代引以为戒。但后来成祖篡夺皇位、迁都北京都得力于太监，于是其破坏太祖成法，对太监委以重任。宣宗时为了政治需要，还专门设立了一个内书堂，专供年幼的太监识字、学习管理政务，就如此逐渐形成了后来的司礼监代皇帝批答奏章的制度。据《明史·职官志》记载，太监共有12个衙门，司礼、司设只是其中的2个部门，各有专职。这样不仅"相权转归之寺人"，而且"朝廷之纪纲，贤士大夫之遭遇，悉颠倒于其手"（谈迁《国榷》）。再加上贪图私利的公卿士大夫与太监内外勾结，结党营私，狼狈为奸，太监在宫中的势力日渐膨胀。到了孝宗在位的弘治年间（1488—1505），奄寺政治转入鼎盛时期。《本草品汇精要》纂修官员职名表上由司设监太监张瑜做总督正是这种政治背景的体现。

如果明白了当时的时代背景和政治制度，对纂修《本草品汇精要》之初发生的争夺编写大权，成书后主要编写者被治罪，该书遭到禁锢等事情就不会感到惊奇了。

（二）编纂动机

据《明孝宗实录》载，弘治十六年（1503）八月癸卯（初八），"司礼监太监萧敬传旨：本草旧本繁简不同，翰林院其遣官二员，会同太医院官删繁补缺，纂辑成书，以便观览。于是大学士刘健等奏：委编修沈焘、陈霁往司纂辑"。

可见新修一部本草书是出于孝宗皇帝本人心愿，在动议之后由司礼监传旨，且由内阁（翰林院）下达到有关的部、寺。这次圣旨当然也是由内阁传达给太医院，责令掌院、院使遵旨办理的。但是当时太医院掌握在与太监有相当厚交的人手里，如掌太医院事右通政施钦与司礼监太监张瑜就关系过密。太医院欲独揽主编大权，不愿受内阁领导，所以违抗谕旨，上奏皇帝："拟本院官生刘文泰等纂修誊录，送内阁校正、撰序、上表进呈"。

（三）刘文泰其人

刘文泰，何许人也？《明史》中没有他的正传。其生平事迹在《明史》"丘浚传"和"王恕传"二传中略有记载，一些明清学者的野史笔记对其也是一带而过，都没有把他当作正派人物看待。究其原因是刘文泰人品太坏，在史学家看来他就是一个无赖小人。据明人沈德符《万历野获编·补遗》卷三"京职·刘文泰"条记载，刘文泰先任右通政官，掌管太医院使。宪宗皇帝于成化二十三年（1487）八月庚辰不豫，因太医院进药不慎，宪宗皇帝于己丑驾崩，年仅41岁，病程不过10天，这在医疗上自然是很大的失误，所以给事中韩重、御史陈谷等人上奏弹劾刘文泰，孝宗皇帝将其降为院判。又《明史·王恕传》记载，刘文泰为求官升迁，经常出入内阁大学士丘浚的官邸，为此还得罪了吏部尚书王恕。王恕曾回故里嘱人作传一事被刘文泰得知后，他将此事告诉了丘浚，并奏劾王恕"变乱选法"。王恕知道刘文泰是受丘浚的指使，于是上奏抗议说刘文泰不过是一个无赖小人，他敢上奏，定有人为他出谋划策。于是孝宗皇帝将刘文泰下锦衣狱审讯，刘文泰在供词中果然提到自己受丘浚的指使，还诬告王恕"沽直谤君"。结果刘文泰又被贬为御医。在旧史学家看来，王恕与丘浚都称得上名臣，只是因为刘文泰从中挑拨离间，两人才成了水火不相容的仇敌。无怪丘浚死后，刘文泰前往凭吊时，连丘浚之妻都气愤地说："以若故，使相公齮王公，负不义名，何吊为！"可见刘文泰当时的卑劣行径是令人唾弃的，《明史》中无其正传也是理所当然的。

刘文泰的祖籍是江西上饶县，其孙刘应槐也懂医术。据清同治年间《上饶县志》卷二十二"方技"条记载："邑庠刘应槐，字于谦……祖文泰善于医，应槐得其遗书曰：'此亦济人之一术也。'益精研之。……甚深得医意，不泥常法，类如此。"

（四）争夺编纂大权内幕

现在回头看看内阁对太医院抗旨上奏的态度。太医院的奏折不但拒绝了内阁推荐的 2 个编修去主持新本草的编写，而且要求内阁大臣为太医院官生校正文字，做下手工作。这一荒谬的要求，遭到了内阁大臣刘健的严厉驳斥。他义正辞严地提出了自己的主张："纂辑书籍，必须通晓文义，赅博典籍，庶损益得宜，痊次不谬。《本草》《证类》等书多系前贤编纂，出入经史，文义深奥。今太医院官生仅办药物，文理多有未谙，字样亦有识不真。所纂辑恐多乖谬，致误后人！乞敕礼部将该院所拟纂修等项官生严加考选。如果明通药性，兼晓文义者，方许供事。毋容冒滥，妄图恩典。"接着又说："其本部（内阁）编修二员既奏奉成命，委任宜专。其纂辑之际，就令通行裁定，并加校阅。""况修书旧规，纂修之下方有校正名目。若刘文泰等纂修，乃使臣等为之校正，拨之事体，尤为颠错。"

从刘健的奏章来看，弘治时太医院官生（掌院、医士）不学

9

无术、争权夺利的劣迹，早已在大学士们的洞察之中，况且唐、宋政府组织编修的药典多由词臣、文儒主持，以能保证修书的质量，所以内阁建议由礼部对太医院官生进行严加考选。据清人孙承泽《天府广记》卷三十一载，弘治五年（1492）六月礼部根据太医院之奏，责成太医院精选 15~20 岁的官生子弟，送礼部各馆学习，并由礼部派人出任总督，推举既熟习儒书又精通医术的人任教官，定下三年一考、五年三考的制度。只有通过考试者方准供事于太医院做医士；若三试不中者，则被黜退回家。可见当时考试相当严格。

但是，太医院有些官生畏惧考试。《明孝宗实录》说："时文泰等但欲援引所亲，妄图升赏。实未有精于医理者，皆畏考试。"这一实在的情形，通过对现行的《本草品汇精要》"序例"内容的仔细审读，也可以看出。太医院某些官生不仅对医理方药不够精通，而且对历史知识也不甚精通。原书体例，从大体上来说，与宋人唐慎微的《经史证类备急本草》（以下简称《证类本草》）相同，把药品分为玉石、草、木、人、兽、禽、虫鱼、果、米谷、菜十部，每部再分上、中、下三品来编写。编者删去大量旧本内容，包括引经出典和药物验方，以为这样做就能符合孝宗皇帝的"删繁就简"要求。就连刘文泰等人自诩的"二十四则"的编写体例，实际上也脱胎于内阁大臣丘浚在先制定的"十三则"。《明孝宗实录》说："盖大学士丘浚尝欲重修本草，每种立十三则而亲着一种为例，文泰得之，欲攘以为功。"可见，各药体例也有可能借鉴于丘浚的样稿。有丘浚的基础工作做后盾，刘文泰才敢于接受主持纂修本草的任务。

此外，原书开头的"序例"说："宋之嘉祐二年，复命掌禹锡等参究诸家本草，再加校正补注而成，名《政和经史证类本草》。"这里竟然把政和时期由臣官曹孝忠等奉命修订的《政和本草》说成是嘉祐时掌禹锡编修的，把宋徽宗的年号用之仁宗之世，谬误至极。类似例子，不一而足。

太医院诸人面对考试制度，采取了以退为进的策略，即以不能胜任为理由，表示出不合作的姿态。对新本草的纂辑，太医院不提供医、药两方面的人力，并以此来刁难内阁，向其施加压力，希望达到他们独揽编纂大权的目的。掌太医院事右通政施钦领衔上奏："臣等一介草莽，赋性庸愚，仰承圣命，纂修本草。退而自揣，诚不胜任，乞命翰林院重臣纂修，庶克有济。"

不想孝宗皇帝恩准了施钦的陈请，命令"翰林院纂修，太医院官生并不必预，而免其考选"。由此，太医院诸人没有了考试之忧，达到了预期目的。但这为难了内阁诸臣，虽然内阁争取到了编修大权，依照历史惯例和现实情况，内阁是可以向天下征求明通文义的医家赴京城进行编修工作的，但是大学士刘健似乎凛于管子"城狐社鼠"之诫，没敢果断采取措施，于是表示翰林院放弃统筹大权，并撤回奏章和2位编修，仍由太医院组织编写班子。刘健奏云："药物、方书，太医院专职。臣等职在论思，理难侵越……伏望特回宸断。仍命该院（太医院）纂，经自呈进，焘等一并取回。庶职守有定，体统不失。"孝宗皇帝出于无奈，最后决定："《本草》一书与其他医书不同，以卿等（大学士）问学优深，乃命纂辑。今所言如此，其令太医院自行纂修。"

这场君子与小人的几度是非争执，终以正人君子主动退却而结束。个中原因是有深刻的社会与政治背景的。一方面尽管孝宗皇帝是一位身后得到好评的君主（《明史》说他比较勤于政事，亲近正直大臣，关心百姓疾苦，又无声色之好），但是孝宗皇帝由于年幼时曾受到太监的侍奉，即位之后忘记了太祖的遗训，宠信太监，致使奄寺大盛。据《明史·官宦传》载，太监李广"以方术求幸"，在他畏罪自杀后，孝宗皇帝竟批准了司设监太监（可能指前面提到的张瑜）给李广建祠堂的要求。另一方面孝宗皇帝喜好医药，招引小人投其所好而得宠。《明会要》说，通政使施钦、李宗周都因医而得孝宗宠爱。施钦就是带头争夺纂修本草大权的人；李宗周是院使，亦是编写人员之一。《明孝宗实录》也说："时上好医药，于南城合修诸丸（剂）以赐臣民，太监张瑜主其事，文泰等以此被宠，赏赐无算。"张瑜与刘文泰都是参与纂修本草的重要角色。这个编写班子的主要负责人因医而深得孝宗的宠幸，他们相互勾结，控制太医院，这不能不说是孝宗的失策。

（五）编纂经纬

既然内阁不领导编修新的本草，那由施钦开列的以司设监太监张瑜为首（还包括太医院院事 2 人，院使 1 人，院判 5 人，御医 3 人，右参议 1 人，医士或冠带医士 20 人，惠民药局副使 1 人，中书科儒士或冠带儒士 7 人，以及礼部锦衣卫 3 人和工部文思院副使 1 人，画士 4 人）的 49 人编写人员名单，上报后，就得到了孝宗的批准。于是他们在太医院开始了新本草的编写。

《本草品汇精要》书首所列"奉命纂修官员职名"，计有总督 1 人、提调 2 人、总裁 3 人、副总裁 3 人、纂修 10 人、誊录 14 人、催纂 3 人、验药形质 5 人、绘图 8 人等 9 种职位共 49 人组成编写班子，充分证明了《明孝宗实录》所说的施钦为了"援引所亲"就多用人，为了"妄图升赏"就多立名目。

自唐朝以来，我国多次编修药典。唐代领导编写工作的是当朝的元老重臣，但实际负责的都是弘文馆学士；宋代编修工作多由翰林学士、知制诰一类文学儒士担当；只有明代这次编修是由太医院医官主持，而太监张瑜之流做总督的。这可以看作是太医院给支持它夺得编修大权的司设监的一种报答，而这也可从另一个侧面充分反映出明代奄寺政治影响之深远。

施钦作为提调之一，是不负责纂修工作的。按照封建王朝官修书局的惯例，提调官只掌章奏文移、管理吏役，而主持编写事务的是正、副总裁，故进表文是刘文泰等三人领衔撰写的而未列提调施钦的名字。

《本草品汇精要》自弘治十六年（1503）八月初八日孝宗下诏，经过2~3次内阁与太医院的上奏，定在10天左右后开工编写，到弘治十八年（1505）三月初三完稿进呈，为期一年半余。如此庞大的组织，动用多少财力、物力，可想而知。全书正文42卷，外加1卷目录、序例、凡例等内容，装成36大册，图文并茂，达到了孝宗在御制序中所说的宗旨，即"删《证类》之繁以就简，去诸家之讹以从正。天产、地产，煎成、煅成，一按图而形色尽知；载考经而功效立见"。《本草品汇精要》的内容包含了金元以前药学的基本知识，在《本草纲目》问世以前，它是一部具有一定特色的、收载药物的种类最多的综合性本草著作，确实应在本草史上起到承前启后的作用。尽管如此，刘文泰等人在修书精神方面，已与宋代官修本草编撰者背道而驰；在科学性方面，欠严谨；学术上也有许多失误之处。这也充分说明内阁大学士刘健等人在奏章中对太医院施钦等人的评价是恰如其分的。

然而施钦等人对往日的积怨始终耿耿于怀，想方设法地找机会发泄心中的不满，在"序例"里可以看出这一点，"序例"

中说："切维臣等医固职业，所当司预者，非圣君简命，恐不能息偏执者之言。又何以垂乎绵远也。"施钦等人把内阁遵照孝宗意旨派遣2位编修赴太医院主持编纂本草说成"非应有的职业"，并攻击内阁让礼部考选太医院官生的建议是"偏执者之言"。接着又说道："前代之人，虽研于辞章，而方技之理，恐有未谙。"此句名为指责前人如唐朝的孔志约，宋朝的卢多逊、李昉、王光祐、掌禹锡、苏颂等文学儒士"不谙方技之理"，实际上却是含沙射影地指责内阁奏荐的2位编修。

（六）编纂者的结局

张瑜、施钦、刘文泰等完成此书编纂后，以为大功告成，不久就可以得到吏部的奖赏，但没想到两个月后，他们大祸临头——由于医疗事故致使孝宗皇帝驾崩而成为阶下囚。

医疗事故发生的经过是这样的：弘治乙丑（弘治十八年，1505）四月癸未（二十八日），因久旱无雨，孝宗皇帝在斋宫祷告祈雨，因露坐室外，夜间伤风感冒，次日（甲申，二十九日）便不上早朝。《明孝宗实录》记载了当时情况："上偶感风寒，命瑜与太医院议方药。瑜私于文泰、廷和等，不请诊脉，辄用药以进。""文泰、钦及院判方叔和、医士徐昊等进药，皆不请诊，上遂弥留。"

自四月癸未到五月庚寅（初六日）孝宗皇帝卧床才8天，除发热外，还有"鼻血"之症。这类轻微病并不难医，况且刘文泰和方叔和（院判）、高廷和（御医）、徐昊（冠带医士）都是资深的医生，应该有一定的治疗经验。只是他们出于某种目的，误用热剂，致使孝宗病情加剧。

《明孝宗实录》记载："五月庚寅上大渐（病危），召刘健、

14

李东阳、谢迁甚急。到乾清宫……上榻前叩头请安。上曰：'热甚，不可耐。'"在开初的六七天当中，孝宗因不豫（病势稍轻）没有上殿与臣僚见面，亦未召内阁大臣入宫，所以朝廷文武百官都不清楚孝宗的病情。初六的一次召见，算是孝宗与 3 个内阁大臣最后的面嘱。他详细地叙述自己被立为太子的宫廷秘事，又命人召引他独生子朱厚照（皇太子）与刘健等人见面，将其子托付于他们，让他们辅弼太子处理政事。可见孝宗此时虽然病危，神志却非常清醒。如果刘健等人意识到太医院误用药剂，马上改换医药，或许可以挽救孝宗的性命。但历史的结局毕竟不是以人们的愿望为转移的。

"辛卯（初七日）召皇太子，面谕：'朕不豫，皇帝与东宫做。'……午刻，崩（于乾清宫）。"

孝宗从四月癸未（二十八日）染病到五月辛卯（初七日）驾崩，病程不过 9 天，遽然不治，年仅 36 岁。对于这样一位君主的突然死亡，举朝痛愤。于是太傅英国公张懋、南北科道（纠察政事和宦吏的职务）等文武大臣相继提出对张瑜等人的弹劾。后皇太子批准，命令锦衣卫逮捕张瑜、施钦等人，下都察院狱，并特委派都御史戴珊、太傅张懋、吏部尚书马文升进行审讯。按当时惯例，案件审理应经过刑部和大理寺，而此次却破例没有经过，可见事件的严重性。

弘治乙丑五月壬寅（十四日）武宗登基，改年号为正德。

己酉（二十四日），审讯结束。此案关键人物是司设监太监张瑜。因为张瑜主管太医院和御药局，孝宗不豫，便是他推荐刘文泰及高廷和进行医治，"并缘为奸"的。而且"欲援引文泰等侥幸成功，辄用其药"，并未诊脉，施钦等人相继复诊，也未确定正确的治疗方法，结果刘文泰等处药不对症，致使孝宗晏驾。

在审讯中，施钦等人供认了夺取编写本草大权、规避礼部考试的阴谋，还揭发了张瑜等人合伙贪污的罪行，即张瑜"奉命修理药料，与文泰及右参议丘钰假市药，侵盗官钱"。

按明人朱国祯《涌幢小品》卷二十五所说，主犯张瑜及刘文泰、高廷和犯了"误用御药，大不敬"之罪。根据《大明律》，这是十恶罪，应立即斩决，不在大赦之列。南北科道刘芷也说："请速诛文泰，以慰先帝（孝宗）在天之灵。"然而出人意料的是，当时的大臣（据《万历野获编》是指李东阳、谢迁二人）为徇私情，不顾科道大臣的启奏，竟偏袒张瑜等人，在引法律定罪时，仅定了他们"司官结交内官（太监），扶同作弊"的轻罪，预为他们邀免死刑而留有一条退路。结果定主犯3人犯"诸司官与内官交结作弊，扶同奏启"罪；其余与大案相关的人如院事王玉、院使李宗周、院判王槃、张伦、钱钝等5人犯"坐视用药非宜，隐忍不言"罪；施钦等3人亦各有罪名。戴珊等人将狱词上奏，由武宗批准，交原审大臣执行。计定罪结果如下。

（1）死刑：张瑜、刘文泰、高廷和，监禁候秋后执行。

（2）革职：施钦、方叔和，革职闲住；徐昊发回原籍，削为平民。

（3）降级：王玉由院事降院使，李宗周由院使降院判，王槃、张伦、钱钝3人由院判降太常寺典簿。所降职务全是二级，供事不变。

（4）追赃革职：丘钰，追还赃银五百两，革职闲住不用。

在后来执行过程中，阁臣竟私下结交罪犯，为他们开脱罪行，以致3名主犯张瑜、刘文泰、高廷和的死刑被免掉了，改为轻判。

这正是武宗皇帝荒淫无度、南巡北幸和宦官刘瑾之流猖獗横行时期，宫中上下太监、猾吏徇私枉法所惯用的伎俩。非但如此，甚至有的罪犯还被加官赏升，如被降为院判的李宗周就是在武宗时又被提升为院使的。

《本草品汇精要》整个编写班子49人当中就有3位负责人和9位资深医生参与了这起宫廷大案，这在封建时期是属于大逆不道的。可想而知，由这些罪犯主持编纂的书籍理所当然的就成了禁书，未被销毁已是万幸，哪还有人敢斗胆犯禁去提议颁布它。再退一步讲，即使编写人员没有涉及宫内医疗事故，原书完美无疵，书中千余幅精工描绘的彩色药图要在当时的印刷技术条件下刊刻、广为流传，又谈何容易。

明朝孝宗以后，武宗、世宗等大都不太关心医药事业，加之以后"大礼""大情"等宫廷内部斗争，孝宗的宫内大案实情在历史的长河中几乎被隐没，以致后人无从知晓这桩宫廷案件的真情。许多清人撰写的明代正史和编年史中根本就不提及此案，或竟删掉，就是一个例证。此案连同《本草品汇精要》这部官修药典著作一起被搁置故宫几百年而无人问津，几乎被历史遗忘了。

二、版本源流

《本草品汇精要》是否真的被搁置几百年而湮没无闻了呢？如果事情真是这样，那么，目前国内外所发现的此书的传抄本不下20种这一事实的存在又如何解释呢？事实证明，该书还是被后世发现并传抄出故宫了。

据有关史料记载，原书正本自弘治年定稿进呈后就一直被秘藏内宫。到了清朝，满族人入主故宫后，圣祖皇帝于康熙三十九年（1700）在秘库中发现了此书弘治原本，或许出于对医药的偏爱，于是诏命武英殿监造赫士亨、张常住依照原书格式重抄摹了一部，世称"康熙重绘本"。这部新抄本与原本不仅行款一致，而且卷册数目也相同，只是字体不同，弘治原本为赵体，而康熙重绘本则是用武英殿版（铜活字体本）特有的宋体字抄写的。正因为抄写得工整规范，以致后来国内外学者在未看到原卷的情况下，仅凭几页书影就断定有"武英殿版"的存在。当然这是后话了。

不仅如此，圣祖皇帝还考虑到弘治原本中有许多注释错误，便又诏令太医院吏目王道纯、江兆元等人进行校勘。他们只录文字而删去图谱，缮写了一部"康熙校正本"。书后还按原体例增加了《本草纲目》等书的药物约 490 种作为续编，命名为《本草品汇精要续集》，共 10 卷，并附南宋崔嘉彦的《脉诀四言举要》《脉诀考证》2 卷，装成 14 册进呈，此时已是康熙四十年（1701）十一月。

现在，康熙重绘本部分残卷（卷首、卷 1~12）存于中国国家图书馆，其余卷次（卷 13~42）流入日本。康熙校正本全套珍藏在故宫博物院图书馆。1936 年商务印书馆出版的铅印本就是以这部校正本为底本，由谢观校刊排印的。

至于究竟这些抄本是如何流传下来的，传抄出宫后又如何流失于海内外的，至今众说纷纭，莫衷一是。

有一种说法是官修之书必有正、副两本。正本进呈后成为"中秘之籍"，只供皇帝御览。唯副本作为誊清正本的底稿本至少有一部存档，理由是这样既可在校正文字时参考，又可在发生错误时清查责任所在。清朝逊帝溥仪在他的自传中也说，他曾在故宫建福宫看见宋代司马光的《资治通鉴》稿本堆积在几大箱里，正是绝好的例证。所以说，《本草品汇精要》进呈正本虽一般人臣无法看到，但它的副本（底稿）可能留存太医院或画院，未成禁书，能让人观览，在一定的时间年限内被人传抄或传摹出故宫，进入民间，辗转流落海外。

还有一种说法是该书在明朝是禁书，而在京城故宫易换主人，天下改朝换代后就未必还是禁书了，皇室成员和宫内大臣有可能把它视为前朝所遗大内珍玩收藏或借阅欣赏，尤其圣祖皇帝诏令重摹一部后，其很可能算是"开禁"了。在中国第一历史档案馆珍藏着的大量的清代故宫档案，是我们现在研究清代典章、政治制度等的宝贵史料。其中有一册《御药房医书总档》，该书记载的是乾隆二十一年（1756）十一月御药房所存医书的目录，是由清宫内总管刘玉潘凤、养心殿内总管刘沧洲、圆明园总管李裕三人同察得后，记下的档案，收有《本草品汇精要》弘治原本和康熙重绘本两部书，这说明乾隆时期该书已经在御药房可以看到了。

这份档案还记载，当时御药房所存的医书是可以借出阅览的。到了清末的时候，连许多名贵字画、金银玩物都可以随便赐赏王公大臣或被人随意借取，移出宫外，何况是一部不太为人知晓的本草书籍呢？这种背景下该书被传入民间是很有可能的。

自16世纪东西航路开通以来，特别是17、18世纪作为第一次全球化时代，航海、探险、殖民贸易等活动首次将世界紧密联系起来，欧洲对中国的了解主要来自在华的传教士。以意大利利玛窦、德国汤若望、比利时南怀仁为代表的传教士深入了解、认识中国传统文化，包括历史、地理、天文、哲学、医药学、园艺、艺术等。传教士中学西传的主要方式，包括直接携带中国文献回欧洲，选择翻译汉语典籍，著述评介中国文化学人的思想，以报告、书信、日记方式记述日常见闻，编著中英对照字典，编辑出版西方报刊等。1688年由于法国国王路易十四的介入，法国传教士大量进入中国，并向欧洲发回了大量书信和报告，这成为17世纪末18世纪初中西文化交流的主流。由传教士介绍到欧洲的中国文化，特别是中国的园林、绘画等自然人文景观艺术，在欧洲引发了一股"中国热"。从文化史的角度来看，如果不是17、18世纪欧洲对中国瓷器、字画、图谱书籍感兴趣，也许传教士的中国植物画早就失去了其存在价值。在这种交流中，传教士所带回的中国植物及其绘画手稿在他们编著出版的有关中国的著作如法国杜赫德《中华帝国全志》、波兰卜弥格《中国植物志》等中可得到体现。当然伴随着中外宗教、商贸、旅行、使团等多途径的交往，欧洲许多国家派遣传教士、使团官员、商人，肆意搜集具有东方传统文化价值的文物带回欧洲，由此外流的古籍难以计数。《本草品汇精要》书中精美的绘画和典型的宫廷抄本装帧，可作为艺术品鉴赏，引起了西方收藏家的极大兴趣。

从现存20余种抄本的完损程度看，仅有5部抄本是完帙，而且全部流失于海外。国内所存只是少数十几种残卷。可喜的是5部完帙抄本均通过现代仿真印刷技术在中日两国出版了。

《本草品汇精要》版本流存情况大致可分两大类：全本流存类及残本流存类。前者包括弘治原本（日本大阪杏雨书屋）、明抄彩绘本（意大利罗马国立中央图书馆、日本东京北里综合医学研究所）、康熙重绘本（中国国家图书馆、日本杏雨书屋）、康熙校正本（故宫博物院图书馆、商务印书馆铅印本）；后者包括弘治彩绘副本（中国国家图书馆、日本杏雨书屋）、弘治原本影抄节绘本（中国中医科学院图书馆、国家博物馆图书馆）、清抄彩绘本（上海图书馆、柏林国家图书馆）、明朱丝栏抄本（中国科学院图书馆）、乾隆彩绘节本（中国中医科学院中药所、巴黎印刷本、法国科学院图书馆、法国国家图书馆）、万历传抄本（台北图书馆《金石昆虫草木状》）、崇祯传抄本（中国国家图书馆与中国中医科学院图书馆《本草图谱》、故宫博物院《花果图》条屏）等。

据郑金生的观点，除弘治原本外，此书版本流存情况大致分三大类：一是传抄摹绘类，包括康熙重绘本、罗马本、东京本、柏林本等；二是改编转绘类，包括《金石昆虫草木状》《本草图谱》《传教士绘制中华植物画》《中华植物、花卉与树木》《中华药用植物图集》等；三是承袭增补类，包括正德宫廷画院彩绘《食物本草》（中国国家图书馆、日本杏雨书屋）和万历宫廷画院彩绘《补遗雷公炮制便览》（中国中医科学院图书馆、日本杏雨书屋）等。

1. 弘治原本

弘治原本在明清时期一直秘藏深宫，可能是 1923 年夏故宫建福宫（中正殿）的火灾后流至民间的。

据说当年北洋政府内务总长兼交通总长、代国务总理朱启钤在购买故宫流出的两麻袋文物时，意外发现其中一个麻袋里有一部用檀木匣装盛的五彩图抄本 36 册。从此，弘治原本开始了它颠沛流离的经历。

朱启钤，字桂莘，贵州紫江（今开阳县）人，清末光绪年间举人。后历任北洋政府内务总长、交通总长和代国务总理。1929年在北京创办中国营造学社，培养了一大批建筑设计师。朱先生因日本人岩崎常正著有彩色《本草图谱》而曾打算摹刊这一彩色

21

图谱，终因书之卷帙浩繁、印刷不易而未竟。于是他在 1928 年《文字同盟》第 18 号载文介绍获弘治原本之缘由，并转登此本之序例、凡例。

20 世纪 30 年代初，朱启钤将弘治原本转给了他的好友北京大瓷商郭葆昌。郭氏家族珍藏这部抄本达 30 年之久。

郭葆昌，字世五，号觯斋，河北定兴人。宣统二年（1910）任顺德府经办，后到北京经营瓷业，袁世凯窃夺帝位时所用"洪宪"款和"居仁堂"款瓷器即由他督办。后任九江关监督及景德镇陶务监督。1929 年出任故宫博物院委员兼书画鉴定委员会委员，爱好书画、陶瓷收藏，特别精于瓷器的研究。著有《故宫辨琴记》《项子京瓷器图谱》《瓷乘》《觯斋书画录》等书。

中华人民共和国成立初期，郭葆昌之子郭昭俊携带家藏的字画、古籍等文物去了香港，其中就有弘治原本。著名的三希帖中的两帖——王献之"中秋帖"和王珣"伯远帖"也被郭昭俊带到香港想要拍卖，后经过多方交涉，此国宝回归祖国，现珍藏于故宫博物院〔《文汇报》（香港），1989 年 4 月 17 日〕。然弘治原本后来则流落海外不归。

1955 年 8 月至 9 月间，这部藏于香港私人之手的弘治原本引起了意大利驻港副领事白佐良博士的注意，他发现这部抄本与他在罗马国立中央图书馆看到的抄本相比，无论书法、绘画风格及尺寸大小都存在明显的差异。他将这一研究结果发表在 1956 年香港大学出版的《东方研究杂志》第 3 卷上，并附 6 帧弘治原本及罗马本黑白书影。

可惜，这一研究未引起国内外学者的注意。我国学者在 20 世纪 50 年代还认为弘治原本藏于意大利罗马国立中央图书馆，是民国初年被意大利商人盗去的，云云。

此后就再没有关于弘治原本的消息。直到1969年，即弘治原本被认为"下落不明"后的第13年，人们终于知道弘治原本几经转手，于20世纪60年代初已从中国香港流入日本了。据说是由京都旧书店汇文堂介绍，武田家族从郭氏手里收购，而将之藏于杏雨书屋的。李约瑟在其所著《中国科学技术史》第六卷中说，他于1964年蒙大阪关西大学宫下三郎教授的帮助，曾在杏雨书屋欣赏过这部抄本的彩图，并由司图登博士摄得多幅相片带回了伦敦剑桥大学。1998年，杏雨书屋在《开馆20周年纪念 杏雨书屋图录》上刊登了该本的齐州泽泻、信阳军草龙胆等4幅彩色药图。这些是弘治原本被公之于世的仅有的几幅彩色照片。

杏雨书屋，初建于20世纪20年代。由于武田家族历代主人平素喜藏中医本草方面的书籍，故该藏书楼的书大部分是中医古籍。对具有东方特色的珍本秘籍，书屋主人不惜财力收购，如1938年书屋主人以重金购买了内藤湖南氏"恭仁山庄"善本98种，其中《说文解字》唐朝写本残卷"木部"部分，堪称稀世珍宝。自1964年成立了武田科学振兴财团，专门从事文化事业以后，1977年6月武田家族第六代主人武田长兵卫氏把杏雨书屋全部珍藏移交科学振兴财团管理，但这些书仍属私家藏书，一般难以阅读之。

据《杏雨书屋藏书目录》记载："本草品汇精要四十二卷 贵研818 明 刘文泰等奉敕撰 明弘治18（1505）手稿彩色本 一帙36册。"此本首卷1卷，正文42卷，四周双边，双鱼尾，朱丝栏，每半叶大字8行，小字16行，每行16字。图名框处蓝底金字，金色双线框围，药文"名""地""时""质"等二十四则标题以红色双线框围。

2012—2015 年，杏雨书屋采用现代仿真技术，完全按照弘治原本尺寸、卷册次第彩色影印出版了 6 函 36 册线装本《本草品汇精要》，其文字图像完美逼真，色泽亮丽，基本保持了弘治原本的原始面貌，令人叹为观止。

2. 弘治彩绘副本

即弘治原本之副稿，存二部残卷，一是中国国家图书馆藏 11 卷本（卷 1，卷 2，卷 13，卷 24，卷 28~30，卷 32，卷 34，卷 35，卷 40），计 13 册。其版式、行款、字体全同弘治原本，唯书衣无书名题鉴，惜已残缺，卷册重编次第，每卷编次被改补作卷 1~14（缺卷 11）。显然为某一收藏者将此残卷伪作全本之故。若与同馆藏清康熙重绘本图文比较，其卷 2（玉石部）彩图相异甚大，且文字内容有所删略，这可能是提示此本为明太医院留存之副本的依据。卷内有"项子京家珍藏"长方文朱印、"汲古一人""毛氏子晋"朱印，"季印振宜""苍苇"朱印，"虞山钱遵王藏书"方文朱印，"平寿陈武贞藏图籍印"等钤章印记（据原中国国家图书馆丁瑜先生考订，季振宜印系伪章，项子京印亦有疑）。明清著名藏书家之诸书目则未见有著录，仅从印记看，此本流传经纬大致如此：明弘治十八年（1505）原书正本进呈，成为非人臣可得而见之的"中秘之书"；其副本则留存太医院，约在明嘉靖三十至四十年（1551—1561），间经太医院胥吏之手转到市间。"项子长讳笃寿，中嘉靖壬戌（1562）进士，入词林。季弟子京（名元汴）……能鉴别古人书画，所居天籁阁，海内珍异十九归子长。"（朱彝尊《曝书亭集》）项笃寿中进士后居北京，至万历十年（1582）卒，此间项子京收藏此本。约 60 年后项氏家藏散佚，"甲申（1644）北兵至嘉禾，项氏累世之藏尽为千夫长汪水六所掠，荡然无遗"（王

24

坼《续文献通考》）。此后经汲古阁毛晋、钱曾等人递藏。今藏于中国国家图书馆善本库。

二是日本杏雨书屋藏卷首、卷1、卷2，共3卷，一帙2册1函。东京田中庆太郎的文求堂将这部分残卷进行照相，制成了一套照相本黑白相片副本，封套题签"明写本本草品汇精要昭片"。卷首钤有"静致斋泉觐堂藏书印"及"琅琊世家""但愿人长久千里共婵娟"闲章。卷1残存药图12幅，卷2存药图10幅，这些药图与弘治原本药图完全不同，而与中国国家图书馆藏本药图相同。

3. 弘治原本影抄节绘本

存2种残本，一是汤溪范行准《栖芬室架书目录》著录者，系范氏托人据弘治原本影抄，约50叶，按弘治原本节摹每卷子目及首药样稿，黑白图绘，今存于中国中医科学院图书馆。二是《中国历史博物馆普通古籍目录》著录者，为4册手绘图，形制完全同中国中医科学院图书馆藏栖芬室本，亦墨绘图，其中同一药物有两个相似绘图，应是两套副本，今存于中国国家博物馆图书馆。

4. 明朱丝栏抄本

1961年《中医图书联合书目》著录，4函，26册，存26卷（卷1~26）。版式同弘治原本，唯非朱墨分书；缺卷首，且卷26只抄子目及首2药。抄本纸质新白，字迹清晰，卷内不避清帝名讳，虽然每卷子目中新绘药图之名下均标注"新增图"字样，但正文中缺彩绘图。

根据卷13"八角茴香"条"谨按"中"大明一统志"5字顶格且另起行写法，与中国国家图书馆弘治彩绘副本同，可初步推定此本为明抄本。至于卷24~26有些字体显系习字而作，卷26内容残缺，是未完稿还是散佚，已无法考证。今存中国科学院图书馆。

5. 明抄彩绘本

存两部全本。第一部珍藏在意大利的罗马国立中央图书馆（罗马本），改装成17册西式装帧（原卷为36册线装形式），卷首序例、凡例、目录则移至最后第17册上。该抄本的馆藏编号为"OR-179/1-17"，这意味着它是一部非常珍贵的东方稿本。

罗马国立中央图书馆是意大利的国家图书馆，初建于1861年，由1747年创立的佛罗伦萨贵族玛格利贝治私人图书馆和建于1790年的费德纳德第三宫廷图书馆合并而成。目前收藏图书达400万册以上，其中各类手抄本、稿本就有24000余册。

这部彩绘的抄本于1877年进入意大利的国家图书馆，著名的东方文化学者卡罗·瓦伦泽亚尼曾在佛罗伦萨出版了一本意大利文小册子《罗马国立中央图书馆近藏中日书目》，书中有一段文字说明提及《本草品汇精要》："《本草品汇精要》不仅是一部关于医疗艺术的书籍，而且可以认为是一部关于自然史的百科全书。它是一种在中国都罕见的精美手抄本，原装36册，六开纸张版的彩色图谱描绘有动物、树木、花卉和金属器皿。"

在1877年以前，这部彩抄本为卢多维克·德贝斯主教所占有。抄本每册首页上都盖有德贝斯的主教府官印，这枚官印的拉丁文字钤"山东罗马教廷代表兼南京教区代理主教官卢多维克·德贝斯"。这表明德贝斯是一位曾在中国逗留过的传教士。此人维罗纳城贵族出身，1835年初来华，先在山东传教，1840年4月后赴南京教区代理主教，负责管理教区工作，1847年夏回到意大利，1850年曾在梵蒂冈罗马教廷传信部任中国事务顾问，1870年逝于罗马。

可见早在一个多世纪前这部抄本就由德贝斯主教带回了意大利。

这部抄本是如何落入德贝斯之手的呢？从它卷首（第17册）一枚印章分析，它原由清代怡府主人允祥的安乐堂收藏。

允祥（1688—1730），原名胤祥，康熙玄烨的第22子（一说第13子），后因避世宗胤禛名讳，改名允祥。雍正初封怡亲王，至雍正八年（1730）死，谥号曰贤。怡贤亲王平素好收藏图书，据说安乐堂"大楼九楹，积书皆满"（叶昌炽《藏书纪事诗》引陆心源《宋椠州婺九经跋》），而且所藏之书多是世所罕见之书。其子弘晓，号冰玉道人，袭封怡僖亲王，死于乾隆四十三年（1778），也喜好藏书，室名为明善堂。怡府藏书历时140多年，到了曾孙载垣辈，因其参与"端华以狂悖诛"案，被查抄，其中部分珍藏的图书开始散落民间。

可见这一抄本由怡府流落民间以后，约在道光末年（1847）被德贝斯主教搜获，携回罗马。

注意到该抄本的存世和收藏在罗马国立中央图书馆的第一位中国人是著名学者、前北京图书馆馆长袁同礼先生。他于20世纪30年代初考察欧洲图书馆时，曾报告过在梵蒂冈教皇博物馆（系罗马国立中央图书馆之讹）珍藏着一部我国明代药物学书籍的五彩图原稿（《华北日报》，1934年12月10日）。而后，著名的目录学家王重民先生去欧洲访书，在意大利罗马逗留期间，通过汉学家华嘉教授帮助，阅读了这部手抄本，有关内容发表在1936年北平出版的《图书季刊》第3卷第4期上，题为《罗马访书记》。

1950年香港医师陈存仁博士在意大利旅游期间，也曾到罗马国立中央图书馆阅读过这部抄本，并拍摄了48幅照片。他在1951

年写的《中医中药传海外》小册子中说，对于这部抄本流入意大利的经过，罗马大学的杨凤岐教授是一位知情人。杨凤岐教授对罗马国立中央图书馆收藏这部抄本的合法性表示怀疑。因为他强调这部抄本是 1900 年八国联军发动庚子战役时，被意大利士兵从北京掠回罗马的。

据说，当时的国民政府曾经一度为这部抄本的回归与意大利政府进行过官方交涉。原来，第二次世界大战后的 1946 年，袁同礼先生作为政府观察员，被派往欧洲，巡访散失在那里的庚子年被掠文物和珍本书籍，并开列了一份清单，其中包括这部罗马藏的抄本。1947 年元月，中国政府以战胜国身份，按照和约正式向意大利政府提出归还要求。意大利政府借口这抄本是 1847 年由传教士带到意大利，并于 1877 年归入罗马国立中央图书馆而非 1900 年流入意大利的，因而在归还其他被掠物品时，拒绝归还这部手抄本。罗马国立中央图书馆由此更加注意保管它，自 1947 年以后将之由东方稿本部转藏特别贵重文献部，且不予公开阅览，除非有特别申请。

这部手抄本中精美的彩绘药图引起了许多西方汉学家的浓厚兴趣。前意大利驻香港副领事、罗马大学东方学系教授白佐良博士，是一位知名的意大利汉学家，他就曾在 1953 年对这部抄本进行过专题研究，先后用意大利文和英文发表了研究结果。

首次披露此书彩图原貌的则是法国学者皮埃尔·休阿德和王光明，在他们于 1967 年合著的法文版《中国医学》一书中，附有此抄本的 2 幅彩色的"虎"和"红娘子"书影。1973 年，意大利米兰出版了一部有代表性的研究专著，这是一本书名为《本草品汇精要——中国古代药物学知识的宝贵记录》的彩色图片集，由意大利汉学家维尔马·康斯坦丁尼和摄影师施马斯廷拉·帕巴合著，其选取了《本草品汇精要》中动物、植物和矿物绘图近 50 幅，用意大利文进行注释和考证。此后王光明又在法国出版的《中国医学——植物》一书中选择许多幅彩图做了介绍。

对于罗马本的抄成年代，日本学者真柳诚认为是在清代康雍时期宫廷画家、意大利传教士郎世宁（G. Castig Lione）或怡亲王允祥安乐堂以弘治原本为底本抄绘的，抄绘时间上限当在 1731 年以后。笔者通过考证认为其是明代抄本，其卷 13 "八角茴香" 条在 "谨按" 下引《大明一统志》采用顶格另起行形式即为明证。

目前，罗马本影印本有以下 4 种。

（1）1997 年 11 月东京科学书院黑白影印的《本草品汇精要》5 册本，第 1 册为卷首和卷 1~7，第 2 册为卷 8~13，第 3 册为卷 14~21，第 4 册为卷 22~31，第 5 册为卷 32~42。每面印原书两面。附录收有药名、病名、术语、文献、方剂、地名等 6 个日文假名索引。

（2）1999 年台湾谢文全影印东京科学书院《本草品汇精要》1 册本，每面分上下两栏，印四面。书名误注为 "《御制本草品汇精要》（弘治原本影缩版）"。书前附有柏林本 "热汤" "龙" "船底苔" 和 "艾蒳香" 4 幅彩色书影，并收录一篇那琦翻译的冈西为人的《关于〈御制本草品汇精要〉》论文（日文原载《医谭》1969 年第 39 号，译文原载《中国医药》1969 年第 8 卷 2 期）作为序文。附录收有刘正雄硕士论文《明清两代惟一敕撰本草〈本草品汇精要〉及其〈续集〉之考察》全文（原载《中国医药学院研究年报》1977 年第 8 卷）和中文药名笔画索引。

（3）2002 年 8 月九州出版社彩色影印《御制本草品汇精要》

36 册本（鲁军序、曹晖解说）。

（4）2003 年 3 月华夏出版社彩色影印的《本草品汇精要》10 册本（曹晖解题，收入《中国本草全书》卷 28~37）。

以罗马本为底本的校勘本有以下 2 种。

（1）2004 年 1 月华夏出版社《本草品汇精要》曹晖等 5 人校注研究本。书前附有十多种国内外珍藏抄本的 270 余幅彩色书影，正文附有 1371 幅黑白图片；附录则收有论文丛考 16 篇和药图名、药名笔画等两个索引。

（2）2005 年 8 月上海科学技术出版社"中医古籍孤本精选"之《御制本草品汇精要》陈仁寿等 2 人点校本。附录收有药名笔画索引和从九州版复制的 1371 幅彩色缩微图。

明抄彩绘本第二部原藏在英国伦敦图书馆，现藏于东京北里东洋医学综合研究所（东京本），存正文 42 卷计 35 册（缺卷首 1 册），已改装订成西式 10 册。从抄本内的印章初步推测这部抄本大约是 19 世纪流入英国的。当时正值第一次鸦片战争，其很可能在这动乱时期被英国人圣詹姆斯·施奎尔在华搜获后携回英国。1841 年进藏伦敦图书馆。由于李时珍的《本草纲目》在自然科学方面的巨大成就，此书先后通过各种途径被介绍到欧洲，并产生了巨大影响。当时西方人还不知道在《本草纲目》问世前，明朝政府曾编纂过一部未刊行的药典《本草品汇精要》。所以，伦敦图书馆把这部珍贵的彩绘本误为《本草纲目》的一种手抄本，甚至连改装后的每册书名题鉴都易名为"李时珍《本草纲目》"。

非常有趣的是，1972 年冬，英、日两国在东京举办旧书联展时，伦敦图书馆由于不了解《本草品汇精要》的历史背景，将这部抄本作为《本草纲目》一种后世传抄本处理给伦敦一家旧书店，而后其又被卖给日本东京旧书商雄松堂。后来其被联展主办当局以《本草纲目》之名出售时，立即被日本医史学家和知名的汉方医学家大塚恭男先生购藏。大塚先生对中医药学造诣很深，他知道这是一部中国历史上未曾引起注意的《本草品汇精要》珍稀手抄彩绘本。

大塚先生的研究发现，后被刊载在 1978 年《日本医史学杂志》第 24 卷第 2 期上，很快引起了各国学者的注意和反响。1988 年他又在《汉方临床》第 35 卷 5 期上披露了此抄本彩图原貌。1989 年导师谢宗万先生曾带笔者访问东京北里东洋医学综合研究所，在大塚恭男博士处查阅了此本，并摄得部分彩图。这部抄本自中国流传到英国受到"冷落"，不想在 130 余年后，又从欧洲流入日本而备受珍惜，中国古籍外传的遭际由此可见一斑。

东京本影印本有以下 2 种。

（1）2003 年 5 月东京谷口书店彩色影印的《本草品汇精要》6 册本（大塚恭男解说）。第 1~5 册为正文，每面分上下两栏，印原书四面。第 6 册为附录，收入总目录和药名日文假名索引（难波恒雄编制）。

（2）2003 年 3 月华夏出版社黑白影印的《本草品汇精要》5 册本，每面印原书两面（刘国堂解题，收入于《中国本草全书》卷 79~83）。

6. 万历传抄本

在台北图书馆珍藏着一部明末彩绘画卷，书名《金石昆虫草木状》，其乃吴门画派代表人物之一文徵明的玄孙女文俶于明万历年间（时 27 岁）摹绘弘治原本药图而成。此即为中国画史著名的"文俶本草图"。凡 27 卷，装订成 12 册，收药 1070 种，药图 1316 幅。

无栏,无字,唯图名为其父朱书。传说明正德末、嘉靖初年间(1521—1525），文徵明以岁贡生身份从家乡长洲（属今江苏苏州）应荐举赴京城做宫廷画师，被授翰林院待诏。其在宫中画院供事时期，正值《本草品汇精要》弘治原本定稿后十余年，已成为禁书之时，弘治原本虽成为"中秘之籍"，然其绘图副本则有可能留存画院，被文徵明临摹出宫，带回了长洲故里。

文氏家族是绘画世家，在明成化至万历末长达140多年的时间里，以文氏家族为代表的吴门画派影响一时，在中国绘画史上留下了光辉的一页。

文徵明玄孙女文俶，书法、绘画得家传，为苏州闺秀之冠。其丈夫是篆学名家赵宦光（凡夫）之子赵灵均，平素喜搜集金石。夫妇婚后隐居苏州城西面的寒山，过着神仙眷侣般的生活。在这种"芳春盛夏、素秋严冬"四季分明及"绮谷幽岩，怪邑奇葩"的优雅环境中，二人曾合作《寒山草木昆虫状》图谱。有了这种契机，文俶便对曾祖待诏公（文徵明）传下的宫廷摹写本进行临摹，以"世其家学"。万历四十五年（1617）开始至万历四十八年（1620）五月止，历时三年完成。其所绘之图占弘治原本药图的96%。由于已不知当年内府本草原名，故改题《金石昆虫草木状》。画卷开头是赵灵均的叙，赵灵均之书法精绝，与文俶之图可称得上是珠联璧合。

根据赵灵均的叙可知，虽然此画卷题材来自于《本草品汇精要》一书中的彩图，但其中有些图被文俶改绘，或易以家藏，或易以古画。

由于是当时名媛画家之作，画卷成帙后不到十年，就被赵灵均的世交兄弟张方耳以千金购藏。

张方耳秘藏此画卷后，于崇祯四年至五年（1631—1632）分别请其叔兵部尚书张凤冀及苏州宿儒杨廷枢、徐汧为之题记。三记叙述了此画卷的定稿过程及艺术价值。

后来朝代更变，乾隆年间该画卷被收入清宗室怡府弘晓的明善堂。清末其又由苏州大藏书家潘承厚、潘承弼兄弟之宝山楼收藏。抗日战争爆发后，潘氏兄弟移居上海。潘承厚病逝后，其弟潘承弼将宝山楼所藏珍本包括《金石昆虫草木状》售予南京"文献保存同志会"。1941 年 12 月太平洋战事爆发，"文献保存同志会"将在上海所搜《金石昆虫草木状》等善本，最初先邮寄到香港，准备由此转运至重庆，后因香港沦陷，改留于香港大学冯平山图书馆，准备由此运至美国寄存于国会图书馆。但日军查封冯平山图书馆，劫走了这批善本古籍。战后冯平山图书馆主任陈君葆负责查寻该批书籍的下落，于东京帝国图书馆地下室及伊势原乡下发现了该批善本书。当时的国民政府驻日军事代表团追回了《金石昆虫草木状》等失书。1949 年中华人民共和国成立前夕这些书由南京运台，终归台北图书馆珍藏。

2014 年台北世界书局出版了 2 册彩图注释本。

7. 崇祯传抄本

此本易名《本草图谱》，乃周淑祜、周淑禧姊妹节摹文俶《金石昆虫草木状》图、父周荣起书文而成。不分卷，成书年代约在明末崇祯年间（1620—1631）。无框栏，墨书。因受明吴门画派影响，每卷节摹 15 图为 1 册，裱成山水花鸟金石画册式，蝴蝶装，按《金石昆虫草木状》卷次篇幅，原稿当有 27 册。清以前书目未见著录。从印记看，明末完稿后散佚。先归虞山翁氏旧藏，后全卷散佚，其中 3 册几经辗转为长乐郑振铎收藏，今存于中国国家图书馆；另2册先归纳青阁孙氏旧藏，后转入汤溪范行准栖芬书室，今存于中国中医科学院图书馆。全本是否尚有其他册次或为未完稿本，今已不可考。

笔者在故宫博物院收藏的古代女画家绘画作品中，发现了周淑祜、周淑禧姊妹合绘的《花果图》四条屏，每屏上文下图，条屏图为乳柑子、猕猴桃、枇杷和柿子，条屏文为周荣起的墨题，其中两幅下补裱刘九庵所题的历代有关周淑禧、周淑祜著录资料。该《花果图》四条屏为已故文化部文物鉴定委员会常务委员、著名的古书画鉴定家刘九庵先生捐赠故宫博物院的，属国家二级甲等文物。从绢本版式、纸本书法、绘图风格、钤印等方面来看，其正是《本草图谱》逸页。收藏者不知其原左文右图的蝴蝶装式，而将其改册页，其画芯尺寸（纵21.4cm，横19.2cm）比原来略小。中国国家图书馆与中国中医科学院所藏5册分属《本草品汇精要》卷4（玉石部）、卷13（草部）、卷20~21（木部）、卷28（禽部），而此四条屏中乳柑子、枇杷和柿子属《本草品汇精要》卷33（果部中品），猕猴桃属其卷34（果部下品）。这充分证明了《本草图谱》尚有其他册页存世。目前仅发现5册加四条屏，收药72种，药图77幅。

2003年华夏出版社黑白影印了《本草图谱》（郑金生解题），并将之收入《中国本草全书》卷20。2011年、2014年国家图书馆出版社和中医古籍出版社分别彩色影印出版了5册本（包括故宫条屏）。

8. 康熙重绘本

此本即康熙三十九年（1700）武英殿监造处奉旨重绘本，原卷36册，款式同弘治原本，四周双边，白口，犀鼻上有书名，上黑鱼尾，版心注卷次、部类、叶数。唯书衣无名鉴及字体不同于弘治原本，弘治原本为赵体字，而用武英殿版特有的宋体字。其亦一直深藏故宫未外传。直到民国初期，故宫中正殿的一场大火后，康熙重绘本才开始流入民间。不到 10 年，其几经辗转散佚了。其中第 1~12 卷，加上卷首目录共 13 册被近代著名的藏书家陶湘购得。

陶湘，字兰泉，号涉园，江苏武进人。以刊行古书及收藏古书、古玩而在当时北京隆福寺旧书贾中享有盛名。一生所刊行之书甚多，著名的有《现代名人尺牍集》24 卷、《景刊宋金元明词》17 种 62 卷、《百川学海》100 种等。还有目录学著作《故宫殿本书库现存目》3 卷、《内府写本书目》《清代殿板书目》等。

陶湘认为他所购藏的 13 册残本"洵可谓海内之孤帙矣"。此残本现归中国国家图书馆珍藏。

那么，康熙重绘本第 13~42 卷 23 册的下落如何呢？据说日本《朝日新闻》记者内藤湖南氏于 20 世纪 30 年代（约 1923 年至 1933 年间）在琉璃厂书肆收购到这部彩绘本残卷其他部分（2 函 10 册），即第 13~42 卷，并将之带回东京，后又将之转手给收藏家田边氏。田边氏委托东京田中庆太郎的文求堂将这部分残卷进行照相，制成了一套 1 函 792 叶黑白相片副本，存 29 卷（卷 13~21、卷 23~42，缺卷 22），题"昭和□年东京文求堂用康熙三十九年清内府钞本照相"。后几经周折，原残卷中第 13~42 卷和相片副本中第 13~21 卷、第 23~42 卷全部转归大阪富豪武田家族之杏雨书屋。杏雨书屋本与中国国家图书馆所藏本二者系不同残卷次，合起可为全帙。

9. 康熙校正本

此本即清康熙四十年（1701）太医院吏目王道纯、医士江兆元

35

等人奉诏，以弘治原本为底本"纠其舛误，订其错落"而成的内府续修本。此校正本只录文字而删去彩绘图谱，并仿其体例增加490余条《本草纲目》内容续编完成《本草品汇精要续集》10卷，又整理宋崔嘉彦之《脉诀》成《脉诀四言举要》2卷收入书后。此本一直藏诸内宫未获外传，1923年中正殿起火时被转入景阳宫，现珍藏于故宫博物院图书馆。

20世纪30年代初，陶湘据此晒印了一部副本，先后著录于陶氏《故宫殿本书库现存目》《内府写本书目》《清代殿板书目》中。《中医图书联合书目》著录故宫博物院图书馆所藏乌丝栏朱墨精写本即此本。

目前此影印本有2种。

（1）2002年4月上海古籍出版社黑白影印的《续修四库全书》本，被收于《子部·医家类》，2册，第990册459~642页（《本草品汇精要》正集卷1~10）；第991册1~544页（《本草品汇精要》正集卷11~42，《本草品汇精要续集》卷1~10，《脉诀四言举要》卷上、下2卷）。此本每面分上下两栏，印原书四面。

（2）2000年10月海南出版社黑白影印的《故宫珍本丛刊》本，题《御制本草品汇精要》2册，第369册1~363页（《本草品汇精要》正集卷1~23）；第370册1~366页（《本草品汇精要》正集卷24~42，《本草品汇精要续集》卷1~10，《脉诀四言举要》卷上、下2卷）。此本每面分上下两栏，印原书四面。

其铅印本有2种。

（1）1936年7月商务印书馆，谢观校勘本，第1~4册为《本草品汇精要》正集；第5~6册为《本草品汇精要续集》《脉诀四言举要》，第7册为谢观《校勘记》。此为《本草品汇精要》于明弘治十八年成书以来，400余年后第一次刊印行世的版本。1983年台湾南天书局影印谢观校勘本，改7册成2册本。附录收入那奇、刘正雄考证及魏德文编制的药名笔画索引。

（2）1956年3月商务印书馆以谢观校勘本为底本，并以康熙重绘本残卷重排印3册本校正目录和卷1~12内容。1964年3月人民卫生出版社重印商务印书馆校勘的3册本。1982年11月重印3册本时改成1册本而成为流行本。

10. 清抄彩绘本

此本藏于柏林德国国家图书馆（柏林本），仅存26卷23册，而第8~9册（卷7和卷8）、第19~22册（卷18~21）、第26~30册（卷26~33）下落不明。棉白纸，无书皮，无栏，朱墨分书。根据残卷中"玄""眩"等缺末笔，当避康熙帝讳，判断其抄绘年代不会晚于清乾隆年间（1736—1795）。同治九年（1870）至光绪二十三年（1897），这部残卷被德国人夏德购藏。

夏德（1845—1927）出生于德国莱比锡，中学时代在柏林度过。在同治、光绪年间来华，供职中国海关，先后在厦门、上海、九龙、镇江、重庆等口岸海关供职帮办、副税务司、税务司长达27年。1902—1917年，受聘于美国哥伦比亚大学，担任东方学教授。著有《中国与罗马人的东方》《中国研究》等书，并与柔克义合译出版了《诸蕃志译注》。1897年他很可能将这一抄本带回了德国。

这部残卷本在落入夏德手之前100多年间的流传经纬不详。其最后几经周折，作为普鲁士文化资产之一珍藏于柏林德国国家图书馆东方稿本部。1966年威斯巴登出版的《德国所藏东方稿本目录》第12册《汉满文手稿及珍稀刊物书目》对此残卷本是这样著录的："宫廷抄本，黄色绢面封皮，书名题签是金底墨书，四周粉红绢面嵌边。分三个木匣装，共 23 册。书中彩色绘图，文字红黑两色分写。原为 42 卷 36 册，手稿未记抄写年代。"关于这部残卷的内容和学术价值，慕尼黑大学文树德博士进行了详细研究，于 1973 年在慕尼黑出版了德文专著《御制本草品汇精要——中国十六世纪的国家药典》。此书附有若干药图书影，重点介绍《本草品汇精要》的药学成就和这部残卷的学术价值。他还于同年在《本草——2000 年中国传统药学文献》、1986 年在《中国医学：药学史》英文版中披露了《本草品汇精要》数帧彩图原貌和研究成果。

上海图书馆藏 2 册 2 卷（卷 24、卷 25），唯卷 24 缺目录叶，行文夹有后人补写之笔和收藏者朱笔重抄之句。抄本纸张、版式、框栏尺寸、绘图风格等与柏林本极相似，应该是柏林本之逸卷。其流传经纬不详，仅 1986 年北京图书馆油印的《中国古籍善本书目》（征求意见稿）著录之。

11. 乾隆彩绘节本

此本存 3 部易名插图手稿本。第一部藏于巴黎法兰西科学院图书馆，名《中华植物、花卉与树木》（馆藏编号 mns 986）。此部原是皇家科学院院士本杰明·德勒舍（1773—1847）家族旧藏，后于 1874 年被捐赠给法兰西科学院。2 册，丝革装。其中一册为404 页宣纸画（尺寸 28cm×21cm），404 页画谱（彩绘植物插图468 幅），1 页馆藏记录签，59 页植物标签（每页贴有 3~4 个植物页码、中文名法语拼音、拉丁学名、参考文献和植物形态鉴定特征等信息页片）。手稿第 7 页馆藏记录签内容为"1836 年 3 月11 日杜克·德日沃利公爵遗产第 124 号，一件 404 页中国宫廷藏品（原藏 M·德特尔山图书馆）"，附一封韩国英神父信件。另一册是 1772 年韩国英神父的 18 页信件，根据信件笔墨推知，此册应该是由 2 封信件构成。韩国英神父在信中详细回顾了 17 世纪末至 18 世纪上半叶科学工作者用植物的性器官（花、果）作为分类特征的重要性，并简短地介绍了这部插图手稿的绘制经过，即一位有植物学背景的传教士（很可能是汤执中神父）与多位有经验的宫廷植物学家、医士和药剂师（很可能是清康熙年间太医院吏目王道纯等人）合作，根据当时一部"最好的古籍"，经过几年的努力，完成了一部关于中国特有药用草本、花卉、树木的植物图谱。同时韩国英神父在信里说："如果因一些特殊目的需要正确辨识某些中华植物，本图稿将可以提供详细的资料。""原稿来自皇宫，它的图谱比我们在雕版印刷书更完整和更逼真。"

这是法国来华传教士汤执中、韩国英等人在乾隆年间完成的康熙重绘本第一套副本。1875 年，费赖之神父在其《在华耶稣会士列传及书目》"361 汤执中"条下谓："执中以在中国所绘之动植物图 72 叶寄赠法国安托尼及其兄朱西厄，颜色鲜明，保存完好如故。"1973 年，荣振华神父在其《在华耶稣会士列传及书目补编》"176 韩国英"条称："他所著的《中国的植物、花卉和树木》（共 404 页）现收藏于金石和美文学科学院图书馆手稿部第 DM93/4 号（韩国英信件第 10 页上有馆藏编号 DM93/4）。"

第二部藏于法国国家图书馆。意大利绿色背革装，尺寸 49.5cm×29.5cm，正文图页尺寸（15~18）cm ×（25~28）cm，计 3 册，329 页，另含 4 页素描图，其中 1 页有一个题签"木部，上品，四卷"。每页有铅笔页码、图码标号及 5 位数图谱编号（M46271-46599）。第 1 册名为《传教士绘制中华植物画》（馆藏编号 Oe 137），131 页，存图 129 幅。第 2、3 册均名为《耶稣会传教士雕刻彩绘中华植物画集》（馆藏编号 Oe 137a 和 Oe 137b），分别有 96 页和 102 页，存图 95 幅和 100 幅。全套书总计 324 幅彩绘图谱。经过对比，笔者认为该套植物画手稿就是汤执中等人完成的康熙重绘本第二套副本。

　　第三部存于中国中医科学院中药研究所资料室，系 1964 年中国书店转售，其流传过程不明。存 11 卷（卷 7~15，卷 17，卷 18），重编卷册次，计 8 册，外目录 1 册。无任何序跋、印记，卷内"植"缺末笔，版式同康熙重绘本，非朱墨分书，且分项接行。存彩图 192 幅（尺寸 29cm×22cm）。与法国藏本对比，两者在尺寸、字体、绘画风格上极为相似。高晓山先生通过中药所藏本残卷上黄精之黄有拉丁文注音"hoang"，推测此部"曾经欧美人收藏"，但笔者证实这是汤执中、韩国英等人完成的康熙重绘本第三套副本。

　　汤执中（1706—1757）系法国植物学家，是法国科学院和巴黎皇家植物学家若弗鲁瓦（1685—1752）和朱西厄（1699—1777）的学生，担任院士通讯员，1727 年加入耶稣会，1740 年被派往中国。汤执中在北京进行了大量的植物考察，收集了许多中国特有的花木种苗如苏铁、侧柏、槐树、臭椿、栾树、皂荚等，并通过内陆商路将其寄往圣彼得堡、巴黎和伦敦的植物园等，也把不少欧洲特有植物种子从法国带到了中国。并参与了由意大利画师郎世宁（1688—1766）、法国传教士蒋友仁神父（1715—1774）和王致诚神父（1702—1768）等主持的圆明园景区欧洲园林式植物园设计。曾著有《华人制造灯角之异法》《中国漆记》《中国烟火制法》《（在中国所绘）动植物图》（72 幅）、《养蚕法》等，并配有彩色插图。其向欧洲专门介绍了大量的中国植物学知识。

韩国英（1727—1780），1743年加入耶稣会，1758年被派到中国。他对中国玉兰、茉莉花、夜来香及秋海棠等常见的观赏性植物的研究，被收入1776—1814年巴黎出版的《北京传教士关于中国人的历史、学术、艺术、风俗习惯等论丛》第3卷。该"论丛"出版后产生了很大的反响，欧洲学者从中汲取了不同的知识。1868年，英国科学家达尔文在《动物和植物在家养下的变异》第20章"人工选择"中谈到选择原理时，就从中引用了部分内容。相信对当时欧洲植物学家来说，这部插图手稿实际上起到了一个提供中华植物信息的作用。

法国藏本的部分图谱于1781年由约瑟夫·皮埃尔·巴克霍兹在巴黎出版，被易名为《中华药用植物图集》（巴黎印刷本）。此图集采用彩色版对开本镜像形式，包括1页封面、2页图名拉丁文注音、100版正文，每版绘彩图3幅，另有3页绘彩图4幅，计303幅植物画。其封面记载的副标题"根据一部独一无二的中国皇家图书馆珍藏的图画手稿整理"，充分说明其蓝本系"中国皇家图书馆珍藏的图画手稿"。而这部中国皇家图书馆珍藏的图画手稿，据笔者考证就是汤执中曾在北京托人绘制的《本草品汇精要》康熙重绘本，在《中华药用植物图集》部分图画下方标明"中国绘制"，且有雕版师费沙德名字即为旁证。

巴克霍兹于1731年1月29日出生于法国梅斯，1750年获得从医资格，1763年在南锡获得博士学位和斯坦尼斯拉斯国王的全科医生称号，在巴黎获"最佳医生"头衔，1807年在巴黎去世。其一生致力于自然史出版，大约出版了1019部相关书籍，特别是植物志与图谱的出版，包括 100 版《自然史图集》对开本。为了纪念巴克霍兹在植物志出版方面的杰出贡献，人们在茜草科植物中创建了一个以巴克霍兹名字命名的属名 *Buchozia*，在这个属级分类里又建立了一个植物新种六月雪（*Buchozia foetida*）以纪念他。

这部《中华药用植物图集》图谱应该是《本草品汇精要》彩图的首次公开出版物。

12. 正德宫廷彩绘本

此本存 2 部，图谱祖本来自弘治原本。一部藏于中国国家图书馆，名《食物本草》，4 卷 4 册。其彩色影印本有以下 4 种。

（1）1999 年 12 月华夏出版社 1 册本（郑金生解题，被收入《中国本草全书》卷 27）。

（2）2000 年 3 月华夏出版社《食物本草》1 册单行本（鲁军序）。

（3）2001 年 11 月北京图书馆出版社 4 册线装本。

（4）2013 年 8 月作家出版社 4 册彩印本。

另一部藏于日本杏雨书屋，名《绣像食物本草》，3 卷 3 册。2003 年 2 月由武田科学振兴财团影印《绣像食物本草》彩色单行本（宫下三郎解说《明代食材图鉴》和瓢野由美子、宫下三郎、清水光昭编制目录《明代食材表》）。

13. 万历宫廷彩绘本

此本存 2 部，图谱祖本来自弘治原本。一部藏于日本杏雨书屋，名《精绘本草图》，为清嘉庆以后传绘本。2 帙 8 册，所存药图数量为《补遗雷公炮制便览》数量的一半，无文字内容，唯保存了后者所缺的 31 幅果部药图。

另一部藏于中国中医科学院图书馆，名《补遗雷公炮制便览》，14 卷（卷 1~11，卷 13，卷 14），14 册，缺卷 12 果部。于 2005

年 8 月由上海辞书出版社彩色影印 4 函 15 册线装本。第 1 册包括王永炎、马继兴、裘沛然、王雪苔、李经纬、王孝涛、薛清录等 7 人题词，曹洪欣所作前言，郑金生解题和注说及药名笔画索引。第 2 册为原本目录。第 3~15 册为原本卷 1~11、卷 13、卷 14。书中所缺卷 12 果部由郑金生在第 1 册注说中补入黑白影印日本杏雨书屋所藏《精绘本草图》第 6 册果部图谱。书中金石类药物图中的青石脂等 15 图，与弘治原本卷 2 相应药图的构图基本相同，可知此本为弘治原本易名传绘本。

通过以上叙述，我们对《本草品汇精要》编纂经纬、成书后的遭遇及留存版本源流，尤其几部完整彩绘本流失于海外的过程有了清晰的脉络和认识。这部书从开始起草、编纂就披上了一层神秘的色彩，成书后又遭到了不准问世的厄运，以致这一"禁书"历经沧桑，在几百年中或毁或存。此书国内仅存残本，实为中华文化遗产遭受劫难的一个缩影，也是我国学术界的一项巨大损失。

众所周知，中国传统医药学在世界医药学中有其本身独特的学术体系、卓越的医学理论、良好的临床疗效和极为丰富的药物品种资源。这种学术体系自古以来即对亚洲、欧洲地区产生过深远的影响，在人类的医疗保健事业方面做出了巨大的贡献。作为知识载体的中医药古籍，不仅是中国人民的，同时也是世界人民的宝贵知识遗产和共同的宝藏财富。为了今后更加长足有效地发展中医药学事业，必须对国内无存而国外仍存的各种珍贵的中医药古籍遗产进行全面的收集、整理，采用适当的方式使其回归。笔者正是基于这一宗旨，从 1985 年开始即遍访北京、上海、台湾等地的博物馆、图书馆，并多次前往意大利、德国、英国、法国、日本的公私图书馆、博物馆考察《本草品汇精要》抄本，经过 15 年艰苦的文献研究工作，在 2004 年于华夏出版社出版的《本草品汇精要》（校注研究本）基础上，终于完成了这部接近原貌、图文并茂的新校注本。

曹　晖

于暨南大学岭南传统中药研究中心

2019 年 3 月

校注说明

在对《本草品汇精要》进行了比较系统的文献学研究的基础上，又对其加以校点、注释，力求最大限度地恢复和保留古籍原貌。现将有关选用底本、主校本、参校本及校勘方法等问题说明如下。

第一，本书选用日本杏雨书屋藏弘治原本（仿真影印本）作为校勘的底本。因日本杏雨书屋属私人藏书机构，限制使用弘治原本彩绘影印图片，故此次药图不得已仍以罗马国立中央图书馆藏《本草品汇精要》明抄彩绘本（罗马本）图匹配，唯卷2全部药图、其他卷部分药图配以弘治原本图，另外新补罗马本2幅图。

第二，主校本有以下3种。

（1）清本　中国国家图书馆和日本杏雨书屋藏康熙彩绘本，42卷，卷首1卷。

（2）科本　中国科学院图书馆藏明朱丝栏抄本，存26卷（卷1~26）。

（3）《证类本草》　《重修政和经史证类备用本草》，人民卫生出版社1982年影印本及华夏出版社1993年校点本。

第三，参校本主要有下列8种。

（1）明本　中国国家图书馆和日本杏雨书屋藏弘治彩绘副本，存11卷（卷1、2、13、24、28~30、34、35、40）。

（2）印本　《本草品汇精要》铅印本，42卷，卷首1卷。人民卫生出版社于 1982 年据 1936 年商务印书馆原刊本重印本。因商务印书馆原刊本为谢观校刊，其修订注释在"谢观校记"均已说明，此未再出校记。

（3）谢观校记　谢观《本草品汇精要·校勘记》，商务印书馆 1937 年铅印本。

（4）东京本　日本北里东洋医学综合研究所大塚恭男藏明抄彩绘本，42 卷，唯缺卷首 1 卷。

（5）罗马本　罗马国立中央图书馆藏明抄彩绘本，42 卷，卷首 1 卷。

（6）《新修本草》　《唐·新修本草》（尚志钧辑），安徽科学技术出版社 1981 年铅印本。

（7）《炮炙论》　《雷公炮炙论》（施仲安校），江苏科学技术出版社 1985 年铅印本。

（8）《纲目》　《本草纲目》（刘衡如校），人民卫生出版社 1977 年铅印本。

第四，校勘方法如下。

（1）在底本的基础上，参照各本，采用对校、本校、他校并兼用理校的方法。

（2）凡书中各种古今字、通假字、繁体字、俗字，根据上下文可断定为何者，为阅读方便，一律径改为现行通用字，不出校记，有异议者出校记。如：班→斑，文→纹，奈→耐，贲→奔，采→彩，摩→磨，岐→歧，苑→菀，敛→蔹，苟→荷，猫→猫，钟→盅，稍→梢，瘜→息，查→渣，畜→蓄，已→己，丁→疔，注→疰，努→胬，煖→暖，锻→煅，辩→辨，鍊→炼，匾→扁，妳→奶，颠→癫，课→科，刑→形，见→现，鬲→膈，人→仁，然→燃，佗→他，真→珍，差→瘥，磁→瓷，直→值，牙→丫，义→叉，塚→冢，蕈→莼，餡→馅，蚡→鼢，薄→箔，椀→碗，麹→曲，马→玛，耆→芪等。

（3）凡底本与校本有不同之处，又无法断定是非者，原则上以底本为主，在校记中加以说明。文义两通则保留原貌。如：曝－暴，傍－旁，挟－夹，密－蜜，已－以，罨－淹，炮－疱，淹－腌，止－只，砂－沙，著－着，熏－薰等。

（4）本书校勘的范围以底本弘治原本为限，凡底本不误而他本误者，一般不出校记。

（5）凡底本正文有疑问，且无法解决者，在校记中说明。

第五，此书底本前有总目录，各卷又有分目录，总目与分目及正文各条出入较多，为使文目统一，本次整理以正文标题收载药名为准，改正总目录和分目录药名，并加校记说明。附药不做强求统一。

第六，药物数目以正文存条为准统计，其数目与目录不符者出校记说明。新增图数目以图题名为准统计，全书凡《证类本草》无图者，均按"新增图"计。图题误者，在正文药图下出注说明。

第七，此次新校本仿弘治原本朱墨分书形式，简体横排印，故将排印格式做如下约定。

（1）《神农本草经》药文及其目录中药名为朱字。

（2）《名医别录》药文及其目录中药名为黑字。

（3）其他来源药文（唐附、宋附、余药、今补、今分条等）及其目录中药名均为黑字。

（4）原"二十四则"标题名为朱书大字，外朱圈，此改朱大字、去圈。其下引据的人名、书名原系朱书小字、外朱圈，原"谨

3

按" 2 字为另行书写，为便于标识，此改朱小字，外加"〔〕"符号，以示区别。引文一律黑小字，小字引文出现书名，则用"《》"符号。

（5）正文药名一律黑大字，附品药名用大字，前用"○"符号标识，字体与前者相同。

第八，原书药图系丹青手绘，插入各条之前，此改彩色图谱附在各条之中。

第九，为便于检索和使用本书，书后附有"药图图名目录"和"药名笔画索引"（见第 5 册）。

第十，原书作者在引用他书时，大都不是照抄原文，而是经过一番化裁的，与原文有一定出入，对于实质上没有重要差异的引文，一律不予改动，以保持原貌，也不出校记。如有与原义不合或医理不符之处，加以更正，并加校记，说明原作什么，以及或衍或脱，今据何书改正，或删或补。倘义可两存，难做定论者，不予改动，仅加校记。因此，读者在使用此书时不可直接引用其所转载的第二手原文资料为据，以免辗转传谬。

本次校注虽然做了许多努力，但限于校注者的水平，错漏之处在所难免，恳切希望读者批评指正。

校注者

2019 年 3 月

目 录

3

5

本草品汇精要

・卷之首・[①]

御制本草品汇精要序 ①

删《证类》之繁以就简，去诸家之讹以从正。天产、地产，煎成、煅成，一按图而形色尽知；载考经而功效立见。永登仁寿，可垂遐远。

进本草品汇精要表

承德郎太医院院判臣刘文泰、臣王槃、修职郎太医院御医臣高廷和等谨以所修《本草品汇精要》进呈者，臣等诚惶诚恐，稽首顿首。伏以民生有欲式，弘虑患之规。王道无偏克，广推仁之术，盖大圣亦克用。又虽小道，必有可观顾。兹本草之编，实自炎黄而起，李唐之上，代有发明；赵宋以来，时加增正。传流已越乎千载，锓梓奚啻乎数番。奈何咨诹未遍于遐方，兼之诠释徒拘于己见，多或过于饾饤，粗只识其皮肤。遂俾千古不刊之书，聿② 有累朝未就之歉，时将有待，事岂徒然。兹盖伏遇皇帝陛下，乃圣乃神，允文允武。虚心讲学，虽山川草木亦宁；留意生人，暨鸟兽鱼鳖咸若。无为而治，有道之长迩者。慨医道之中衰，命臣等以复正顾，惟朽质曷称渊谋，笔札屡勤于尚方，指麾一出于宸断。翻诸旧刻，式用新图。躬铅椠以冰兢，抚心膺而汗愧。定异同互考，夫诸说

---

① 序：原无，据下文进表补。

② 聿：原作"肆"，据谢观校记改。

大较就简以芟繁；辨真伪兼采夫群书，时或补遗而辑略。用严君、臣、使之别，类分上、中、下之殊。列部而系以条，比种而详其地。凡诸草、木^①、金、玉之类，毛、虫、飞、走之形而大纲毕举。与夫性、味、气、质之偏，助、合、反、忌之辨而细目俱陈，于以成之，有名斯萃。薄言观者，按图可知。是虽出于古人，而实备于今日。典彝攸在，恭敬是将。聊伸犬马之忱，敢谓无遗于一得；猥辱腹心之视，庶期有补于万分。鄙华佗终于不传，嗤汉帝以为无益。窃惟医流之用药，譬则世主之抡才。苟去取之未精，实存亡之攸系。但臣等愧非医国之手，冀陛下勿忘苦口之言，居安以虑危，原诊而知政。更期万机^②之暇，善推所为克；俾一世之民，咸跻于寿。元气同天而不息，皇图配地之无疆。臣等无任瞻天仰圣，激切屏营之至。谨以所修《本草品汇精要》四十二卷，外目录一卷，装成三十六帙，随表上进以闻。臣等诚惶诚恐，稽首顿首，谨言。

弘治十八年三月初三日承德郎太医院院判臣刘文泰等谨上表

奉命纂修本草品汇精要官员职名

总督：

　　司设监太监臣张瑜

提调：

　　中议大夫赞治尹通政使司右通政掌太医院事臣施钦

　　中宪大夫通政使司右通政同掌太医院事臣王玉

总裁：

① 木：原作"石"，据谢观校记改。
② 机：原作"几"，据文义改。按下文"序例"有"万机之暇"之句，当知"几"为"机"之误。

承德郎太医院院判_臣刘文泰

承德郎太医院院判_臣王槃

修职郎太医院御医_臣高廷和

副总裁：

太医院冠带医士_臣崔鼎仪

太医院医士_臣卢志

太医院冠带医士_臣唐鈜

纂修：

太医院冠带医士_臣徐镇

太医院冠带医士_臣夏英

太医院医士_臣钱宙

太医院冠带医士_臣徐浦

太医院冠带医士_臣徐昊

太医院冠带医士_臣吴鈇

太医院冠带医士_臣郑通

中书科儒士_臣王珑

太医院医士_臣刘翚

太医院冠带医士_臣张铎

催纂：

承德郎太医院院判_臣张伦

承德郎太医院院判_臣方叔和

承德郎太医院院判_臣钱钝

誊录：

中书科冠带儒士_臣吉庆

中书科冠带儒士_臣周时敛

中书科儒士_臣姜承儒

中书科儒士臣仰_{仲瞻}

太医院医士臣吴_恩

太医院医士臣祝_寿

太医院医士臣王_棠

太医院医士臣方_荣

太医院医士臣祝_恩

太医院冠带医士臣王_{宜寿}

太医院医士臣戴_{仲绅}

太医院冠带医士臣何_祥

太医院冠带医士臣李_润

中书科冠带儒士臣练_{元献}

验药形质：

奉议大夫通政使司右参议臣丘_钰

奉议大夫太医院院使臣李_{宗周}

修职郎太医院御医臣施_鉴

修职郎太医院御医臣刘_珍

太医院惠民药局副使臣杨_恒

绘图：

锦衣卫前所旌节司百户臣王_{世昌}

文思院副使臣王_辅

武功中卫中前所百户臣赵_贤

画士臣郑_宣

锦衣卫锦衣后千户所舍人臣刘_缘

画士臣赵_铎

臣赵_海

臣吴_瓒

本草品汇精要序例

　　本草之兴，神农既辨药味，而即有其目，盖载之三坟者也。其三百六十五种，取以应度数耳，此即《神农本经》。上药一百二十种为君，主养命以应天。无毒，多服、久服亦不伤人，故有轻身益气、不老延年之说。中药一百二十种为臣，主养性以应人。无毒、有毒，斟酌其宜，故有遏病、补虚、益损之用。下药一百二十五种为佐、使，主治病以应地。多毒，不可久服，故有除寒热邪气，破积聚，愈疾之功。逮后品第之者，率由此也。其伊尹《汤液》之兴，本乎神农；仲景《伤寒论》作，出诸《汤液》。至梁陶隐居始进《名医别录》，亦三百六十五种。唐显庆中，命苏恭、李世勣等，摭其差谬，参考得失，又增一百一十四种，谓之《唐本草》。宋开宝中，诏刘翰、马志、卢多逊、李昉、王祐、扈蒙等，又取医家尝用有效者一百三十三种，刊定而附益之，谓之宋本先附[①]。蜀孟昶命韩保昇等，以唐本《图经》稍加增广，世谓之《蜀本草》。而汉、唐、宋千载之间，三经刊著增补，犹为未当，厥后宋之嘉祐二年，复命掌禹锡等参究诸家本草，再加校正补注而成，名曰《政和经史证类本草》[②]。世传既久，经阅贤哲不为不多。每有识者，病其繁乱，卒不可正。虽有《衍义》之兴，

---

① 宋本先附：当指《开宝本草》。
② 《政和经史证类本草》：按宋嘉祐二年掌禹锡等编修之本草，当为《嘉祐补注神农本草》，此序例之文误为政和年修《经史证类备急本草》。

以其讹正并存，用之难别。及王好古、李明之、朱彦修等皆作本草，俱简而略。皇上嗣登大宝，十有六年①尝于万机之暇，亦亲览之。特命臣等删繁补缺，纂辑成书，以便观览。然而仁民爱物之心，即神农、黄帝之心也。掌太医院事右通政臣施钦、臣王玉、院判臣刘文泰、臣王槃、御医臣高廷和等，与同总督修辑太监臣张瑜膺命以来，夙夜惊惕。敢不竭庸闻肤见，考证诸家之说，删定补辑，以副圣意。切维臣等医固职业，所当司预者，非圣君简命，恐不能息偏执者之言，又何以垂乎绵远也。前代之人，虽妍于辞章，而方技之理，恐有未谙。但臣等才识浅陋，不足以当付任。盖阴阳五行，形而上者也；飞潜动植，形而下者也。《皇极经世·观物篇》云：五行之具，各有相兼；飞走之情，不无草木。故石有水火之分，水有木石之异。如斯之类，不可不明。品汇所生，尤当识别。鸟兽虫鱼，别胎、卵、湿、化之生；草木果菜，分丛、植、散、寄之长。其《神农本经》朱书于前，《名医别录》墨书于次，此盖以旧本而参订之者也。尝观旧本，陶隐居已言于前，《日华子》复注于次。至于《图经》、宋按、《蜀本》、陈藏器，一物之名，言之二三；一品之情，序之再四。《唐本》既已辩其乖，《衍义》复以非其说。陶言既知少当，竟未删除；宗奭已鉴前非，不能尽释。如此立言者尚昧其真，考用者何所取据？今则定为二十四则，采诸家之确论，条陈于各则之下；取旧本之精微，参注于今昔之右。其《图经》议论，经前人之讲究者也，多有切当，故书于前。陶氏之言，择备于次。《日华子》《唐本》《蜀本》云，次第其详；《药性论》《衍义》、

---

① 十有六年：此指弘治十六年，据《明孝宗实录》载，诏议编修本草始于弘治十六年八月初十日。

陈藏器，各著其要，但重叠荐赘者，亦从而删之。是非未决者，则考而择用。如吴普、禹锡、沈括诸人之言，《斗门》《博济》《肘后》等方之说，不必尽言其人，俱谓之别录。若近代用之获效，舆论昭然者，则曰谨按。旧本不分者，如独活、羌活，青皮、陈皮，白术、苍术，青、广木香之类，功效颇殊，形质亦异，皆各立其条。旧本所遗者，若草果、三赖、八角茴香、樟脑、炉甘石之流，亦绘图增品，此医之所常用而世之不能无者，其生长、花叶、形质、性味，先究之于用者、货者，复访之于土产之人。一言而必叩其端，未尝己意增损。其名请定宸宫，制曰《本草品汇精要》，臣等稽首奉行。是书既就，非敢欲超越前代。但旧本之文，非[①]志士鸿儒则能斟酌其是非；新本之条，虽初学庸材不待参详而即悟。大抵方技之书，何须义理渊微；治病之由，贵乎功能易晓。臣愚肤见如斯，条陈次序于后。

凡例[②]

一、《本草品汇精要》首玉石，次草，次木，次人，次兽，次禽，次虫鱼，次果，次米谷，次菜。每部悉遵《神农本经》，分为三品，共四十二卷。

二、《神农本经》朱书于前，《名医别录》墨书于次，庶不紊乱。

三、分二十四则。一曰名，记别名也。二曰苗，叙所生也。三曰地，载出处也。四曰时，分生、采也。五曰收，书蓄法也。六曰用，

---

① 非：原作"而"，据谢观校记改。

② 原凡例无序号，据今人阅读习惯增补。

指其材也。七曰质，拟其形也。八曰色，别青、黄、赤、白、黑也。九曰味，著酸、辛、甘、苦、咸也。十曰性，分寒、热、温、凉、收、散、缓、坚、软也。十一曰气，具厚薄、阴阳、升降之能也。十二曰臭，详腥、膻、香、臭、朽也。十三曰主，专某病也。十四曰行，走何经也。十五曰助，佐何药也。十六曰反，反何味也。十七曰制，明炮、燖、炙、煿也。十八曰治，陈疗疾之能也。十九曰合治，取相与之功也。二十曰禁，戒轻服也。二十一曰代，言假替也。二十二曰忌，避何物也。二十三曰解，释何毒也。二十四曰赝，辨真伪也。亦以朱书于上而各墨书著于其下。

四、玉石，按《皇极经世书》分天然、人为之异。盖金石之类，天然者也；盐矾之类，人为者也。今据《经世书》而分石、水、火、土，加金，庶几尽之。

五、草、木、谷、菜、果，按《皇极经世》分草、木、飞、走之四类。其草有草之草、草之木、草之飞、草之走，而木、谷、果、菜，并如是例，以定物形。

六、草木之生不一，今以特然而起者为特生；散乱而生者为散生；植立而生者为植生；牵藤而缘者为蔓生；寄附他木者为寄生；依丽墙壁者为丽生；自泥淖中出者为泥生，各状其形，以便采用。

七、禽、兽、虫、鱼，分羽、毛、鳞、甲、裸为五类，每类又分胎、卵、湿、化之四生。

八、玉石、草、木、禽、兽、虫鱼、菜、果、米谷之类，旧本虽有名用而无形质者，今悉博考之，绘图增补。

九、有世所经用而旧本未载者，如玉石之炉甘石、鹅管石；东流水、甘烂水；草之草果、三赖；木之樟脑、八角茴香；果之香圆、马槟榔、平波、八檐仁、银杏、株子、必思答；米之豌豆、青小豆；菜之葫[①]芦、甘露子、蘑菇、香菜、薇菜、天花菜、胡萝卜；禽之天鹅、鸨、鸂鶒、水鸳；兽之塔剌不花、毫猪之类，今则考其形质、性味，各立其条，增补各部之内。

十、有今名而异乎古称者，用必致疑。今以通脱木为木通；木通为通草；假苏为荆芥；薯蓣为山药之类，悉改世所通称之名。

十一、有种同而用异者，如姜石之有麦饭石；独活之与羌活；枸杞之与地骨；樗木之与椿木叶；胡麻之与巨胜；木香之有青木香；栝楼根之与栝楼实；术之有苍、白；芍药之有赤、白；豺之与狼；丹雄鸡之与乌、白、雌、雄之类，皆各析其条，使用者不难于拣用。

十二、如大盐、戎盐、光明盐、绿盐，俱系盐类，取次于食盐条后。又如殷孽、孔公孽、石花、石床之类，俱附于石钟乳条后。又如益智子、郁金香、藿香，皆草类也，俱自木部移附草部。阿魏、牡丹、卢会，皆木也，自草部移附木部。龙眼、椰子、榧实，皆果也，自木部移附果部。棠梂，自外经移附果部。凡系以类相从者，率皆移就一部之中，庶不乖紊。

十三、旧本诸家注释，皆依汉、唐、宋年代先后次序。今议《图经》之说，多为切当，是经前人所推究者也，故首书之。其余如陶隐居、《日华子》《唐本》《蜀本》、陈藏器、唐慎微等说，必择考其当者录之。其重言叠论，皆不复琐屑。又《衍义》之言，多能折中，虽书其末，实以正诸家之疑也。又如近代李明之、王好古、朱彦

---

① 葫：原作"胡"，据卷三十九"葫芦"条药名改。

修注释药味之言，有切于治用者，悉附于下^①。

十四、《删繁》《拾遗》等本草之论及华佗、吴普、徐之才、掌禹锡等注释，不须逐一详名，但曰别录云。

十五、药有近代用效而众论金同，旧本欠发挥者，今考著其详，则曰谨按。

十六、天有阴阳，风、寒、暑、湿、燥、火，三阴三阳上奉之。温^②、凉、寒、热，四气是也。温、热者，天之阳也；寒、凉者，天之阴也，此乃天之阴阳也。地有阴阳，金、木、水、火、土，生长化收藏下应之。辛、甘、淡、酸、苦、咸，五味是也，皆象于地。辛、甘、淡者，地之阳也；酸、苦、咸者，地之阴也，此乃地之阴阳也。味之薄者，为阴中之阳，味薄则通，酸、苦、咸、平是也。味之厚者，为阴中之阴，味厚则泄，酸、苦、咸、寒是也。气之厚者，为阳中之阳，气厚则发热，辛、甘、温、热是也。气之薄者，为阳中之阴，气薄则发泄，辛、甘、淡、平、凉、寒是也。轻清成象，本乎天者，亲上；重浊成形，本乎地者，亲下。是以辛甘发散为阳，酸苦涌泄为阴。今于各品之下，皆法东垣，详其阴阳，以辨升、降、浮、沉之理。

十七、《用药法象》有云：风升生，热浮长，湿化成，燥降收，寒沉藏。此五者，明五行禀五气之所生也。故曰生物者，气也；成之者，味也。以奇生则成而偶，以偶生则成而奇。寒气坚，故其味可用以火。热气软，故其味可用以坚。风气散，故其味可用以收。燥气收，故其味可用以散。土者，冲气之所生，冲气则无

---

① 下：原作"左"，因竖改横排而改。
② 温：原作"湿"，据清本改。

所不和，故其味可用以缓。气坚则壮，故苦可以养气。脉软则和，故咸可以养脉。骨收则强，故酸可以养骨。筋散则不挛，故辛可以养筋。肉①缓则不壅，故甘可以养肉。坚之而后可以软，收之而后可以散。欲缓则用甘，不欲则弗用。用之不可太过，太过亦生病。今于各品之下，的分生长收藏、气味厚薄，以明五行、五气所禀而生也。

　　十八、人部，旧本不图，缘绘图之设，盖以取其便于识用耳。人身之物，所同有者，故不复绘。

　　十九、如天名精之与地菘②、蘩蒌之与鸡肠草之类，名虽不同，其实一物者，皆并去之，仍类附于退出之次。

　　二十、书方土生产，多依唐宋地名。欲更当代郡县，恐先后不同，难以考据。今复考其世称，附载卷末。

神农本经例

　　上药一百二十种为君，主养命以应天，无毒，多服、久服不伤人。欲轻身、益气、不老、延年者，本上经。中药一百二十种为臣，主养性以应人，无毒、有毒斟酌其宜。欲遏病、补虚羸者，本中经。下药一百二十五种为佐、使，主治病以应地，多毒，不可久服。欲除寒热邪气、破积聚、愈疾者，本下经。三品合三百六十五种，法三百六十五度，一度应一日，以成一岁③。药有君、臣、佐、使，

---

① 肉：原作"内"，据清本改。
② 菘：原作"松"，据卷四十二"地菘"条药名改。
③ 以成一岁：《证类本草》此后有"倍其数，合七百三十名也"十字。

以相宣摄。合和宜用一君、二臣、三佐、五使；又可一君、三臣、九佐使也。药有阴阳配合、子母兄弟、根茎花实、草石骨肉。有单行者，有相须者，有相使者，有相畏者，有相恶者，有相反者，有相杀者，凡此七情，合和视之。当用相须、相使者良，勿用相恶、相反者。若有毒宜制，可用相畏、相杀者；不尔，勿合用也。药有酸、咸、甘、苦、辛五味，又有寒、热、温、凉四气及有毒、无毒，阴干、暴干，采造时月，生、熟，土地所出，真伪陈新，并各有法。药性有宜丸者，宜散者，宜水煮者，宜酒渍者，宜膏煎者，亦有一物兼宜者，亦有不可入汤酒者。并随药性，不得违越。欲疗病，先察其源，先候病机。五脏未虚、六腑未竭、血脉未乱、精神未散，服药必活。若病已成，可得半愈。病势已过，命将难全。若用毒药疗病，先起如黍粟，病去即止，不去倍之，不去十之，取去为度。疗寒以热药，疗热以寒药。饮食不消以吐下药，鬼疰、蛊毒以毒药，痈肿、疮瘤以疮药，风湿以风湿药，各随其所宜。病在胸膈以上者，先食后服药；病在心腹以下者，先服药而后食；病在四肢、血脉者，宜空服而在旦；病在骨髓者，宜饱满而在夜。夫大病之主，有中风、伤寒、寒热、温疟、中恶、霍乱、大腹水肿、肠澼下痢、大小便不通、奔豚、上气、咳逆、呕吐、黄疸、消渴、留饮、癖食、坚积癥瘕、惊邪、癫痫、鬼疰、喉痹、齿痛、耳聋、目盲、金疮、踒折、痈肿、恶疮、痔瘘、瘿瘤；男子五劳七伤、虚乏羸瘦；女子带下、崩中、血闭、阴蚀；虫、蛇、蛊毒所伤。此大略宗兆，其间变动枝叶，各宜依端绪以取之。

采用斤两制度例

　　凡采药^①时月，皆是建寅岁首，则从汉太初后所记也。其根物多以二月、八月采者，谓春初津润始萌，未冲枝叶，势力淳浓故也。至秋枝叶干枯，津润归流于下。今即事验之，春宁宜早，秋宁宜晚。华、实、茎、叶，乃各随其成熟尔^②。古秤惟有铢两而无分名，今则以十黍为一铢，六铢为一分，四分成一两，十六两为一斤。虽有子、谷、秬、黍之制，从来均之已久，正尔，依此用之。今方家所云等分者，非分两之分，谓诸药斤两多少皆同尔。先视病之大小、轻重所须，乃以意裁之。凡此之类，皆是丸散，丸散竟依节度用之。汤酒之中，无等分也。

　　凡散药，有云刀圭者，十分方寸匕之一，准如梧桐子大也。方寸匕者，作匕正方一寸，抄散取不落为度。钱五匕者，今五铢钱边五字者以抄之，亦令不落为度。一撮者，四刀圭也。十撮为一勺，十勺为一合。以药升分之者，谓药有虚实、轻重，不得用斤两，则以升平之。药升方作，上径一寸，下径六分，深八分。内散药，勿按抑之，正尔微动令^③平调尔。云一字者，为二分半少许，即半字是矣^④。

　　凡丸药，有云如细麻者，即胡麻也。不必扁，但令较略大小相

---

① 药：原作"用"，据《证类本草》改。
② 各随其成熟尔：此后《证类本草》尚有"岁月亦有早晏……益当为善"等八十一字。
③ 令：原作"今"，据清本改。
④ 云一字者……即半字是矣：此十五字《证类本草》无，而有"今人分药，不复用此"八字。此系明代通用度量衡，乃本书编者删增之故。

称尔。如黍、粟亦然，以十六黍为一大豆也。如大麻子者，准三细麻也。如胡豆者，即今青斑豆是也，以二大麻子准之。如小豆者，今赤小豆也，粒有大小，以三大麻子准之。如大豆者，以二小豆准之。如梧桐子者，以二大豆准之。一方寸匕散，蜜和得如梧子，准十丸为度。如弹丸及鸡子黄者，以十梧子准之。

凡汤、酒、膏药，旧方皆云㕮咀者，谓秤毕捣之如大豆，又使吹去细末。此于事殊不允当。药有易碎、难碎，多末、少末，秤两则不复均平。今皆细切之，较略令如㕮咀者，乃得无末而片粒调和也。

凡丸、散药，亦先切细，暴燥，乃捣之。有各捣者，有合捣者，并随方所言。其润^①湿药，如天门冬、干地黄辈，皆先切，暴，独捣令偏碎，更出，细擘，暴干。若逢阴雨，亦以微火烘之。既燥，少停冷，乃捣之。

凡湿药，燥皆大耗。当先增分两，须得屑乃秤之为正。其汤酒中，不须如此也。

凡筛丸药，用重密绢令细，于蜜丸易熟。若筛散草药，用轻疏绢，于酒中服即不泥。其石药，亦用细绢筛令如丸者。凡筛丸、散药毕，皆更合于臼中，以杵捣之数百过。视其色理和同，为佳也。

凡汤、酒、膏中用诸石，皆细捣之如粟米。亦可以葛布筛令调，并以新绵别裹内中，其雄黄、朱砂辈，细末如粉。

凡煮汤，欲微火，令小沸。其水数依方多少，大略二十两药，用水一斗，煮取四升，以此为准。然则利汤欲生，少水而多取

---

① 润：原作"酒"，据《证类本草》改。

汁①；补汤欲熟，多水而少取汁②。不得令水多少。用新布，两人以尺木绞之，澄去垽③浊，纸覆令密。温汤勿令铁器中有水气，于熟汤上煮令暖，亦好。服汤宁令小沸，热易下，冷则呕涌。

凡云分再服、三服者，要令势力相及。并视人之强羸、病之轻重，以为进退增减之，不必悉依方说也。

凡渍药酒，皆须细切。生绢袋盛之，乃入酒密封。随寒暑日数，视其浓烈，便可漉出，不必待至酒尽也。滓可暴燥，微捣，更渍饮之。亦可散服④。

凡建中、肾沥诸补汤，滓合两剂，加水煮竭饮之，亦敌一剂新药。贫人可当依此用。皆应先暴令燥。

凡合膏，初以苦酒渍令淹浃，不用多汁，密覆勿泄。云晬时者，周时也，从今旦至明旦。亦有止一宿者。煮膏，当三上三下，以泄其热势，令药味得出。上之使匝匝沸，乃下之，使沸静良久乃止，宁欲小小生。其中有薤白者⑤，以两头微焦黄为候。有白芷、附子者，亦令小黄色为度。猪肪皆勿令经水，腊月者弥佳。绞膏，亦以新布绞之。若是可服之膏，膏滓亦可酒煮饮之。可磨之膏，膏滓则宜以傅病上。此盖欲兼尽其药力故也。

凡膏中有雄黄、朱砂辈，皆别捣，细研如面。须绞膏毕乃投中，以物疾搅，至于凝强，勿使沉聚在下不调也。有水银者，于凝膏中研令消散。胡粉亦尔。

---

① 汁：《证类本草》无"汁"一字。
② 少取汁：此后《证类本草》有"好详视之"四字。
③ 垽：原注"鱼靳切"。
④ 散服：原脱，据《证类本草》补。
⑤ 者：原无，据清本补。

　　凡汤酒中用大黄，不须细剉。作汤者，先以水浸令淹浃，密覆一宿，明旦煮汤。临熟[①]乃内汤中，又煮两三沸，便绞出，则势力猛，易得快利。丸散中用大黄，旧皆蒸之，今不须尔。

　　凡汤中用麻黄，皆先别煮两三沸，掠去其沫，更益水如本数，乃内余药。不尔，令人烦。麻黄皆折去节，令理通，寸剉之；小草、瞿麦，五分剉之；细辛、白前，三分剉之。丸、散、膏中，则细剉也。

　　凡汤中用完物，皆擘破，干枣、栀子、栝楼之类是也。用细核物，亦打破，山茱萸、五味子、蕤核、决明子之类是也。细花、子物，正尔完用之，旋覆花、菊花、地肤子、葵子之类是也。米、麦、豆辈，亦完用之。诸虫，先微炙之，惟螵蛸当中破，炙[②]之。生姜、射干，皆薄切之。芒消、饴糖、阿胶，皆须绞汤毕，内汁中，更上火两三沸，烊尽乃服之。

　　凡用麦门冬，皆微润，抽去心。杏仁、桃仁，汤柔挞去皮。巴豆，打破，剥去皮，刮去心。不尔，令人闷。石韦，刮去毛。辛夷，去毛及心。鬼箭，削取羽皮。藜芦，剔取根，微炙。枳实，去其瓤，亦炙之。椒，去实，于铛中微熬，令汗出，则有势力。矾石，于瓦上若铁物中熬，令沸，汁尽即止。礜[③]石皆以黄土泥包使燥，烧之半日，令熟而解散。犀角、羚羊角，皆镑刮作屑。诸齿、骨，并炙，捣碎之。皂荚，去皮、子，炙之。

　　凡汤并丸、散用天雄、附子、乌头、乌喙、侧子，皆塘灰中炮令微坼，削去黑皮，乃秤之。惟姜附汤及膏、酒中生用，亦削皮乃秤之，直理破作七八片。随其大小，但削除外黑尖处令尽。

---

① 熟：原作"热"，据《证类本草》改。
② 炙：《证类本草》无"炙"一字。
③ 礜：原作"矾"，据《证类本草》改。

凡汤、酒、丸、散、膏中用半夏，皆且完，用热汤洗去上滑。以手挼之，皮释随剥去，更复易汤洗，令滑尽。不尔，戟人咽喉。旧方云二十许过，今六七过便足。亦可煮之，一两沸一易水，如此三四过，仍挼洗毕，便暴干。随其大小，破为细片，乃秤之以入汤。若膏、酒、丸、散，皆须暴燥，乃秤之。

凡丸、散用阿胶，皆先炙，使通体沸起，燥，乃可捣。有不沸处，更炙之。

凡丸中用蜡，皆烊，投少蜜中搅调以和药。若用熟艾，先细擘，合诸药捣，令散。不可筛者，别捣，内散中和之。

凡用蜜，皆先火煎，掠去其沫，令色微黄。则丸经久不坏①。掠之多少，随蜜精粗。

凡丸、散用巴豆，去皮、心膜②。杏仁、桃仁、葶苈、胡麻诸有膏腻药，皆先熬黄黑，别捣令如膏。指攕③视泯泯尔，乃以向成散，稍稍下臼中，合研捣，令消散。仍复都以轻疏绢筛度之，须尽。又内臼中，依法捣数百杵也。汤、膏中用，亦有熬之者，虽生并捣破之。

凡用桂心、厚朴、杜仲、秦皮、木兰之辈，皆削去上虚软甲错④处，取里有味者秤之。茯苓、猪苓，削除黑皮。牡丹、巴戟天、远志、野葛等，皆捶破去心。紫菀，洗去土皆毕，乃秤之。薤白、葱白，除青令尽。莽草、石南、茵芋、泽兰，皆剔取叶及嫩茎，去大枝。鬼臼、黄连，皆除根毛。蜀椒，去闭口者及目，熬之。

---

① 坏：原作"壤"，据清本改。

② 去皮、心膜：《证类本草》无此四字。

③ 攕：原注"莫结切"。

④ 错：原作"销"，据《新修本草》改。

凡狼毒、枳实、橘皮、半夏、麻黄、吴茱萸皆欲得陈久者良，其余须精新也。

凡方云巴豆若干枚者，粒有大小，当先去心皮，乃秤之，以一分准十六枚。附子、乌头若干枚者，去皮毕，以半两准一枚。枳实若干枚者，去穰毕，以一分准二枚。橘皮，一分准三枚。枣有大小，三枚准一两。云干姜一累者，以重一两为正。

凡方云半夏一升者，洗毕，秤五两为正。蜀椒一升者，三两为正。吴茱萸一升者，五两为正。菟丝子一升，九两为正。菴䕡子一升，四两为正。蛇床子一升，三两半为正。地肤子一升，四两为正。此其不同也。云某子一升者，其子各有虚实、轻重，不可通以秤准者，昔取平升为正。

凡方云用桂一尺者，削去皮毕，重半两为正。甘草一尺者，重二两为正。云某草一束者，以重三两为正。云一把者，重二两为正。云蜜一斤者，有七合。猪膏一斤者，有一升二合也。

凡诸药子仁，皆去皮尖及双仁者，仍切之。

凡乌梅，皆去核，入丸、散，熬之。大枣，擘去核。

凡用麦、蘗、曲、大豆黄卷、泽兰、芜荑、僵蚕、干漆、蜂房，皆微炒。

凡汤中用麝香、犀角、鹿角、羚羊角、牛黄、蒲黄、丹砂，须熟末如粉。临服内汤中，搅令调和服之。

凡茯苓、芍药，补药须白者，泻药惟赤者。

凡石蟹，皆以槌极捣令碎，乃入臼。不尔，捣，不可熟。牛膝、石斛等，入汤、酒，拍碎用之。

凡菟丝子，暖汤淘汰去沙土，干，漉，暖酒渍，经一宿漉出。暴，微白，捣之。不尽者，更以酒渍，经三五日乃出，更晒微干，捣之。须臾悉尽，极易碎。

凡斑蝥等诸虫，皆去足、翅，微熬用。牡蛎，熬令黄。

凡诸汤用酒者，皆临熟下之。

凡用银屑，以水银和成泥。

凡用钟乳等诸石，以玉槌水研三日三夜，漂炼，务令极细。

雷公炮炙论序

若夫世人使药，岂知自有君臣。既辨①君臣，宁分相制。只如枕毛今盐草也。沾溺，立销斑肿之毒。象胆挥黏，乃知药有情异。鲑鱼插树，立使干枯。用狗涂之，以犬胆灌之，插鱼处，立如故也。却当荣盛。无名无名异，形似玉柳面，又如石炭②，味别。止楚，截指而似去甲毛。圣石开盲，明目而如云离日。当归止血、破血，头、尾效各不同。头止血，尾破血。蕤子熟生，足睡不眠立据。弊箅淡卤，常使者，甑中箅，能淡盐味。如酒沾交。今蜜枳缴枝，又云交加枝。铁遇神砂，如泥似粉。石经鹤粪，化作尘飞。枕见橘花，软似髓雪③。断弦折剑，遇鸾血而如初。以鸾血炼作胶，粘折处，铁物永不断。海竭江枯，投游波燕子是也。而立泛。令铅拒火，须仗修天。今呼为补天石。如要形坚，岂忘紫背。有紫背天葵，如常④食葵菜。只是背紫面青，能坚铅形。留砒住鼎，全赖宗心。别有宗心草，今呼石竹。不是

---

① 辨：原作"辩"，据《证类本草》改。

② 炭：原作"灰"，据卷二"无名异"条正文改。

③ 软似髓雪：原作"似髓"，据谢观校记改。与上文"化作尘飞"句为对文。

④ 常：原作"带"，据清本改。

食者棕心①，恐误。其草出剡州，生处多虫兽。雌得芹花，其草名为立起，其形如芍药，花色青，可长三尺已来。叶上黄斑色，味苦涩，堪用。煮雌黄立住火。立便成庚②。硇遇赤须，其草名赤须，今呼为虎须草是。用煮硇砂即生火，验。永③留金鼎。水中生火，非猾髓而莫能。海中有兽，名曰猾。以髓入在油中，其油沾水，水中火生，不可救之，用酒喷之即烻，勿于屋下收。长齿生牙，赖雄鼠之骨末。其齿若折，年多不生者。取雄鼠脊骨作末，揩折处，齿立生如故。发眉堕落，涂半夏而立生。眉发堕落者，以生半夏茎炼之，取涎涂发落处，立生。目辟眼瞤，有五花而自正。五加皮是也，其叶有雄雌。三叶为雄，五叶为雌。须使五叶者，作末酒浸饮之。其目瞤者正。脚生肉枕，裈系苘根。脚有肉枕者，取苘苘根于裈带上系之，感应永不痛。囊皱溺多，夜煎竹木。多小便者，夜煎草薢④一件服之，永不夜起也。体寒腹大，全赖鸬鹚。若患腹大如鼓，米饮调鸬鹚末服，立枯如故也。血泛经过，饮调瓜子。甜瓜子内仁捣作⑤末，去油，饮调服之，立绝。咳逆数数，酒服熟雄。天雄炮过，以酒调一钱匕服，立定。遍体疹风，冷调生侧。附子傍生者曰侧子，作末，冷酒服，立瘥。肠虚泻痢，须假草零。捣五倍子作末，以熟水下之，立止也。久渴心烦，宜投竹沥。除癥去块，全仗消、硇。消、硇即硇砂、消石二味。于乳钵中研作粉，同煅了，酒服，神效也。益食加馐，须煎芦、朴。不食者，并饮酒少者，煎逆水芦根并厚朴二味，汤服。强筋健骨，须是苁、鳝。

---

① 心：原脱，据清本补。
② 庚：原作"庾"，据《证类本草》改。又据《炮炙论》卷中"雌黄"条雷敦曰"雌得芹花，立刻变成灰"句，或"庚"为"灰"之误。
③ 永：原作"水"，据《纲目》卷十五"灯心草"条时珍引文改。与上文"立"字为对文。
④ 萆薢：原作"草薢"，据清本改。
⑤ 作：原作"杵"，据《证类本草》改。

苁蓉并鳝鱼二味作末，以黄精汁丸服之，可力倍常十也。出《乾宁记》中^①。驻色延年，精蒸神锦^②。出颜色，服黄精自然汁拌细研神锦，于柳木甑中蒸七日了，以末蜜丸服，颜貌可如幼女之容色也。知疮所在，口点阴胶。阴胶即是甑中气垢，少许于口中，即知脏腑所起，直至住处知痛，足可医也。产后肌浮，甘皮酒服。产后肌浮，酒服甘皮，立愈。口疮舌坼^③，立愈黄苏。口疮舌坼^④，以根黄涂苏炙作末，含之立瘥。脑痛欲亡，鼻投消末。头痛者，以消石作末内鼻中，立止。心痛欲死，速觅延胡。以延胡索作散，酒服之，立愈也。如斯百种，是药之功。某忝遇明时，谬看医理。虽寻圣法，难可穷微。略陈药饵之功能，岂溺仙人之要术？其制药炮、熬、煮、炙，不能记年月哉？欲审原^⑤由，须看《海集》。某不量短见，直录炮、熬、煮、炙，列药制方。分为上、中、下三卷，有三百件名，具陈于后。

雷敩论合药分剂料理法则^⑥

上^⑦雷公炮制序，上古之文也。虽义理高古，文势似欠接续。意往古逮今，年纪既多，不无脱落，且以《本经》言之，云：分三卷而有三百件名，具陈于后。及稽其数，大有不同，足以知其

---

① 中：原作"载"，据清本改。

② 锦：原作"绵"，据清本改。

③ 坼：原作"拆"，据《证类本草》改。

④ 坼：原作"拆"，据《证类本草》改。

⑤ 原：原作"元"，通假字，今改作通用规范字。

⑥ 雷敩论合药分剂料理法则：原无标题，此下十四条系录自《证类本草》序例《雷公炮炙论序》中"雷敩论合药分剂料理法则"内容，故据义例补。

⑦ 上：原作"右"，因竖改横排而改。

非全文也。姑录之，以备参考。

凡方云丸如细麻子许者，取重四两鲤鱼目比之。

云如大麻子许者，取重六两鲤鱼目比之。

云如小豆许者，取重八两鲤鱼目比之。

云如大豆许者，取重十两鲤鱼目比之。

云如兔蕈 ① 许者，取重十二两鲤鱼目比之。

云如梧桐子许者，取重十四两鲤鱼目比之。

云如弹子许者，取重十六两鲤鱼目比之。一十五个白珠为准，是一弹丸也。

凡方中云以水一镒至二镒至十镒者，每镒秤之，重十二两为度。

凡云一两、一分、一铢者，正用今丝绵秤也。勿得将四铢为一分。有误，必所损兼伤药力也。

凡云散，只作散。丸，只作丸。或酒煮，或用醋，或乳煎，一如法则。

凡方炼蜜，每一斤只炼得十二两半，或一分是数。若火少，若火过，并用不得也。

凡膏、煎中用脂，先须炼去革膜了，方可用也。

凡修事诸药物等，一一并须专心，勿令交杂。或先熬后煮，或先煮后熬。不得改移，一依法则也。

凡修合丸药，用蜜，只用蜜。用饧，只用饧。用糖，只用糖。勿交杂用，必宣泻人也。

---

① 蕈：原注"俗云兔屎"。

本草品汇精要目录

卷之一

玉石部上品之上

---

① 白：原脱，据正文药名补。

一十八种陈藏器余

金浆	古镜	劳铁	神丹	铁锈
布针	铜盆	钉棺下斧声		枷上铁钉
黄银	石黄	石脾	诸金	水中石子
石漆	烧石	石药	研朱石槌	

卷之二

玉石部上品之下

七种	**神农本经** 朱字
一种	**名医别录** 黑字
一种	**唐本先附** 注云唐附
八种	**宋本先附** 注云宋附
二种	**今补**
一十七种	**陈藏器余**

已上总三十六种，内八[①]**种今增图**

禹余粮	太一余粮今增图[②]	白石英青、黄、赤、黑石英附
紫石英	五色石脂今增图[③]	青石脂宋附，今增图
赤石脂宋附	黄石脂宋附，今增图	白石脂宋附

---

① 八：原作"七"，按"五色石脂"条据罗马本新增一幅图而改。

② 今增图：原无，据罗马本补。

③ 今增图：原无，据罗马本、东京本补。

黑石脂_{宋附，今增图}　　白青_{今增图}　绿青　　扁①青_{今增图}

石中黄子_{唐附}　　无名异_{宋附}　菩萨石_{宋附，今增图}②

婆娑石_{宋附}③　　　炉甘石_{今补}④　　　鹅管石_{今补}⑤

一十七种陈藏器余

晕石　　　流黄香　　白师子　　玄黄石　　石栏杆⑥

玻璃　　　石髓　　　霹雳针　　大石镇宅　金石

玉膏　　　温石及烧砖⑦　　　印纸　　　烟药

特蓬杀　　阿婆赵荣二药　　　六月河中诸热沙

卷之三

玉石部中品之上

一十三种	**神农本经** _{朱字}
五种	**名医别录** _{黑字}
五种	**唐本先附** _{注云唐附}

---

① 扁：原注"音编"。

② 宋附，今增图：原脱，据罗马本补。

③ 宋附：原脱，据罗马本补。

④ 今补：原脱，据罗马本补。

⑤ 今补：原脱，据罗马本补。

⑥ 杆：原作"干"，据正文药名改。

⑦ 及烧砖：原无，据正文药名补。

五种	**宋本先附** 注云宋附
一种	**唐慎微附**
二十种	**陈藏器余**

已上总四十九种，内一十一种今增图

雄黄　　　　石硫黄　　　雌黄　　　　石膏玉火石附

方解石自下品今移并增图　　凝水石　　　石钟乳自上品今移

殷孽今增图　孔公孽今增图　　　　　　石花唐附，今增图

石床唐附，今增图　　　　长石　　　理石今增图

磁石磁石毛附　玄石　　阳起石　　砺石宋附，砥石附，今增图

桃花石唐附　石脑今增图　石蟹宋附，浮石附　　　　金屑

银屑　　　生银宋附，朱砂银附　　　水银

水银粉宋附，今增图　　　灵砂唐慎微附，今增图　　密陀僧唐附

珊瑚唐附　玛瑙宋附，今增图

二十种陈藏器余

天子藉田三推犁下土　社坛四角土　　　　土地

市门土　　　　　自然灰　　铸钟黄土　户垠①下土

铸铧锄孔中黄土　　瓷坯中里白灰

弹丸土　　　　　执日取天星上土　　大甑中蒸土

鼢鼠壤堆上土　　　冢上土及砖石　　桑根下土

---

① 垠：原作"限"，据清本改。

春牛角上土　　　　　土蜂窠上细土

载盐车牛角上土　　　驴溺泥土　　　　　　故鞋底下土

卷之四

玉石部中品之下

七种	**神农本经** 朱字
三种	**名医别录** 黑字
二种	**唐本先附** 注云唐附
九种	**宋本先附** 注云宋附
一种	**唐本余**
三种	**图经余**
二十种	**陈藏器余**

已上总四十五种，内一十三种今增图

食盐　　　　大盐自下品今移　　　　　　卤碱自下品今移

戎盐盐药附，自下品今移　　光明盐唐附，今增图

绿盐唐附，今增图　　　　铁　　　生铁

铁粉宋附，今增图　　　钢铁　　铁落今增图

铁华粉宋附，铁胤粉附，今增图

铁精铁燕、淬铁水、针砂、煅锅下铁屑、刀刃、犁镵尖附，今增图

铁浆宋附，今增图　　　　秤锤宋附，铁杵、故锯、钥匙附，今增图

马衔_{宋附，今增图}　　太阴玄精^①_{宋附，盐精附}

车辖_{宋附，今增图}　　釭^②中膏_{宋附，自下品今移并增图}

车脂_{宋附，自下品今移并增图}　肤青^③

一种唐本余^④

银膏_{今增图}

三种图经余^⑤

黑羊石　　白羊石　　石蛇

二十种陈藏器余

鼠壤土　　　　屋内墉下虫尘土　　　鬼屎

寡妇床头尘土　　床四脚^⑥下土　　　瓦甄^⑦

甘土　　　二月上壬日取土　　　柱下土　　胡燕窠内土

道中热尘土　　　正月十五日灯盏　　　仰天皮

① 太阴玄精：此后原衍"石"一字，据正文药名删。

② 釭：原注"音工"。

③ 肤青：原在"白羊石"条后，今据义例移此。

④ 一种唐本余：原"唐本余"三字在"银膏"条作小字注，今据义例改。

⑤ 三种图经余：原"图经余"三字在"黑羊石""白羊石""石蛇"三条作小字注，今据义例改。

⑥ 脚：原作"角"，据正文药名改。

⑦ 瓦甄：原脱，据清本补。

蚁穴中土 ^①　　　　古砖　　　富家中庭土

百舌鸟窠中土　　　　猪槽上垢及土　　　　故茅屋上尘

诸土有毒

卷之五

玉石部下品之上

九种	**神农本经** 朱字
四种	**名医别录** 黑字
三种	**唐本先附** 注云唐附 ^②
一十种	**宋本先附** 注云宋附
一种	**唐慎微附**
一种	**今补**
十九 ^③ 种	**陈藏器余**

已上总四十七 ^④ 种，内一十七种今增图

伏龙肝 今增图　　　　石灰　　　礜石

砒霜 宋附，砒黄附　　　　铛墨 宋附，百草霜附，今增图

---

① 土：此前原衍"出"字，据正文药名删。

② 注云唐附：原脱，据罗马本补。下同，此类不再出注。

③ 十九：原作"二十"，陈藏器余药"千里水"条存目无文，而合并于卷六"东流水"条中，因据改。

④ 四十七：原作"四十八"，陈藏器余药数减一，因据改。

硇砂_{唐附}　铅丹_{今增图}　铅_{宋附，铅灰附}　粉锡

锡灰_{今补}　东壁土_{好土、土消、土槟榔附，今增图}

赤铜屑_{唐附，铜器附，今增图}　锡铜镜鼻_{古鉴附，今增图}

铜青_{宋附，今增图}　井底沙_{唐慎微附，今增图}

代赭_{赤土附}　石燕_{唐附}　浆水_{宋附，冰浆附，今增图}

井华水_{宋附，今增图}　菊花水_{宋附，今增图}

地浆_{今增图}　腊雪_{宋附，霜附，今增图}

泉水_{宋附，今增图}　半天河_{今增图}

热汤_{宋附，繰①丝汤、麻沸汤、焊猪汤附，今增图}

白垩②_{白土也}　冬灰_{荻灰、桑薪灰、青蒿灰、柃灰附，今增图}

青琅玕_{琉璃、玻璃附}

十九③种陈藏器余

玉井水	碧海水	秋露水	甘露水	繁露水
六天气	梅雨水	醴泉	甘露蜜	冬霜
雹	温汤	夏冰	方诸水	乳穴中水
水花	赤龙浴水	粮罂中水	甑气水	

---

① 繰：原作"澡"，据正文药名改。

② 垩：原注"乌恪切"。

③ 十九：原作"二十"，据前目改。

卷之六

玉石部下品之下

六种	**名医别录** 黑字
七种	**唐本先附** 注云唐附
一十二种	**种宋本先附** 注云宋附
一种	**今分条**
三种	**今补**
一十五种	**陈藏器余**

已上总四十四种，内一十五种今增图

自然铜宋附	金牙	铜矿石唐附，今增图
铜弩牙今增图	金星石宋附，银星石附	特生礜石今增图
握雪礜石唐附，今增图	梁上尘唐附，今增图	土阴蘖今增图
锻灶灰灶突墨、灶中热灰附，今增图		淋石宋附
礞石宋附，今增图	姜石唐附，粗理黄石、水中圆石附	
麦饭石原附姜石下，今分条	井泉石宋附	苍石今增图
花乳石宋附	石蚕宋附，今增图	石脑油宋附，今增图
白瓷瓦屑唐附，今增图	乌古瓦唐附，今增图	不灰木宋附
蓬砂宋附	铅霜宋附，今增图	古文钱宋附，今增图
蛇黄唐附[1]	东流水及千里水[2]今补	甘烂水今补

---

① 唐附：原作"宋附"，据罗马本改，与目录数合。

② 及千里水：原无，据正文药名补。

粉霜 今补

一十五种陈藏器余
好井水及土石间新出泉水 ①　　　正月雨水　生熟汤
屋漏水　　三家洗碗水　　　蟹膏投漆中化为水
猪槽中水　市门众人溺坑中水　盐胆水　　水气
冢井中水　阴地流泉　铜器盖食器上汗　　　炊汤
诸水有毒

卷之七

草部上品之上

一十九种	神农本经 朱字
二种	名医别录 黑字
一种	宋本先附 注云宋附
四种	今分条
一种	今补
一种	唐本余
二十六种	陈藏器余

已上总五十四种，内一种今增图

---

① 及土石间新出泉水：原无，据正文药名补。

黄精　　　菖蒲　　　菊花_{苦薏附}　人参　　　天门冬

甘草　　　**生地黄**_{原不分生、熟地黄，今分条}

干^① **熟地黄**_{今增图}　　　**苍术**_{原不别苍、白术，今分条并图} 白术

菟丝子　　牛膝　　　茺蔚子_{茎名，益母草附}　　萎蕤

防葵　　　柴^②胡　　麦门冬　　　独活

羌活_{原附独活下，今分条并图} **升麻**　　　车前子_{叶附}　木香

青木香_{原附木香下，今分条}　山药_{旧名薯蓣} 薏苡^③仁

益智子_{宋附，自木部今移}　　草果_{今补}

一种唐本余

辟虺雷

二十六种陈藏器余

药王　　　兜木香　　草犀根　　薇　　　　无风独摇草

零余子　　百草花　　红莲花、白莲花　　旱藕

羊不吃草　萍蓬草根　石蕊　　　仙人草　　会州白药

救穷草　　草豉　　　陈思岌　　千里及　　孝文韭

倚待草　　鸡侯菜　　桃朱术　　铁葛　　　伏鸡子根

陈家白药　龙珠

---

① 干：原无，据正文药名补。

② 柴：原作"茈"，并注"音柴"，据正文药名改。

③ 苡：原注"音以"。

卷之八

草部上品之中

三十种　**神农本经** 朱字

一种　**宋本先附** 注云宋附

二十种　**陈藏器余**

已上总五十一种，内九种今增图

泽泻叶、实附　远志苗名，小草附　　　草龙胆山龙胆附

细辛　　　石斛　　　巴戟天①　白英今增图　　白蒿

赤箭　　　菴②藺③子　　　　薪④蕼⑤子 薯实

赤芝今增图　黑芝今增图　青芝今增图　白芝今增图　黄芝今增图

紫芝今增图　卷柏　　　蓝实叶汁、淀、青布附

青黛宋附，自中品今移并增图　芎穷　　蘼芜今增图　黄连

络石地锦、扶芳、土鼓、石血、薜荔、木莲附　蒺藜子　黄芪

肉苁蓉草苁蓉附　　　防风叶、花附 蒲黄　　　香蒲

---

① 天：原脱，据正文药名补。

② 菴：原注"音淹"。

③ 藺：原注"音间"。

④ 薪：原注"音锡"。

⑤ 蕼：原注"音觅"。

二十种陈藏器余

捶胡根	甜藤	孟娘菜	吉祥草	地衣草
郎耶草	地杨梅	茅膏菜	鏊菜	益奶草
蜀胡烂	鸡脚草	难火兰	蓼荞	石荠宁
蓝藤根	七仙草	甘家白药	天竺干姜	池德勒

卷之九

草部上品之下

二十三种	**神农本经** 朱字
二种	**名医别录** 黑字
二种	**唐本先附** 注云唐附
五种	**唐本余**
一十种	**陈藏器余**

已上总四十二种，内九[①]**种今增图**

续断	漏芦	营实根附，今增图		天名精
决明子	丹参	茜根	飞廉今增图	五味子
旋花	兰草今增图	忍冬今增图	蛇床子	地肤子
千岁藟	景天花附	茵陈蒿	杜若	沙参

---

① 九：原作"八"，按《证类本草》"白兔藿"条无图，故实增九图，因据改。

白兔藿 _{今增图}①　　徐长卿　　石龙刍 _{败席附，今增图}

薇衔 _{今增图}　云实　　王不留行　鬼督邮 _{唐附，今增图}

白花藤 _{唐附，今增图}

五种唐本余

地不容　　留军待　　独用将军　山胡椒　　灯笼草

一十种陈藏器余

人肝藤　　越王余算　石莼　　　海根　　　寡妇荐

自缢死绳　刺蜜　　　骨路支　　长松　　　合子草

卷之十

草部中品之上

二十六种	**神农本经** 朱字
一种	**名医别录** 黑字
二种	**宋本先附** 注云宋附
三种	**今分条**
一十二种	**陈藏器余**

已上总四十四种，内二种今定，二种今增图

———————————

① 今增图：原无，据义例补。

菓^①耳实_{苍耳也，叶附}　　葛根_{汁、叶、花附}　　　葛粉_{宋附}

栝楼根^②_{茎、叶附}　　栝楼实_{原附栝楼下，今分条}

苦参　　当归　　麻黄　　木通_{今定，子名燕覆子附}

通草_{今定并分条}　　白^③芍药

赤芍药_{原附芍药下，今分条并增图}　　蠡^④实_{马蔺子也，花、叶附}

瞿^⑤麦_{叶附}　玄参　　秦艽^⑥　　百合_{红百合附}

知母　　贝母　　白芷　　淫羊藿_{仙灵脾也}

黄芩　　狗脊　　石龙芮　　茅根_{苗、花、针、根^⑦、屋茅附}

紫菀　　紫草　　前胡　　败酱　　白鲜

酸浆_{根、子附}郁金香_{宋附，自木部今移并增图}

一十二种陈藏器余

兜纳香　　风延母　　耕香　　大瓠藤水　筋子根

土芋　　优殿　　土落草　　狢菜　　必似勒

胡面莽　　海蕴

---

① 菓：原注"私以切"。
② 根：原无，据正文药名补。
③ 白：原无，据正文药名补。
④ 蠡：原注"音礼"。
⑤ 瞿：原注"音劬"。
⑥ 艽：原注"音胶"。
⑦ 根：原脱，据正文药下附品项补。

卷之十一

草部中品之中

一十三种	**神农本经** 朱字
九种	**名医别录** 黑字
六种	**唐本先附** 注云唐附
六种	**宋本先附** 注云宋附
一种	**今分条**
一十种	**陈藏器余**

已上总四十五种，内五种今增图

紫参	藁本实附	石韦石皮、瓦韦附	草薢
杜蘅	白薇	菝①葜②叶附	大青
女萎唐附	石香薷宋附	艾叶	鼠黏子叶附，旧名恶实
水萍	王瓜	地榆	大蓟
小蓟原附大蓟下，今分条并增图		海藻石帆、水松、马藻附	
泽兰	昆布紫菜附，今增图	防己木防己附	
天麻宋附	高良姜	百部根	茴香子唐附，旧名懷香子
款冬花	红蓝花红花也，宋附		

---

① 菝：原注"蒲八切"。
② 葜：原注"弃八切"。

京三棱_{宋附，鸡爪三棱、石三棱附}　　　　姜黄_{唐附，莲①药附}

荜拨_{宋附，根附}　　　蒟②酱_{唐附}　萝藦子_{唐附，今增图}

郁金_{唐附}　马先蒿_{今增图}　　　延胡索_{宋附，今增图}

一十种陈藏器余

百丈青　　斫合子　　独自草　　金钗股　　博落回

毛建草及子③　　　数低　　仰盆　　离鬲草

虉药

卷之十二

草部中品之下

五种	**神农本经** _{朱字}
七种	**名医别录** _{黑字}
六种	**唐本先附** _{注云唐附}
二十二种	**宋本先附** _{注云宋附}
一种	**今分条**
一十种	**陈藏器余**

已上总五十一种，内一十八种今增图

---

① 莲：原作"莲"，据正文药名改。

② 蒟：原注"音矩"。

③ 及子：原无，据正文药名补。

肉豆蔻宋附　补骨脂宋附　零陵香宋附　缩砂蜜宋附　蓬莪茂^①宋附

积雪草连钱草也　　　白前　　　荠苨　　　白药唐附

荭草　　　香附子旧名莎草根　　　水香棱今分条并增图

荜澄茄宋附　胡黄连宋附　船底苔宋附，水中苔附，今增图

红豆蔻宋附，今增图　　　莳萝宋附　艾蒳^②香宋附，今增图

甘松香宋附　垣衣地衣附，今增图　　　陟釐^③今增图干苔宋附

凫葵莕菜也，唐附　　　女菀今增图^④王孙今增图

土马鬃宋附，今增图　　　蜀羊泉今增图

菟葵唐附，今增图　　　蓂草唐附，今增图

鳢肠莲子草也，唐附　　　爵床香苏也，今增图

井中苔萍蓝附，今增图　　　茅香花宋附，白茅香花附

马兰宋附，山兰附，今增图　　　使君子宋附　百脉根唐附，今增图

白豆蔻宋附　地笋宋附，今增图　　　海带宋附，今增图

陀得花宋附　翦草宋附

一十种陈藏器余
迷迭香^⑤　故鱼网　　故缴脚布　江中采出芦　虱建草

---

① 茂：原注"旬律切"。
② 蒳：原作"纳"，据正文药名改。
③ 釐：原注"音离"。
④ 今增图：原注于"茅香花"条下，按《证类本草》"女菀"条无图，而同卷"茅
香花"条有图，故原"茅香花"条下"今增图"三字移此。
⑤ 香：原无，据正文药名补。

含生草　　兔^①肝草　石芒　　　蚕网草　　问荆

卷之十三

草部下品之上

已上总六十一种，内八种今增图

附子　　乌头 射罔、乌喙附　　　　天雄　　　侧子
半夏　　虎掌　　由跋 今增图^② 鸢尾 今增图^③ 大黄
葶苈　　桔梗　　莨^④菪^⑤子　　　　草蒿 子附

---

① 兔：原作"菟"，据正文药名改。
② 今增图：原脱，据《证类本草》"由跋"条无图，因据补，与今增图数合。
③ 今增图：原脱，据《证类本草》"鸢尾"条无图，因据补，与今增图数合。
④ 莨：原注"音浪"。
⑤ 菪：原注"音荡"。

旋覆花　　　藜芦　　　　钩吻今增图　　射①干　　　蛇含

常山今增图　蜀漆　　　　甘遂草甘遂附　白蔹赤蔹附　青葙子

蘹②菌③今增图　　　　　　白及　　　　大戟　　　　泽漆

茵芋　　　　赭④魁今增图　　　　　　贯众花附　　荛⑤花今增图

牙子　　　　及已今增图　　羊踯躅　　　藿香宋附，自木部今移

何首乌宋附　商陆章柳根也　威灵仙宋附　牵牛子

蓖⑥麻子唐附，叶附　　天南星宋附　三赖今补　　八角茴香今补

两头尖今补　佛耳草今补

三种海药余

瓶香　　　　钗子股　　　宜南草

一十三种陈藏器余

狼把草　　　藕车香　　　朝生暮落花　　　　冲洞根

井口边草　　豚耳草　　　灯花末　　　千金鑺草　断罐草

百草灰　　　产死妇人冢上草　　　　孝子衫襟灰

灵床下鞋履⑦

---

① 射：原注"音夜"。
② 蘹：原注"音桓"。
③ 菌：原注"音郡"。
④ 赭：原注"音者"。
⑤ 荛：原注"音饶"。
⑥ 蓖：原注"音卑"。
⑦ 鞋履：原倒，据正文药名乙转。

卷之十四

草部下品之中

一十四种	神农本经 朱字
一十种	名医别录 黑字
一十四种	唐本先附 注云唐附
七种	宋本先附 注云宋附
一十二种	陈藏器余

已上总五十七种，内一十六种今增图

羊蹄根、实、叶①、酸模附　　菰根　　萹蓄　　狼毒

豨②莶③唐附　　马鞭草　　苎根　　白头翁

甘蕉根芭蕉油附　　芦根蓬茸附④　　鬼臼

角蒿唐附，䕲蒿附，今增图　　马兜铃宋附　仙茅宋附　羊桃今增图

鼠尾草　女青今增图　　故麻鞋底唐附，今增图　　刘寄奴⑤唐附

骨碎补宋附　连翘　　续随子宋附　败蒲席编荐索附，今增图

山豆根宋附，石鼠肠附　　三白草唐附，今增图　　蔄⑥茹⑦

---

① 根、实、叶：原无，据正文药下附品项补。

② 豨：原注"音喜"。

③ 莶：原注"音枕"。

④ 蓬茸附：原无，据正文药下附品项补。

⑤ 奴：其后原有"草"字，据正文药名删。

⑥ 蔄：原注"音闾"。

⑦ 茹：原注"音如"。

蛇莓①汁②今增图　　金星草宋附　葎草唐附　　鹤虱唐附

雀麦唐附，今增图　　甑带灰唐附，今增图　赤地利唐附

乌韭今增图　白附子今增图　　紫葛唐附

独行根唐附，今增图　猪膏莓唐附，今增图　鹿藿今增图

蚤③休紫河车也　　石长生今增图

乌蔹④莓唐附，今增图　陆英　蒴藋　预知子宋附

一十二种陈藏器余

虻母草　　故袭衣结　故炊帚　　天罗勒　　毛蓼

蛇芮草　　万一藤　　螺厣草　　继母草　　甲煎

金疮小草　鬼钗草

卷之十五

草部下品之下

三种	**神农本经** 朱字
六种	**名医别录** 黑字
九种	**唐本先附** 注云唐附

---

① 莓：原注"音每"。
② 汁：原无，据正文药名补。
③ 蚤：原注"音早"。
④ 蔹：原注"音敛"。

二十三种　　宋本先附 注云宋附

一十一种　　陈藏器余

已上总五十二种，内二十八种今增图

胡芦巴宋附　木贼宋附　　　苠①草今增图　　　　蒲公草唐附

谷精草宋附　牛扁　　　　苦芙②今增图　　　　酢浆草唐附

昨叶何草唐附，今增图　　蒵头宋附　　　　　　夏枯草

燕蓐草宋附，今增图　　鸭跖草宋附，今增图　　山慈菇宋附，今增图

苘③实唐附　　　　　赤车使者唐附，今增图　狼跋子今增图

屋游今增图　　　　　地锦草④宋附　　　　败船茹⑤今增图

灯心草宋附，今增图　五毒草宋附，今增图　　鼠曲草宋附，今增图

列当宋附，今增图　　马勃今增图

屟⑥屧⑦鼻绳灰⑧唐附，今增图　　　　　　　质汗宋附，今增图

水蓼唐附，今增图　　莸草宋附，今增图

败芒箔宋附，今增图　狗舌草唐附，今增图　　海金沙宋附

萱草根⑨宋附，花、苗附　格注草唐附，今增图　鸡窠中草宋附

鸡冠子宋附，今增图　地椒宋附，今增图

---

① 苠：原注"音烬"。

② 芙：原注"音袄"。

③ 苘：原注"音顷"。

④ 草：原无，据正文药名补。

⑤ 茹：原注"音如"。

⑥ 屟：原注"音剧"。

⑦ 屧：原注"音燮"。

⑧ 灰：原无，据正文药名补。

⑨ 根：原无，据正文药名补。

草三棱_{宋附，今增图}   合明草_{宋附，今增图}

鹿药_{宋附，今增图}   弓弩弦_{今增图}

一十一种陈藏器余

毛茛^①   荫命   毒菌   草禹余粮   鼠蓑草

廉姜   草石蚕   漆姑草   麂目   梨豆

诸草有毒

卷之十六

木部上品之上

一十三种	神农本经 _{朱字}
四种	名医别录 _{黑字}
三种	宋本先附 _{注云宋附}
一种	今分条
四种	海药余
一十三种	陈藏器余

已上总三十八种，内四^②种今增图

桂_{桂心、肉桂、桂枝附}   牡桂   菌桂

松脂_{实、叶、根、节、松黄、松濇、五鬛松附}   槐实_{枝、皮、根附}

---

① 茛：原作"莨"，据药名改。

② 四：原作"三"，据《证类本草》"槐花"条无图，故增一。

槐花_{宋附，叶附，今增图}①　槐胶_{宋附}　枸杞_{叶上虫窠附}

地骨皮_{原附枸杞下，今分条并增图}　　柏实_{叶、皮、侧柏附}

茯苓_{茯神附}　琥珀_{今增图}　璺_{宋附，今增图}　　榆皮_{花附}

酸枣　檗木_{根附}　楮实_{叶、皮、茎白汁、纸壳汁附} 干漆_{生漆附}

五加皮　牡荆实　蔓荆实

四种海药余

藤黄　　返魂香　　海红豆　　莎木

一十三种陈藏器余

乾陀木皮　含水藤中水　　　皋芦叶　　蜜香

阿勒勃　鼠藤　　浮烂罗勒　灵寿木根②皮

緵木　　斑珠藤　　阿月浑子　不雕木　　曼游藤

卷之十七

木部上品之下

| 六种 | **神农本经** _{朱字} |
| 二种 | **名医别录** _{黑字} |

---

① 今增图：原无，据义例补。

② 根：原无，据正文药名补。

三种　　唐本先附 注云唐附

七种　　宋本先附 注云宋附

一种　　唐慎微附

一① 种　　今补

四种　　海药余

一十三种　　陈藏器余

已上总三十七② 种，内八种今增图

辛夷　　　桑上寄生　杜仲　　　枫香脂唐附，树皮附

女贞实枸骨、冬青附　　木兰　　　蕤核

丁香宋附，母丁香附　　沉香　　　薰陆香宋附，今增图

乳香宋附，今增图　　鸡舌香宋附，今增图

詹糖香宋附，今增图　　檀香宋附，今增图

降真香唐慎微附，今增图　　苏合香今增图

龙脑香唐附，相思子附，自中品今移

安息香唐附，自中品今移并增图　　　金樱子宋附　樟脑今补

四种海药余

落雁木　　栅木皮　　无名木皮　奴会子

---

① 一：原作"二"，今补药"沥青"条在"樟脑"条后存目无文，故减一。

② 三十七：原作"三十八"，今补药数减一，因据改。

一十三种陈藏器余

龙手藤	放杖木	石松	牛奶藤	震烧木
木麻	帝休	河边木	檀桓	木蜜
朗榆皮	那耆悉	黄屑		

卷之十八

木部中品之上

一十三种	**神农本经** 朱字
三种	**名医别录** 黑字
四种	**唐本先附** 注云唐附
二种	**宋本先附** 注云宋附
一种	**今分条**
二十三种	**陈藏器余**

已上总四十六种，内三种今增图

桑根白皮桑椹、桑耳、叶汁①附　　　　五木耳②蕈菌附，今分条并增图

竹叶根、汁、实、沥、皮、竹黄、苦竹等附　　吴茱萸根、叶并梂子·根附

槟榔　　　栀子　　　紫鉚③今增图　麒麟竭唐附

食茱萸唐附，皮附　　　　芜荑　　　枳壳宋附　　枳实

---

① 汁：原作"灰"，据正文药名改。

② 五木耳：原作《本经》药，此作新分条药，未计入《本经》药味数中。

③ 鉚：原注"音矿"。据《证类本草》"紫鉚"合于同卷"麒麟竭"中，此作《别录》药，应属今分条药，但未计入新分条药味数中。

厚朴　　　茗苦㮼_{唐附}　秦皮　　　秦椒　　　山茱萸_{胡颓子附}

紫葳_{凌霄花也，茎、叶、根附}　胡桐泪_{唐附}　白棘　　　棘刺花_{实、枣针附}

猪苓_{刺猪苓附}　墨_{宋附，今增图}

二十三种陈藏器余

必栗香　　　桐木　　　研药　　　黄龙眼　　　箭竿及镞^①

元慈勒　　　都咸子　　　凿孔中木　栎木皮　　　省藤

松杨木　　　杨庐耳　　　故甑蔽　　　㮙木　　　象豆

地主　　　　腐木　　　　石刺木　　　楠木　　　　息王藤

角落木　　　鸩鸟浆　　　紫珠

卷之十九

木部中品之下

四种	**神农本经** _{朱字}
二种	**名医别录** _{黑字}
六种	**唐本先附** _{注云唐附}
一十三种	**宋本先附** _{注云宋附}
一^②种	**今补**
二十二种	**陈藏器余**

已上总四十八^③种，内一十二种今增图

---

① 及镞：原无，据正文药名补。

② 一：原作"二"，今补药"大枫子"条在"猪腰子"条后存目无文，故减一。

③ 四十八：原作"四十九"，今补药数减一，因据改。

乌药_{宋附} 没药_{宋附} 仙人杖_{宋附，草仙人杖附，今增图}

松萝_{今增图} 毗梨勒_{唐附，今增图} 菴摩勒_{唐附}

卫矛_{鬼箭也} 海桐皮_{宋附} 大腹_{宋附，今增图}

紫藤_{宋附，今增图} 合欢 虎杖根 [1]

五倍子_{宋附} 伏牛花_{宋附} 天竺黄_{宋附，今增图}

蜜蒙花_{宋附} 天竺桂_{宋附，今增图} 折伤木_{唐附，今增图}

桑花_{宋附，今增图} 椋子木_{唐附，今增图}

每始王木_{唐附，今增图} 阿魏_{唐附，自草部今移}

牡丹_{自草部今移} 卢会_{宋附，自草部今移}

败天公_{自草部今移并增图} 猪腰子_{今补} [2]

二十二种陈藏器余

牛领藤	枕材	鬼膊藤	木戟	奴柘
温藤	鬼齿	铁槌柄	古衬板	慈母
饭箩	白马骨	紫衣	梳篦	倒挂藤
故木砧	古厕木	桃橛	梭头	救月杖
地龙藤	火槽头			

①　根：原无，据正文药名补。

②　今补：原脱，据清本补。

卷之二十

木部下品之上

一十四种	神农本经 朱字
二种	名医别录 黑字
一十二种	唐本先附 注云唐附
六种	宋本先附 注云宋附
一种	今分条
一十三种	陈藏器余

已上总四十八种，内一十四种今增图

巴豆　　　　　　　蜀椒崖椒、目、叶附　　　　皂荚鬼皂荚附

诃梨勒唐附，随风子附　　柳华叶、实、汁附

楝实即金铃子也，根皮附　　椿① 木叶唐附

樗木原附椿木叶下，今分条　　郁李仁根附　　　　莽草

无食子唐附，今增图　　黄药根宋附　　　　雷丸今增图

槲② 若唐附，皮附　　　白杨皮唐附　　　　桄榔子宋附

苏方木唐附，今增图　　榉树皮叶、山榉树皮附，今增图

桐叶花、皮、油附　　　胡椒唐附，今增图

钓樟根皮樟材附，今增图　千金藤宋附，今增图　南烛枝叶宋附

---

① 椿：原作"春"，据清本改。

② 槲：原注"音斛"。

无患子皮 ^① 宋附, 今增图   梓白皮叶附   橡实唐附, 壳附

石南实附   木天蓼唐附, 子附   黄环今增图

溲 ^② 疏 ^③ 今增图   鼠李   枳 ^④ 椇 ^⑤ 唐附,今增图

小天蓼宋附, 今增图   小檗唐附, 今增图   荚蒾唐附, 今增图

一十三种陈藏器余

栟榈木	楸木皮	没离梨	柯树皮	败扇
楤根	橉木灰	椰桐皮	竹肉	桃竹笋
罂子桐子	马疡木	木细辛		

卷之二十一

木部下品之下

四种	**神农本经** 朱字
四种	**名医别录** 黑字
九种	**唐本先附** 注云唐附
一十九种	**宋本先附** 注云宋附
一十三种	**陈藏器余**

① 皮: 原无, 据正文药名补。
② 溲: 原注"音搜"。
③ 疏: 原注"音踈"。
④ 枳: 原注"音止"。
⑤ 椇: 原注"音矩"。

已上总四十九种，内二十三[①]种今增图

紫荆木_{宋附}　　　　紫真檀_{今增图}

乌臼木根皮[②]_{唐附，子附，今增图}　　　　南藤_{宋附}

盐麸子_{宋附，树白皮、根白皮、叶上球子附，今增图}

杉材_{杉菌附}　　　接骨木_{唐附}　　　枫柳皮_{唐附，今增图}[③]

赤爪[④]木_{唐附，今增图}　　　桦木皮_{宋附，今增图}　　　榼藤子_{宋附，今增图}

栾荆_{唐附，子附}　　　扶栘木皮[⑤]_{宋附，今增图}　　　木鳖子_{宋附}

药实根_{今增图}　　　钓藤　　栾华　　　蔓椒_{今增图}

感藤_{宋附，今增图}　　　赤柽木_{三春柳也，宋附}　　　突厥白_{宋附，今增图}

卖子木_{唐附}　　　婆罗得_{宋附，今增图}　　　甘露藤_{宋附，今增图}

大空_{唐附，今增图}　　　椿荚_{宋附，今增图}　　　水杨叶嫩枝[⑥]_{唐附}

杨栌木_{唐附，今增图}　　　梽子_{宋附，今增图}　　　楠材_{今增图}

柘木_{宋附，今增图}　　　柞木皮_{宋附，今增图}　　　黄栌_{宋附，今增图}

棕榈子_{宋附，皮附}　　　木槿_{宋附，今增图}　　　芫花

---

① 二十三：原作"二十二"，按《证类本草》"枫柳皮"条无图，故增一。

② 根皮：原无，据正文药名补。

③ 今增图：原无，据义例补。

④ 爪：原注"侧绞切"。

⑤ 皮：原无，据正文药名补。

⑥ 嫩枝：原无，据正文药名补。

一十三种陈藏器余

百家箸	椆木皮叶①	刀鞘	芺树	丹桎木皮
结杀	杓	车家鸡栖木		檀
石荆	木藜芦	瓜芦	诸木有毒	

卷之二十二

人部

一种	**神农本经** 朱字
四种	**名医别录** 黑字
九种	**宋体先附** 注云宋附
一种	**唐慎微附**
一种	**今补**
一十种	**陈藏器余**

已上总二十六种

发髲	乱发	人乳汁	头垢
人牙齿 宋附,齿䇂附		耳塞 宋附	人屎 东向圊厕②溺坑中青泥附
人溺 宋附	秋石 今补	溺白垽 宋附	妇人月水 宋附

---

① 叶：原无，据正文药名补。
② 圊厕：原倒，据正文药名乙转。

浣裈汁_{宋附}　人精_{宋附}　　怀妊妇人爪甲_{宋附}　　　天灵盖_{宋附}

人髭_{唐慎微附}

一十种陈藏器余

人血　　　　人肉　　　　人胞　　　　妇人裈裆　　　　　人胆

男子阴毛　死人枕及席^①　　　　　夫衣带

衣中故绵^②絮　　　　　　　　新生小儿脐中屎

卷之二十三

兽部上品

七种	**神农本经** 朱字
三种	**名医别录** 黑字
三种	**唐本先附** 注云唐附
二种	**宋本先附** 注云宋附
五种	**陈藏器余**

已上总二十种，内三种今增图

龙骨_{白龙骨、齿、角、吉吊、紫梢花附}　　　　麝香

熊脂_{胆、脑、髓、掌、肉、血附}　　　　牛黄

---

① 及席：原无，据正文药名补。

② 绵：原无，据正文药名补。

牛角䚡_{髓、胆、心、肝、肾、齿、肉、屎、溺附，自中品今移}

牛乳　　　酥　　　酪_{唐附}　　乳腐_{宋附}

醍醐_{唐附，今增图}　　　　象牙_{宋附，齿、肉、睛、胆、胸骨附}

阿胶　　白马茎_{眼、蹄、齿、心、肺、肉、骨、屎、溺附，自中品今移并增图}

马乳_{驴乳附}　底野迦_{唐附，今增图}

五种陈藏器余

蔡苴机屎^①　诸朽骨　　乌毡　　　海獭　　　土拨鼠

卷之二十四

兽部中品

七种	**神农本经** _{朱字}
六种	**名医别录** _{黑字}
一种	**唐本先附** _{注云唐附}
一种	**今补**
四种	**陈藏器余**

已上总一十九种，内四种今增图

---

① 屎：原无，据正文药名补。

鹿茸_{骨、角、髓、肾、肉附}　　麋脂_{角、肉、骨、茸附，自下品今移并增图}

白胶_{鹿角霜附，自上品今移并增图}

羖羊角_{髓、胆、肺、心、肾、齿、肉、骨、屎附}　　　　羊乳_{自上品今移}

牡狗阴茎_{胆、心、脑、齿、骨、蹄、血、肉附，今增图}

羚羊角　　犀角　　虎骨_{膏、爪、肉附}

兔头骨_{脑、肝、肉附}　　笔头灰_{唐附，今增图}

狸骨_{肉、阴茎、猫附}　　　獐骨_{肉、髓附}　　　豹肉_{貊附}

狮子屎_{毛附，今补}

四种陈藏器余

犦子脐屎　灵猫阴^①　　震肉　　　狒狒

卷之二十五

兽部下品

三种	**神农本经** 朱字
四种	**名医别录** 黑字
四种	**唐本先附** 注云唐附
三种	**宋本先附** 注云宋附

---

① 阴：原无，据正文药名补。

一种	唐慎微附
一种	今分条
二种	今补
五种	陈藏器余

已上总二十三种，内七种今增图

豚卵蹄、心、肾、胆、齿、膏、肉等附　　　狐阴茎五脏、肠、屎等附

獭肝肉、胆等附　　　猯膏唐附，肉、胞、獾、貉附，今增图

鼹①鼠　　鼺②鼠　　野猪黄唐附，今增图　　　豺皮唐附，今增图

狼原附豺下，今分条并增图　　膃肭脐宋附，膃肭兽附

麂宋附，头骨附　　野驼③宋附

猕猴唐慎微附，肉、头骨、手、屎、皮附，今增图　　　败鼓皮今增图

六畜毛蹄甲今增图　　驴屎唐附，屎、乳、轴垢、肉、脂等附

塔剌不花今补　　毫猪膏④今补

五种陈藏器余

诸血　　　果然肉　　　狨兽　　　狼筋　　　诸肉有毒

---

① 鼹：原注"音偃"。

② 鼺：原注"音赢"。

③ 野驼：原作"野驼脂"，据正文药名标题改。

④ 膏：原无，据正文药名补。

卷之二十六

禽部上品

二种	**神农本经** 朱字
二种	**名医别录** 黑字
一种	**唐本先附** 注云唐附
五种	**今分条**
一种	**今移**
九种	**陈藏器余**

已上总二十种，内八种今增图

丹雄鸡　　白雄鸡今分条并增图　　　乌雄鸡今分条并增图

黑①雌鸡今分条并增图　　黄雌鸡今分条并增图　　　鸡子②今分条

白鹅膏毛、肉、卵、苍鹅附，今增图　　　鹜肪家鸭、白鸭屎附，今增图

鹧鸪唐附　雁肪今增图　鱼狗自陈藏器今移并增图

九种陈藏器余

鹬③　　鹦④　　阳乌　　凤凰台　　鸐鸡鸟⑤

---

① 黑：原作"乌"，据正文药名改。

② 鸡子：原作《本经》药，此作新分条药，未计入《本经》药味数中。

③ 鹬：此后原衍"瑁"字，据正文药名删。

④ 鹦：此后原衍"蝉"字，据正文药名删。

⑤ 鸟：原无，据正文药名补。

巧妇鸟　　英鸡　　　鸵^①鸟屎　鸡鹊

卷之二十七

禽部中品

三种	**神农本经** 朱字
三种	**名医别录** 黑字
八种	**陈藏器余**

已上总一十四种，内二种今增图

雀卵_{脑、头血、屎附}　　　燕屎_{石燕附，今增图}　　　伏翼

天鼠屎　　　　　　　　鹰屎白_{今增图}　　　　　雉^②_{白鹇附}^③

八种陈藏器余

蒿雀　　　鹖鸡　　山菌子　　百舌鸟　　黄褐侯

鹭雉　　　鸟目^④　　鸬鹚膏

———————

①　鸵：原作"驼"，据印本改。

②　雉：原作"雉肉"，据正文药名标题改。

③　白鹇附：原无，据正文药下附品项补。

④　鸟目：此后原衍"无毒"二字，据正文药名删。

卷之二十八

禽部下品

五种	**名医别录** 黑字
一种	**唐本先附** 注云唐附
一十三种	**宋本先附** 注云宋附
四种	**今补**
八种	**陈藏器余**

已上总三十一种，内一十六种今增图

白鹤宋附，今增图　　　孔雀屎①今增图　　　鸱②头今增图

鸬鹚宋附，今增图　　　斑鹪宋附，青鹪附，今增图　　乌鸦宋附

练鹊宋附，今增图　　　鸲鹆唐附，今增图　　　雄鹊

鸬鹚屎头附　　　　　　鹳骨今增图　　　　　　白鸽宋附，今增图

百劳宋附，今增图　　　鹑宋附，今增图　　　　啄木鸟宋附，今增图

慈鸦宋附，今增图　　　鹖鴠宋附，今增图　　　鹈鹕宋附，今增图

鸳鸯宋附，今增图　　　天鹅今补　　　　　　　鸧今补

鸀鳿今补　　　　　　　水鸳今补

---

① 屎：原无，据正文药名补。

② 鸱：原注"尺脂切"。

八种陈藏器余

布谷脚、脑、骨　　　蚊母鸟翅[①]　杜鹃　　　鸮目

钩鹅　　　姑获　　　鬼车　　　诸鸟有毒

卷之二十九

虫鱼部上品

一十种	**神农本经** 朱字
六种	**名医别录** 黑字
一种	**唐本先附** 注云唐附
二种	**宋本先附** 注云宋附
八种	**食疗余**
二十三种	**陈藏器余**

已上总五十种，内六[②]种今增图

石蜜[③]　蜂子大黄蜂子[④]、土蜂子[⑤]附　蜜蜡白蜡附，今增图

牡蛎　龟甲今增图　秦龟龟尿、龟筒、鼍龟、蟕蠵、蠼龟[⑥]附

珍珠宋附　瑇瑁宋附，猥龜附　　　桑螵蛸　石决明

---

① 翅：原无，据正文药名补。

② 六：原作"五"，按《证类本草》"鳝鱼"条无图，故增一。

③ 石蜜：本条与卷三十三果部"石蜜"条系同名异物。

④ 子：原脱，据正文药下附品项补。

⑤ 子：原脱，据正文药下附品项补。

⑥ 鼍龟、蟕蠵、蠼龟：原无，据正文药下附品项补。

海蛤　　　文蛤_{今增图}　　　　　魁蛤_{今增图}　　蠡^①鱼

鮧^②鱼_{鲍鱼附}^③　　　　　　　鲫鱼_{唐附}　　鳝^④鱼_{今增图}^⑤

鲍鱼_{今增图}　　鲤鱼胆_{肉、骨、齿附}

八种食疗余

时鱼　　　黄赖鱼　　　比目鱼　　　鲚鱼　　　鲦鮧鱼

鲸鱼　　　黄鱼　　　舫鱼

二十三种陈藏器余

鲟鱼　　　鱁鮧^⑥鱼白^⑦　　　　文鳐^⑧鱼　牛鱼

海豚鱼　　杜父鱼　　海鹞鱼齿^⑨　鮠鱼　　　鮹^⑩鱼

鳣鱼肝^⑪　石鮅鱼　　　鱼鲊　　　鱼脂　　　鲙

昌侯鱼　　鲩鱼　　　鲵鱼肝及子^⑫　　　鱼虎

鮇鱼　　　鲵鱼　　　诸鱼有毒　水龟　　　疟龟

---

① 蠡：原注"音礼"。

② 鮧：原注"音夷"。

③ 鲍鱼附：原无，据正文下附品药项补。

④ 鳝：原注"音善"。

⑤ 今增图：原无，据义例补。

⑥ 鮧：原作"鮧"，据正文药名改。

⑦ 白：原无，据正文药名补。

⑧ 鳐：原作"鹞"，据正文药名改。

⑨ 齿：原无，据正文药名补。

⑩ 鮹：原作"鞘"，据正文药名改。

⑪ 肝：原无，据正文药名补。

⑫ 肝及子：原无，据正文药名补。

卷之三十

虫鱼部中品

一十六种	**神农本经** 朱字
三种	**名医别录** 黑字
二种	**唐本先附** 注云唐附
一十种	**宋本先附** 注云宋附
二种	**唐慎微附**
一种	**今移**
二种	**海药余**
二十种	**陈藏器余**

已上总五十六种，内一十五种今增图

猬皮   露^①蜂房_{土蜂房附}   鳖甲_{肉、能、鳅附}

蟹_{爪附}   蚱^②蝉_{蝉蜕附}^③   蝉花_{唐慎微附}

蛴螬   乌贼鱼^④_{肉、柔鱼、章举、石距附}

白僵蚕_{蚕蛹子附}   原蚕蛾_{屎、蚕沙^⑤附}

蚕退_{宋附，蚕纸布附，今增图}   缘桑螺_{唐慎微附，今增图}

---

① 露：原脱，据清本补。

② 蚱：原注"音笮，又音侧"。

③ 蝉蜕附：原无，据罗马本补。

④ 鱼：此后原有"骨"字，据正文药名标题删。

⑤ 蚕沙：原无，据正文药下附品项补。

鳗①鲡②鱼_{鱿鱼、海鳗附}　鮀③鱼甲_{肉、鼋甲附，今增图}

樗④鸡　　蛞⑤蝓⑥　　蜗牛_{今增图}　　石龙子　　木虻

蜚虻_{今增图}　蜚蠊⑦_{今增图}　　　　　䗪⑧虫　　鲛鱼皮_{唐附}

白鱼_{宋附，今增图}　　鳜⑨鱼_{宋附，今增图}

青鱼_{宋附，眼、胆、枕骨附}　河豚_{宋附，今增图}

石首鱼_{宋附，今增图}　　嘉鱼_{宋附，今增图}

鲻鱼_{宋附，今增图}　　　紫贝_{唐附}　　鲈鱼_{宋附，今增图}

鲞_{宋附，今增图}　　　　海马_{自陈藏器今移并增图}

二种海药余
郎君子　　海蚕沙⑩

二十种陈藏器余
鼋　　　齐蛤　　　柘虫屎　　蚱蜢　　寄居虫

蚰蜒　　负蠜　　　蠮螉　　　蛊虫　　土虫

---

① 鳗：原注"音谩"。
② 鲡：原注"音黎"。
③ 鮀：原注"音驼"。
④ 樗：原注"丑如切"。
⑤ 蛞：原注"音阔"。
⑥ 蝓：原注"音俞"。
⑦ 蠊：原注"音廉"。
⑧ 䗪：原注"音柘"。
⑨ 鳜：原注"居卫切"。
⑩ 沙：原无，据正文药名补。

鳙鱼　　　予脂　　　砂挼子　　　蛔虫汁 ①　　蠱蝕

灰药　　　吉丁虫　　腪颗虫　　　鼷鼠　　　诸虫有毒

卷之三十一

虫鱼部下品

一十八种　　**神农本经** 朱字

一十二种　　**名医别录** 黑字

　二种　　　**唐本先附** 注云唐附

一十三种　　**宋本先附** 注云宋附

三十六种　　**陈藏器余**

已上总八十一种，内一十六种今增图

虾 ② 蟆 ③ 蟾蜍、山蛤、田父附　　**牡鼠**肉、粪附，今增图　　　　马刀

蛤蜊 ④ 宋附，今增图　　　　　蚬 ⑤ 宋附，今增图

蜮 ⑥ 蠪 ⑦ 宋附，今增图　　　蚌蛤宋附　　车螯宋附，今增图

―――――――

① 汁：原无，据正文药名补。

② 虾：原注"音遐"。

③ 蟆：原注"音麻"。

④ 蜊：原注"音梨"。

⑤ 蚬：原注"音显"。

⑥ 蜮：原注"乎咸切"。

⑦ 蠪：原注"音进"。

蚶宋附，今增图　　　蛏宋附，今增图　淡菜宋附　　　虾今增图

蚺蛇胆膏附　蛇蜕今增图　蜘蛛壁钱附　蝮蛇胆肉、千岁蝮附，今增图

白颈蚯蚓　蟅①蝛②　葛上亭长今增图　　　斑蝥

芫青　　　地胆今增图　蜈蚣　　蛤蚧宋附③　水蛭④

田中螺蝸螺附，今增图　贝子　　　石蚕草石蚕附　雀瓮

白花蛇宋附　乌蛇　　金蛇宋附，银蛇、金星地⑤鳝附　蛞蝓

五灵脂宋附　蝎宋附　蝼⑥蛄⑦　马陆今增图　鼃⑧

鲮鲤甲今人谓之穿⑨山甲　珂唐附，今增图蜻蛉　　　鼠妇湿生虫也

萤火今增图　甲香唐附　衣鱼

三十六种陈藏器余

海螺　　　海月　　　青蚨　　　蛂虫　　　乌烂死蚕

茧卤汁　　壁钱　　　针线袋　　故锦烧作⑩灰

---

① 蟅：原注"音嗻"。
② 蝛：原注"乌红切"。
③ 宋附：原脱，据"蛤蚧"条正文义补，与《证类本草》先附药味数合。
④ 蛭：原注"音质"。
⑤ 地：原脱，据正文药下附品项补。
⑥ 蝼：原注"音娄"。
⑦ 蛄：原注"音姑"。
⑧ 鼃：原注"音蛙"。
⑨ 穿：原作"川"，据印本改。
⑩ 烧作：原无，据正文药名补。

故绯帛	赦日线	苟印	溪鬼①虫	赤翅蜂②
独脚蜂	蜡③	盘螯虫	螳蟷	山蚤虫
溪狗	水黾	飞生虫	芦中虫	蓼螺
蛇婆	朱鳖	担罗	青腰虫	虿
枸杞上虫	大红虾鲊	木蠹	留师蜜	蓝蛇④
两头蛇	活师			

卷之三十二

果部上品

六种	**神农本经** 朱字
五种	**名医别录** 黑字
二种	**宋本先附** 注云宋附
二种	**今分条**
五种	**陈藏器余**

已上总二十种，内三种今增图

豆蔻 花、山姜花附　　　　**藕实茎** 石莲、荷叶、花、鼻附

---

① 鬼：原作"鱼"，据正文药名改。

② 蜂：原作"虫"，据正文药名改。

③ 蜡：原注"音蛇"。

④ 蓝蛇：此后原衍"头"一字。按"头"字属正文下文，误入药名中，因据删。

橘核、皮附　青皮原附橘下，今分条并增图　柚子①原附橘下，今分条

大枣生枣及叶附　　仲思枣宋附，苦枣附　　葡萄

栗子②　蓬蘽③　　覆盆子今增图　　芰④实菱角也

橙子皮⑤宋附，今增图　　樱桃　　鸡头实

五种陈藏器余

灵床上果子　　无漏子　都角子　文林郎⑥

木威子

卷之三十三

果部中品

一种	神农本经 朱字
六种	名医别录 黑字
二种	唐本先附 注云唐附
三种	宋本先附 注云宋附
一种	今移

---

① 子：原无，据正文药名补。
② 子：原无，据正文药名补。
③ 蘽：原作"蔂"，据正文改。原注"力轨切"。
④ 芰：原注"音技"。
⑤ 皮：原无，据正文药名补。
⑥ 文林郎：此后原衍"子"字，据正文药名删。

四种　　　陈藏器余

已上总一十七种，内四种今增图

梅实叶、根、核仁、乌梅、白梅附　　　　　　木瓜榠楂附

柿蒂附　　　芋叶附　　　乌芋　　　茨菇剪刀草也，自外经今移

枇杷叶子附　荔枝子宋附　乳柑子宋附，今增图　　　甘蔗①

石蜜乳糖也，唐附，今增图　　　沙糖唐附，今增图

椑②柿宋附，今增图

四种陈藏器余

摩厨子　　　悬钩根皮③　　　　　　钩栗　　　石都念子

卷之三十四

果部下品

三种　　　神农本经朱字

五种　　　名医别录黑字

一十种　　宋本先附注云宋附

---

① 蔗：原注"音柘"。

② 椑：原注"音卑"。

③ 根皮：原无，据正文药名补。

七种	今补
一种	今移
四种	陈藏器余

已上总三十种，内七种今增图

桃核仁_{花、枭①、毛、蠹、皮、叶、胶、实等附}　　　杏核仁_{花附}

安石榴_{根、壳附}　　　梨_{鹿梨、鹅梨、消梨附}　　　林檎_{宋附}

李核仁_{根皮附}　　　杨梅_{宋附，今增图}

胡桃_{宋附，树皮附}　　　猕猴桃_{宋附，今增图}

海松子_{宋附，今增图}　　　奈_{今增图}　　　菴罗果_{宋附，今增图}

橄榄②_{宋附，核中仁附}　　　榅桲_{宋附}　　　榛子_{宋附，今增图}

龙眼_{自木部今移}　　　椰子皮_{宋附，浆等附，自木部今移}

梴实_{自木部今移并增图}　　　香圆_{今补}　　　马槟榔_{今补}　平波_{今补}

八檐仁_{今补}　银杏_{今补}　　　株子_{今补}　　　必思答_{今补}

棠毬子_{自外经今移}

四种陈藏器余

君迁子　　　韶子　　　楺③子　　　诸果有毒

---

① 枭：原作"凫"，据《证类本草》改。
② 榄：原注"音览"。
③ 楺：原作"探"，据《证类本草》改。

卷之三十五

米谷部上品

三种	**神农本经** 朱字
二种	**名医别录** 黑字
二种	**宋本先附** 注云宋附
一种	**今分条**
四①种	**陈藏器余**

已上总一十二②种，内五③种今增图

胡麻叶附　　　　　巨胜子油、叶附，原附胡麻下，今分条并增图

胡麻油宋附，今增图　　　**青蘘④**今增图　　　　　**麻蕡⑤**子附

白油麻宋附　　　　**饴糖**今增图　　　　　**灰藋**今增图

四⑥种陈藏器余

师草实　　　　**寒食饭**　　**䅟米**　　**狼尾草⑦**

---

① 四：原作"三"，据正文"陈藏器余"实际药味数改。

② 一十二：原作"一十一"，据药味总数改。

③ 五：原作"四"，据同卷目录下实际今增图数改。

④ 蘘：原注"音箱"。

⑤ 蕡：原注"音坟"。

⑥ 四：原作"三"，据正文"陈藏器余"实际药味数改。

⑦ 狼尾草：原脱，据正文补，与目录数合。

卷之三十六

米谷部中品

三^①种	神农本经 朱字

三①种　神农本经 朱字

一十六种　名医别录 黑字

四②种　宋本先附 注云宋附③

三种　陈藏器余

已上总二十六种，内一十七种今增图

生大豆④ 穞豆附　　大豆黄卷今增图　　赤小豆

酒糟附，今增图　　粟米粉、粘⑤、糗附，今增图　　秫米今增图

粳米今增图　　青粱⑥米　　黍米今增图

丹黍米　　白粱米今增图　　黄粱米今增图

糵米今增图　　舂杵头细⑦糠今增图

小麦面、麸、麦、苗附　　大麦苗、面、麦糵附，今增图　　穬麦今增图

---

① 三：原作"二"，按"生大豆"为《本经》药文，故增一。

② 四：原作"五"，"生大豆"原作宋本先附药，今据义例改为《本经》药，故减一。

③ 注云宋附：原无，据罗马本补。

④ 生大豆：原下有小字注文"宋附"，今据义例删。

⑤ 粘：原作"泔"，据正文改。

⑥ 粱：原作"梁"，据义例改。下同。

⑦ 细：原脱，据正文药名补。

曲 _{宋附，今增图}　　　荞麦 _{宋附，今增图}　　　藕^① 豆 _{叶附}

豉 _{今增图}　　绿豆 _{宋附，稙豆附，今增图}　　白豆 _{宋附，今增图}

三种陈藏器余

胡豆子　　东廧　　麦苗^②

卷之三十七

米谷部下品

一种	神农本经 朱字
五种	名医别录 黑字
一种	宋本先附 注云宋附
二种	今补
四^③种	陈藏器余

已上总一十三^④ 种，内三种今增图

醋 _{今增图}　　糯^⑤ 稻米 _{稳、秆、穰附}　　稷米　　腐婢

---

① 藕：原注"音扁"。
② 麦苗：原作"狼尾草"，按"狼尾草"已见于卷三十五，据正文改。
③ 四：原作"五"，按"麦苗"已见于卷三十六，故减一。
④ 一十三：原作"一十四"，据药味总数改。
⑤ 糯：原无，据正文药名补。

酱_{今增图}　　陈廪米_{今增图}　　　　罂子粟_{宋附}　豌豆_{今补}

青小豆_{今补}

四^①种陈藏器余

糟笋中酒　社酒　　　蓬草子　　寒食麦仁粥^②

卷之三十八

菜部上品

五种	**神农本经** _{朱字}
七种	**名医别录** _{黑字}
二种	**唐本先附** _{注云唐附}
一十三种	**宋本先附** _{注云宋附}
一种	**陈藏器余**

已上总二十八种，内一十六种今增图

冬葵子_{根、叶附}　　　　苋实　　　胡荽_{宋附，子附，今增图}

邪蒿_{宋附，今增图}　　　茼^③蒿_{宋附，今增图}

胡瓜叶_{即黄瓜也，宋附，根、实附，今增图}　　　石胡荽_{宋附，今增图}

---

① 四：原作"五"，据上文"四种陈藏器余"改。

② 仁粥：原无，据正文药名补。

③ 茼：原作"同"，据印本改。

芜菁_{即蔓菁也，子附}　　　白冬瓜_{今增图}　　　　白瓜子_{今增图}

甜瓜_{宋附，子、叶附，今增图}　瓜蒂_{花附}　　　　　越瓜_{宋附，今增图}

芥^①　　　　　　　白芥_{宋附，子附，今增图}

莱菔根^②_{即萝卜也，唐附，子附}　　　　　　　菘菜^③_{紫花菘附}

苦菜_{今增图}　　　　荏子_叶^④_{附，今增图}

黄蜀葵^⑤_{宋附，子附}　　红蜀葵_{宋附，根、叶等附}　龙葵_{唐附，子附}

苦耽_{宋附，今增图}　　苦苣_{宋附，今增图}　　苜蓿_{今增图}

荠_{根、实附，今增图}　　罗勒_{宋附，子、根附}

一种陈藏器余
蕨

卷之三十九

菜部中品

六种	**神农本经** 朱字
六种	**名医别录** 黑字
二种	**唐本先附** 注云唐附

---

① 芥：本条与卷四十二有名未用"芥"条系同名异物。
② 根：原无，据正文药名补。
③ 菜：原无，据正文药名补。
④ 叶：此后原衍"子"一字，据正文药下附品项删。
⑤ 葵：此后原有"花"字，据正文药名标题删。

一种	唐慎微附
七种	今补
一种	陈藏器余

已上总二十三种，内一种今增图

生姜自草部今移　　　　　干姜自草部今移

蓼实马蓼等六种附　　　葱实茎、花、根、白、汁[①]附　韭子、根附

薤　　荍[②]菜今增图　　　荆芥旧名假苏　白蘘荷

紫苏子附　水苏　　香薷　　薄荷唐附　葫[③]芦今补

甘露子今补　蘑菇今补　香菜今补　薇菜今补　天花今补

胡萝卜今补　秦荻梨唐附，五辛菜附　　醍醐菜唐慎微附

一种陈藏器余

翘摇

卷之四十

菜部下品

| 二种 | 神农本经朱字 |

---

① 汁：原作"汗"，据正文改。

② 荍：原注"音甜"。

③ 葫：原作"胡"，据正文药名改。

六种	**名医别录** 黑字
三种	**唐本先附** 注云唐附
一[①]十种	**宋本先附** 注云宋附
一种	**今补**
一种	**陈藏器余**

已上总二十三种，内一十四种今增图

苦瓠子附，今增图　　　　葫大蒜也　　　　　蒜小蒜也

胡葱宋附，今增图　　　　莼石莼附，今增图　　　水蕲[②]今增图

马齿苋宋附，子附　　　　茄子宋附，根、苦茄附　　蘩蒌

白苣宋附，莴苣附，今增图　落葵实附，今增图

堇唐附，今增图　　　　　蕺　　　　　　　马芹子唐附，今增图

芸薹唐附，今增图　　　　菠薐宋附，今增图　　　苦荬宋附，今增图

鹿角菜宋附，今增图　　　莙荙宋附，今增图　　　东风菜宋附，今增图

雍菜宋附　　玉簪花今补

一种陈藏器余

甘蓝

---

① 一：原脱，据义例补。

② 蕲：原注"音芹"。

卷之四十一

本草图经本经外草类总七十五种内一种今补

水英	丽春草	坐拏草	紫堇	杏叶草
水甘草	地柏	紫背龙牙	攀倒甑	佛甲草
百乳草	撮石合草	石苋	百两金	小青
曲节草	独脚仙	露筋草	红茂草	见肿消
半天回	龙牙草	苦芥子	野兰根	都管草
小儿群	菩萨草	仙人掌草①	紫背金盘草②	
石逍遥草③		胡堇草	无心草	千里光
九牛草	刺虎	生瓜菜	建水草	紫袍
老鸦眼睛草		天花粉	琼田草	石垂
紫金牛	鸡项草	拳参	根子	杏参
赤孙施	田母草	铁线④	天寿根	百药祖
黄寮郎	催风使	阴地厥	千里急	地芙蓉
黄花了⑤	布里草	香麻	半边山	火炭母草
亚麻子	田麻	鸩鸟威	茆质汗	地蜈蚣

---

① 草：原无，据正文药名补。
② 紫背金盘草："草"，原无，据正文药名补。此条以下至"刺虎"条，均按正文顺序调整。
③ 草：原无，据正文药名补。
④ 铁线：此后原衍"草"一字，据正文药名删。
⑤ 了：原作"子"，据正文药名改。

地茄子　　水麻　　　金灯　　　石蒜　　　荨麻

山姜　　　马肠根　　撒馥兰 ^① 今补

本草图经本经外木蔓类二十四种 ^②

大木皮　　崖棕　　　鹅抱　　　鸡翁藤　　紫金藤

独用藤　　瓜藤　　　金棱藤　　野猪尾　　烈节

杜茎山　　血藤　　　土红山　　百棱藤　　祁婆藤

含春藤　　清风藤　　七星草　　石南藤　　石合草

马接 ^③ 脚　芥心草　　醋林子　　天仙藤

卷之四十二

有名未用总一百九十四种

二十六种玉石类

青玉　　　　白玉髓　　玉英　　　　璧玉　　　　合玉石

---

① 撒馥兰：此后原有"一枝箭""隔山消""水仙子"三种今补药存目无文，因据删，与外草类药味总数合。

② 二十四种：原作"二十八种"，其下原有"内四种今补"小字注文，系指"石瓜""苦只刺把都儿""孩儿茶""锦地罗"四味，但此四种今补药存目无文，因据删。

③ 接：原作"节"，据正文药名改。

紫石华	白石华	黑石华	黄石华	厉^①石华

紫石华　　白石华　　黑石华　　黄石华　　厉①石华

石肺　　　石肝　　　石脾　　　石肾　　　封石

陵石　　　碧石青　　遂石　　　白肌石　　龙石膏

五羽石　　石硫青　　石硫赤　　石耆　　　紫加石

终石

一百三十二种草木类

玉伯　　　文石　　　曼诸石　　山慈石　　石濡

石芸　　　石剧　　　路石　　　旷石　　　败石

越砥②　　金茎　　　夏台　　　柒紫　　　鬼目

鬼盖　　　马颠　　　马唐　　　马逢　　　牛舌实③

羊乳　　　羊实　　　犀洛　　　鹿良　　　菟枣

雀梅　　　雀翘　　　鸡涅　　　相乌　　　鼠耳④

蛇舌　　　龙常草　　离楼草　　神护草　　黄护草

吴唐草　　天雄草　　雀医草　　木甘草　　益决草

九熟草　　兑草　　　酸草　　　异草　　　灌草

茈⑤草　　莘草　　　勒草　　　英草华　　吴葵华

封华　　　陕⑥华　　　排华　　　节华　　　徐李

---

① 厉：原作"属"，据正文药名改。

② 砥：原注"音旨"。

③ 实：原脱，据正文药名补。

④ 耳：原作"草"，据正文药名改。

⑤ 茈：原注"音起"。

⑥ 陕：原注"他典切"。

新雉木	合新木	俳蒲木	遂阳① 木	学木核
木核华、子、根附		枸② 核	荻皮	桑茎实
满阴实	可聚实	让实	蕙实	青雌
白背	白女肠赤女肠附		白扇根	白给
白并	白辛	白昌	赤举	赤涅
黄秫	徐黄	黄白支	紫蓝	紫给
天蓼	地朕	地芩	地筋	地耳
土齿	燕齿	酸恶	酸赭	巴棘
巴朱	蜀格	累根	苗根	参果根
黄辩③	良达	对庐	粪蓝	委④ 蛇⑤
麻伯	王明	类鼻	师系	逐折
并苦	父陛根	索干	荆茎	鬼麗⑥
竹付	秘恶	唐夷	知杖	垄⑦ 松
河煎	区余	三叶	五母麻	疥拍腹
常吏之生	救赦人者	丁公寄	城里赤柱	城东腐木
芥	载	庆	瘰⑧	

---

① 阳：原作"杨"，据正文药名改。

② 枸：原注"音荀"。

③ 辩：原作"辨"，据正文药名改。

④ 委：原注"音威"。

⑤ 蛇：原注"音贻"。

⑥ 麗：原注"音丽"。

⑦ 垄：原注"音地"。

⑧ 瘰：原注"户瓦切"。

一十五种虫类

雄黄虫	天社虫	桑蠹虫	石蠹虫	行夜
蜗篱	麋鱼	丹戬	扁前	蚊类
蜇厉	梗鸡	益符	地防	黄虫

唐本退二十种六种神农本经，一十四种名医别录

薰草	姑活	别羁	牡蒿	石下长卿
麢①舌	练石草	弋共	蕈②草	五色符
蘘③草④	翘根	鼠姑	船虹	屈草
赤赫	淮木	占斯	婴⑤桃	鸩⑥鸟毛

宋本退一种神农本经

彼子

今退二种一种宋附，一种名医别录

| 地菘 | 鸡肠草 |

————————

① 麢：原注"俱伦切"。
② 蕈：原注"音谭"。
③ 蘘：原注"音襄"。
④ 草：原脱，据正文药名补。
⑤ 婴：原注"音樱"。
⑥ 鸩：原注"直阴切"。

　　新旧药味共一千八百一十五种①：内，四十六种②今补，二十一种③今分条，二种今定，三十一种今移，三百六十六种④今增图；外，二种今退

　　总四十二卷；外序例、凡例、目录一卷；附录：解百药及金石等毒例⑤，服药食忌例⑥，不入汤酒药味⑦，药味畏恶反忌，妊娠服禁，地名考正⑧，诸药异名⑨

　　共三十六帙

　　本草品汇精要目录终

---

①　一千八百一十五种：据底本总目录统计应为 1818 种，实为 1809 种，所少 9 种即卷 17 中 1 种（沥青）、卷 19 中 1 种（大枫子）、卷 41 中 7 种（石瓜、苦只剌把都儿、孩儿茶、锦地罗、一支箭、隔山消、水仙子）只存目无文所致。按底本实绘彩图统计，存 1358 幅，其他抄本多"五色石脂"1 图而少"柘木耳"1 图；如果按图题统计，则全书有图 1383 幅。即卷 1 玄明粉、卷 3 水银、卷 7 熟地和薏苡仁、卷 18 墨、卷 23 阿胶、卷 34 椰子均按 2 图计，卷 6 粉霜、卷 17 樟脑按 3 图计，卷 4 食盐按 4 图计，卷 18 五木耳按 6 图计，而卷 7 滦州柴胡、卷 8 四川芎䓖、卷 9 白兔藿、卷 10 赤芍药、卷 23 龙、卷 41 撒馥兰等 6 图均为新绘而未计入图数所致。

②　四十六种：据底本总目统计，今补药味应有 48 种，实际存文新增药味为 39 种，所少 9 味即卷 17 中 1 种（沥青）、卷 19 中 1 种（大枫子）及卷 41 中 7 种（石瓜、苦只剌把都儿、孩儿茶、锦地罗、一支箭、隔山消、水仙子）只存目无文所致。

③　二十一种：据底本实存药文统计，新分条药味 23 种（含今定药味 1 种）。

④　三百六十六种：据底本实存药文图统计，373 种药物标记"今增图"字样，新增图数 436 幅。

⑤　解百药及金石等毒例：原无，据正文标题补。

⑥　服药食忌例：原无，据正文标题补。

⑦　不入汤酒药味：正文标题作"凡药不宜入汤酒者"。

⑧　地名考正：正文标题作"旧本地名即今当代郡邑"。

⑨　诸药异名：正文无此内容。

本草品汇精要

· 卷之一 ·

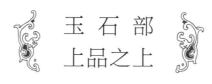

玉 石 部
上品之上

已上总三十八种，内二种今增图

丹砂　　　　　　云母石　　　　　　玉屑

玉泉　　　　　　矾石　　　　　　　绿矾 宋附

柳絮矾 宋附　　　消石　　　　　　芒消

朴消 甜消附　　　玄明粉 宋附，今增图

马牙消 宋附，今增图　　生消 宋附　　　滑石

石胆　　　　　　空青　　　　　　　曾青

三种海药余

车渠　　　　　　金线矾　　　　　　波斯白① 矾

一十八种陈藏器余

金浆　　　　　　古镜　　　　　　　劳铁

神丹　　　　　　铁锈　　　　　　　布针

铜盆　　　　　　钉棺下斧声　　　　枷上铁钉

黄银　　　　　　石黄　　　　　　　石脾

诸金　　　　　　水中石子　　　　　石漆

烧石　　　　　　石药　　　　　　　研朱石槌

---

① 白：原脱，据正文药名补。

本草品汇精要卷之一
玉石部上品之上

〇 石之石

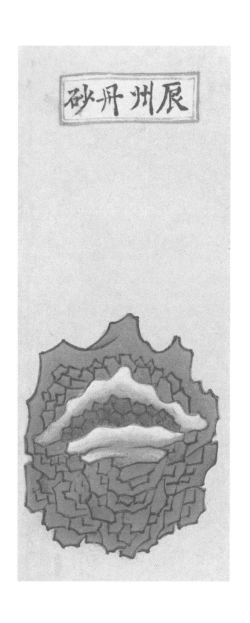

丹砂

无毒　石穴生

丹砂出神农本经。主身体五脏百病，养精神，安魂魄，益气，明目，杀精魅邪，恶鬼。久服通神明，不老。能化为汞。以上朱字神农本经。通血脉，止烦满，消渴，益精神，悦泽人面，除中恶、腹痛、毒气、疥瘘、诸疮，轻身，神仙。以上黑字名医所录。

名 云母砂、马齿砂、豆砂、
末砂、土砂、石砂、朱砂、真朱、
光明砂、马牙砂、无重砂、越砂、
鹿薮、妙硫砂、白庭砂、金座砂、
梅柏砂、白金砂、澄水砂、玉
座砂、辰锦砂、芙蓉砂、阴成砂、
箭簇砂、曹末砂、镜面砂、平
面砂、神末砂、金星砂、巴砂。

地 〔图经曰〕丹砂生符陵
山谷，今出辰州、宜州、阶州，
而辰州者最胜，谓之辰砂。生
深山石崖间。土人采之，掘地
数十尺始见其苗，乃白石耳，
谓之朱砂床。砂生石上，其块
大者如鸡子，小者如石榴子，
状若芙蓉头。箭簇连床者，紫
黯若铁色而光明莹澈，碎之崭
岩作墙壁，又似云母片可析者，
真辰砂也，无石者弥佳。过此
皆淘土石中得之，非生于石床
者。〔陶隐居云〕出武陵西川
诸蛮夷中，皆通属巴地，谓之
巴砂。《仙经》亦用越砂，出
广州、临津者，二处并好，惟
光明莹澈为佳。如云母片者，

谓之云母砂。如樗蒲子、紫石英形者，谓马齿砂，亦好。如大小豆及大块圆滑者，谓豆砂。细末碎者，谓末砂。此二种粗，不入药用，但可画用尔。

时　〔生〕无时。〔采〕无时。

质　光明莹澈，如云母可析者良。

色　赤。

味　甘。

性　微寒。

气　气薄于味，阴中之阳。

臭　朽。

主　镇心，安魂魄。

反　畏咸水。

制　〔雷公云〕凡使，宜须细认，尚有百等。有妙硫砂，如拳大，或重一镒，有十四面，面如镜。若遇阴沉天雨，即镜面上有红浆汁出。有梅柏砂，如梅子大，夜有光生，照见一室。有白庭砂如帝珠子大，面上有小星现。有神座砂、金座砂、玉座砂，不经丹灶服之而自延寿命。次有白金砂、澄水砂、阴成砂、辰锦砂、芙蓉砂、镜面砂、箭簇砂、曹末砂、土砂、金星砂、平面砂、神末砂，不可一一细述也。夫修事朱砂，先于一静室内焚香斋沐，然后取砂以香水浴过了，拭干，即碎捣之，后向钵中更研三伏时，竟，取一瓮锅子著研了砂于内，用甘草、紫背天葵、五方草各剉之，著砂上下，以东流水煮亦三伏时，勿令水火阙失。时候满，去三件草，又以东流水淘令净，干晒，又研如粉，用小瓷瓶子盛，又入青芝草、山须草半两盖之。下十斤火煅，从巳至子时方歇，候冷，再研似粉。如要服则入熬蜜丸如细麻子大，空腹服一丸。如寻常入药，乳极细，水飞过用。

治〔疗〕〔药性论云〕镇心并尸疰风。〔日华子云〕润心肺，疗疮、疥、痂、息肉，服并涂用。〔别录云〕伤寒时气、温疫、头痛、壮热、脉盛才一二日者，以一两水煮一升顿服，覆衣被取汗即瘥。又疗小儿未满月惊着似中风欲死者，以新汲水浓磨汁，涂五心上立瘥。

合治 以一两水煮数沸为末合酒服，疗妊妇子死腹中不出。

赝 武都仇池雄黄挟雌黄者，名为丹砂，方家亦往往俱用，此为伪矣。

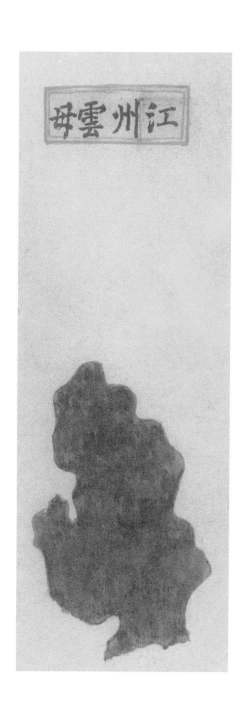

云母石

无毒　土石生

云母石出神农本经。主身皮死肌，中风寒热如在车船上，除邪气，安五脏，益子精，明目，久服轻身，延年。以上朱字神农本经。下气，坚肌，续绝，补中，疗五劳七伤，虚损，少气，止痢，悦泽，不老，耐寒暑，志高，神仙。以上黑字名医所录。

名　云珠、云华、云英、磷石、云液、云砂、云胆、地涿。

地〔图经曰〕生泰山山谷及琅琊北定山，今兖州云梦山、江州、濠州、杭越间有之，多生于土石间。作片成层可析，明滑光白者为上。其片绝有大而莹洁者，今人或以饰灯笼，亦古屏扇之遗事耳。《抱朴子·内篇》云：云母有五种，人莫能辨。当举以向日详视其色乃可知。其正于阴地视之，不见其杂色也。其五色并具而多青者名云英，宜以春服之；五色并具而多赤者名云珠，宜以夏月服之；五色并具而多白者名云液，宜以秋服之；五色并具而多黑者名云母，宜以冬服之；但有青、黄二色者名云砂，宜以季夏服之；晶晶①纯

---

① 晶：原注"刑料切"。

白者名磷石，四时可服也。然则医方所用正白者，乃磷石一种耳，
惟青州、江东及庐山者为胜。其黯黯纯黑有纹斑，斑如铁者名云胆；
杂黑而强肥者名地涿，及江南多青黑色者，皆不可入药也。

时 〔采〕二月取。

用 通透轻薄者。

质 类纱縠而明净。

色 青、赤、黄、白、黑。

味 甘。

性 平，缓。

气 气厚于味，阳中之阴。

臭 朽。

主 下痢，肠澼。

助 泽泻为之使。

反 畏鮀甲及流水，恶徐长卿。

制 〔雷公云〕凡修事一斤，先用小地胆草、紫背天葵、生甘草、地黄汁各一镒，干者细剉，湿者取汁了，于瓷锅中安云母并诸药了，下天池水三镒，著火煮七日夜，水火勿令失度。其云母自然成碧玉浆在锅底，却，以天池水猛投其中，将物搅之浮如蜗涎者即去之，如此三度，淘净了。取沉香一两捣作末，以天池水煎沉香汤三升已来，分为三度。再淘云母浆了，日中晒任用。

治 〔疗〕〔别录云〕云母粉消风疹遍身，百计治不瘥者，以清水调服之。亦主带下并淋疾，傅金疮及一切恶疮尤妙。〔补〕〔药性论云〕补肾冷。

合治 云母粉合生羊髓和如泥涂之，疗火疮败坏。

禁 色黄黑者，厚而顽赤色者，经妇人手把者，并不中用。

忌 羊血。

○ 石之石

玉屑

无毒　石生

玉屑主除胃中热，喘息，烦满，止渴。屑如麻豆服之，久服轻身，长年。名医所录。

名 玄真、璞玉、珏、琛、
和氏璧、球琳、璠玙、珩、琼、
连城璧、黄璧、玄璧、琚、瑶、璆、
瑜、青璧、白璧、白玉、碧玉、
紫玉、绿玉、苍玉、红玉、玫瑰、
赤璋。

地 〔图经曰〕玉，按《本
经》玉屑，生蓝田。陶隐居注云：
好玉出蓝田及南阳徐善亭部界
中、日南卢容水中，外国于阗、
疏勒诸处皆善。今蓝田、南阳、
日南不闻有玉。礼器及乘舆、
服御，多是于阗国玉。〔陶隐
居云〕玉屑是以玉为屑，非应
别是一物。《仙经》服珏玉有
捣如米粒，乃以苦酒辈消令如
泥，亦有合浆者。〔苏恭云[①]〕
屑如麻豆服之，取其精润脏腑，
滓秽当完出。若为粉服之，即
使人淋壅。《书传》载玉之色曰：
赤如鸡冠，黄如蒸栗，白如截肪，
黑如纯漆。为之玉符，而青玉

屑玉

---

① 苏恭云：原未朱字标记，据义
例改。

独无说焉。又其质温润而泽，其声清越以长，所以为贵也。今五色玉，青白者常有，黑者时有，黄赤者绝无。虽礼之六器亦不能得其真。然服玉、食玉惟贵纯白，他色亦不取焉。

时　〔采〕无时。

用　屑。

质　类水精而温润。

色　白。

味　甘。

性　寒，缓。

气　气之薄者，阳中之阴。

臭　朽。

主　止渴，灭瘢。

反　恶鹿角。

制　〔陶隐居云〕《仙经》服珏①玉有捣如米粒，乃以苦酒辈消令如泥服之。

治　〔疗〕〔日华子云〕润心肺，明目，滋毛发，助声喉。〔别录云〕含玉咽津，以解肺热。

合治　璧玉合金银、麦门冬等煎服，滋养五脏，除烦躁。

―――――――

① 珏：原注"音角"。

○ 石之水

玉泉

无毒　穴生

玉泉_{出神农本经}。主五脏百病，柔筋强骨，安魂魄，长肌肉，益气，久服耐寒暑、不饥渴、不老、神仙。人临死服五斤，死三年色不变。_{以上朱字神农本经}。**利血脉，疗妇人带下，十二病，除气癃①，明耳，轻身，长年**。_{以上黑字名医所录}。

---

① 癃：原注"音隆"。

名 玉札、玉液、琼浆。

地 〔图经曰〕玉泉，生蓝田山谷。〔陶隐居云〕蓝田在长安东南，旧出美玉。此当是玉之精华。白者质色明澈，可消之为水，故名玉泉。今人无复的识者，惟通呼为玉尔。〔苏恭云〕玉泉者，玉之泉液也，以仙室池中者为上，其以法化为浆者，功劣于自然泉液也。〔衍义曰〕《经》云：玉泉生蓝田山谷。今蓝田山谷无玉泉。泉水，古今不言采。又曰：服五斤。古今方，水不言斤。又曰：一名玉札。如此则不知定是何物。诸家所解，更不言泉，但为玉立文。陶隐居虽曰可消之为水，故名玉泉。诚如是，则当言玉水，亦不当言玉泉也。今详泉字乃是浆字，于义方允。采玉为浆，断无疑焉。

时 〔采〕无时。

用 浆。

质 明澈如水。

色 白。

味 甘、淡。

性 寒。

气 气之薄者，阳中之阴。

臭 朽。

主 治血块。

反 畏款冬花。

矾石

无毒　煎炼成

矾石出神农本经。主寒热泄痢，白沃，阴蚀，恶疮，目痛，坚骨齿，炼饵服之，轻身不老增年。以上朱字神农本经。**除固热在骨髓，去鼻中息肉。**以上黑字名医所录。

名　羽碧[①]、黄矾、马齿矾、白矾、羽泽、黑矾、矾蝴蝶、青矾、绛矾、皂矾、皂荚矾、石胆、矾精。

地　〔图经曰〕生河西山谷及陇西、武都、石门。今白矾则晋州、慈州、无为军。初生皆石也，采石碎之，煎炼乃成。矾有五种，其色各异，谓白矾、青矾、黄矾、黑矾、绛矾也，白矾则入药。又有矾精、矾蝴蝶，皆炼白矾时，候其极沸，盘心有溅溢者如物飞出，以铁匕接之作虫形者，谓之矾蝴蝶。但成块如水晶者，谓之矾精。此二种入药，力紧于常矾也。〔衍义曰〕今坊州矾，务以其火烧过石，取以煎矾，色惟白，不逮晋州者，皆不可多服，损心肺，却水故也。水化书纸上才干，水不能濡，故知其性却水。治涩药多须者，用此意尔。

时　〔采〕无时。

用　白色光明者。

质　类方解石而明净。

色　青白。

味　酸，涩。

性　寒。

气　味厚气薄，阴中之阳。

臭　腥。

主　泄痢，消痰。

助　甘草为之使。

反　畏麻黄，恶牡蛎。

制　用瓷瓶盛于火中煅过，研细为度。

---

① 碧: 原注"泥结切"。

治〔疗〕〔图经曰〕白矾治蛇咬、蝎螫，以刀头烧赤，矾置刀上成汁，乘热滴咬处。○黑矾染须鬓。〔唐本注云〕青、黑二矾疗疳及诸疮。黄矾亦疗疮，生肉。〔药性论云〕矾石治鼠漏、瘰疬及鼻衄、齆鼻。生含咽津，治急喉痹。〔日华子云〕白矾除风去劳，消痰止渴，暖水脏。〔别录云〕白矾治小儿脐中赤肿，汁出不止，烧细研傅之。治目翳及胬肉，以真白好者，内一黍米大于患处即令泪出，绵拭之，令恶汁尽，其疾日日减，翳自消薄。治脚气冲心，以白矾三两，用水一斗五升煎三五沸，浸洗脚良。治足甲长刺入肉作疮，枯白矾末内疮中即瘥。若牙缝中出血如衄，贴之亦愈。治猘犬咬人，掺矾末于伤处裹之止痛，其疮速愈。治耳卒肿出脓水，以矾烧末，日三四度，用笔管吹耳中或绵裹塞之，立瘥。治患蚛齿碎坏欲尽，常以绵裹矾石含嚼之，其汁吐出。治大小便不通，用白矾细末令患人仰卧满置于脐中，以新汲水滴之，觉冷透腹内即通，如无脐孔以纸作环高一指，亦依前法用之。治初产小儿有皮膜如榴中膜裹舌或遍舌根，以指甲刺破令血出，烧矾灰细研傅之半绿豆许，若不摘去，儿必哑。治脚膝风湿，虚汗少力，多疼痛及阴汗，烧矾作灰细研，一匙投沸汤中，淋洗痛处。

合治　白矾合桃仁、葱汤浴之出汗，治中风失音、疥癣。○白矾一两，以水二升煮一升，内蜜半合，治胸中多痰、痃癖，头痛不欲食者，顿服令吐，未吐当饮少热汤。○白矾合鸡子置醋中，治小儿舌上生疮、饮乳不得者，涂儿足底，二七即愈。○矾石烧为末，每日合酒调方寸匕，日三服，治阴痒脱。○白矾末和猪脂绵裹塞鼻中数日，治鼻中息肉，自随药出。○煎醋半升，投矾石末一两于醋中，浸洗蝎螫痛处，效。○飞矾合炒紫色黄丹调贴驴涎、马汗毒所伤。○白矾烧灰合盐花，细研为散，以箸头点治悬痈垂长、咽中妨闷。○白矾十二分以热酒投化，用马尾搵酒涂之，治小儿风疹不止。○白矾一分以水四合铜器中煎取半合，下少白蜜调之，以绵滤过，每日三度点小儿目睛上白膜。○白矾一两烧灰，合露蜂房一两微炙为散，每用二钱，水一盏，煎十余沸，热漱吐之，治牙齿肿痛。

○ 石之水

绿矾

无毒　煎炼成

绿矾治喉痹，蚰牙，口疮及恶疮，疥癣，酿鲫鱼烧灰和服，疗肠风泻血。名医所录。

地〔图经曰〕生隰州温泉县、池州铜陵县，并煎矾处出焉。初生皆石也。采得碎之，煎炼乃成。今染家亦多用之。

时〔采〕无时。

用 明净者佳。

色 绿。

味 酸。

性 寒。

气 气薄味厚，阴也。

臭 腥。

主 喉痹、口疮。

治〔疗〕〔经验方〕治小儿疳气不可疗。神效丹丸：用火煅通赤，取出用酽醋淬过，复煅，如此三度，细研，用枣肉和丸如绿豆大。温水下，日进两三服。今医家用治痰壅及心肺烦热，甚佳。

○ 石之水

柳絮矾

无毒　煎炼成

柳絮矾消痰，治渴，润心肺。 名医所录。

　　地〔图经曰〕生河西山谷及陇西、武都、石门，及隰州温泉县、池州铜陵县，并出矾处有之。初生皆石也。采得碎之，煎炼乃成。凡有五种，其色各异，此矾惟轻虚如绵絮，故以名之。

　　时〔采〕无时。

　　用 轻虚者佳。

　　色 灰白。

　　味 酸。

　　性 寒，收。

　　气 气薄味厚，阴也。

　　臭 腥。

　　主 消痰，止嗽。

　　治〔疗〕〔图经曰〕治痰壅及心肺烦热。

消石

无毒　土生

消石 出神农本经。主五脏积热，胃胀闭，涤去蓄结饮食，推陈致新，除邪气。炼之如膏，久服轻身。以上朱字神农本经。疗五脏十二经脉中百二十疾，暴伤寒，腹中大热，止烦满，消渴，利小便及瘘，蚀疮，天地至神之物，能化成十二种石。以上黑字名医所录。

地 〔图经曰〕南北皆有之，以西川者为佳。此即地霜也。扫得煎炼而成，如解盐烧之成焰，都尽能化金石，其性畏火而能制诸石，使拒火，亦天地之神物也。今之入药多以朴消中结在上者为芒消，其在下凝结如石者即消石也。盖诸消同体，《本经》各载所出州土者，乃方俗治炼之法有精粗，疗疾之功有缓急，故须分别。如芎䓖之与蘼芜，大戟之与泽漆，俱是一物，《本经》亦各著州土者。盖根与苗，土地各有所宜，非别是一物也。其朴消、消石辈亦此义欤。今济南肥城县有洞，深二三里，曰娄敬洞，亦产消石，人尝采得煎炼而成，方家用之珍于他消也。

收 瓷器盛贮。

用 莹澈者佳。

质 类晋矾而轻脆。

色 白。

味 苦、辛、微咸。〔扁鹊云〕甘。

性 大寒，泄。

气 气薄味厚，阴中之阳。

臭 朽。

主 润燥，软坚。

助 大黄及火为之使。

反 恶苦参、苦菜、曾青，畏女菀、杏仁、竹叶、硫黄并粥。

制 〔雷公云〕凡使，先研消石如粉，以瓷瓶子于五斤火中煅令通赤，用鸡肠菜、柏子仁和作一处，分丸如小帝珠子许，待瓶赤投消石于瓶子内，其消石自然伏火。每四两消石用鸡肠菜、柏子仁共十五个，帝珠子尽为度。○如常用，研令极细，以瓷瓶盛，炭火中煅令通赤。

治〔疗〕〔药性论云〕治项下瘰疬，泻根出，破血，破积，散坚结及腹胀。〔日华子云〕含之治喉闭。〔别录云〕五种淋疾，又头痛欲死，鼻内吹消末即愈；并服丹石人有热疮，疼不可忍，用纸环围肿处，中心填消令满，用匙抄水淋之，觉甚不热疼即止。又血淋，小便不出，时下血，疼痛，满急，热淋，小便赤色，淋沥不快，脐下急痛，每服二钱并用冷水调下。如石淋，茎内痛，尿不能出，引小腹膨胀急痛，尿下砂石令人闷绝，将消石末先入铫子内，隔纸炒至焦为度，研细温水下。头疼欲死，鼻内吹消末，愈。

合治 取消石研令极细，每夜临卧以铜箸取如黍米大，点目眦头，至明早以盐浆水洗之，治眼赤痛。○取消石三两，以暖水一升和匀，待冷，取故青布叠三重可似赤处，方圆湿布塌之，热即换，频易，疗恶寒啬啬似欲发背，或已生疮肿、瘾疹，立瘥。○合葵子末煎汤调下二钱，治劳淋、劳倦虚损，小便不出，小腹急痛。○合木通汤调下二钱，治气淋，小腹满急，尿后常有余沥。○合小麦汤调下二钱，治小便不通。

禁 妊娠不可服。

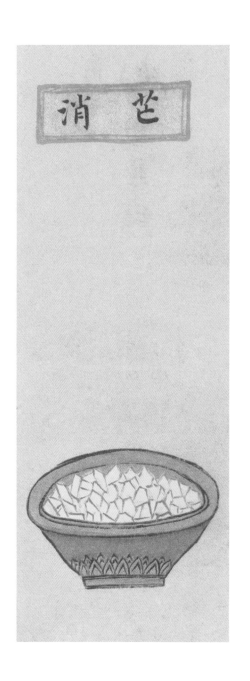

芒消

无毒　土生

芒消主五脏积聚，久热胃闭，除邪气，破留血，腹中痰实结搏，通经脉，利大小便及月水，破五淋，推陈致新。名医所录。

名 盆消。

地 〔图经曰〕生益州山谷、武都、陇西，今南北皆有之。此亦出于朴消也，以朴消用暖水淋汁，澄清炼之，倾木盆中经宿，莹白如冰雪，结细芒而有廉棱，酥脆易碎，风吹之则结霜泯泯如粉，故谓之芒消，又谓之盆消也。其性和缓，古今多用之入药，以宁州者为佳。

时 〔生〕无时。〔采〕三月。

收 以瓷器盛贮。

用 明净者为好。

色 白。

味 辛、苦。

性 寒，泄。

气 味厚于气，阴也。

臭 朽。

主 时疾壅热，利大小便。

助 石韦为之使。

反 恶麦句姜、硫黄，畏京三棱。

制 〔雷公云〕以水飞过，用五重纸滤过，去脚，于铛中干之，方入乳钵研如粉，任用。

治 〔疗〕〔药性论云〕通女子月闭，癥瘕，下瘰疬，黄疸病，漆疮，以汁傅之。时疾壅热，能散恶血。〔别录云〕伐指，煎汤淋浸之。火丹毒，水调涂之。一切疹，水煮涂之。小儿赤游行于体，上下至心即死，以芒消内汤中，取浓汁以拭丹上。又疗关格，大小便不通，胀满欲死，用消三两，纸裹三四重，炭火烧之，令内一升汤中尽，服当先饮汤一升，候吐出乃服之。又取消一两置铜器中，急火上炼之，放冷后以生绢细罗，治眼有翳。点眼角中，每临卧时点一度。

合治 研消合猪胆，治伤寒发豌豆疮未成脓，涂之立效。

禁 妊娠不可服。

○ 石之水

朴消

无毒　附甜消　土生

朴消_{出神农本经}。主百病，除寒热邪气，逐六腑积聚，结固留癖，能化七十二种石，炼饵服之，轻身神仙。以上朱字神农本经。**胃中食饮热结，破留血闭绝，停痰痞满，推陈致新**。以上黑字名医所录。

名 消石朴。

地 〔图经曰〕生益州山谷、咸水之阳及武都、陇西、西羌，以西川者为佳。彼人采扫之，以水淋取汁一煎而成，乃朴消也。炼之白如银，能寒能热，能滑能涩，能辛能苦，能咸能酸。入地千年不变色。青白者佳，黄者伤人，赤者杀人。一名消石朴，其未炼成块，微青色者，亦谓之朴消，朴即未化之义。一说芒消辈皆从此出，故谓之朴也。一种甜消更好，或云出于英消，炼治之法未闻。

时 〔生〕无时。〔采〕冬月取。

收 以瓷器盛。

用 明净者为好。

质 如碎矾。

色 白。

味 苦、辛。

性 寒，泄。

气 气薄味厚，阴中之阳。

臭 朽。

主 荡涤脏腑实热。

反 畏麦句姜。

治 〔疗〕〔药性论云〕除腹胀，大小便不通，女子月候不通。〔日华子云〕通泄五脏百病及癥结，天行热疾，消肿毒及头痛，排脓，润毛发。〔孙真人曰〕含之，治口疮。〔葛仙翁曰〕食脍不化，取此以荡逐之。〔别录云〕喉痹，用一两细细含咽汁，顷刻立瘥。

合治 每消一大斤，冬合蜜十三两，春夏秋合蜜十二两，先捣筛消成末，后以白蜜和令匀，便入青新竹筒，随小大者一节著药，得半筒已上即止，不得令满。却，入炊甑中，令有药处在饭内，其虚处出其上，不妨甑箅即得。候饭熟取出，乘热绵滤入一瓷钵中，竹篦搅勿停手，令至凝即药成，收入盒中。如夏月即于冷水浸钵，然后搅凝。每食后或欲卧时含半匙，渐渐咽之，疗热壅，凉膈上，呕积滞，如要通转亦得。○用二两捣罗为散，合生麻油调涂顶上，治时气头痛不止。○取炼成消半两细研如粉，每服合蜜水调下一钱匕，日三四服，治乳石发动，烦闷及诸风热。○为末，每服二钱匕，合温茴香酒调下，无时服，治小便不通，膀胱热。○腊月中以新瓦罐满注热水，用消二升投汤中搅散，挂北檐下，候消渗出罐外，羽收之，合人乳汁调半钱，扫一切风热毒气攻注目脸外，及发于头面四肢肿痛，应手神验。

禁 黄者伤人，赤者杀人，妊娠不可服。

代 以芒消代之。

玄明粉

无毒　煅炼成

玄明粉主心热烦躁并五脏宿滞，癥结，明目，退膈上虚热，消肿毒。名医所录。

　　地〔太阴经云〕以益州朴消二斤，须是白净者，以瓷罐一个叠实。却，以瓦一片盖罐，用十斤炭火一煅，罐口不盖，著炭一条，候沸定了方盖之。复以十五斤炭煅之，放冷一伏时，提罐出药，以纸摊在地上，盆盖之一伏时。日取干，入甘草二两，生熟用细捣罗为末。〔别录云〕明净朴消不拘多少，于腊月霜雪凝寒之际，用皂荚三两重，略炮捶碎，温热汤六碗，挼去渣浸化，薄纸二重滤过澄清，入铁锅内煮至一半，候温倾出瓦盆内，于见天处露一宿。

次早结块，再用净熟水六碗化开，入大萝卜八两重，切作二分厚一片用煮，见萝卜熟为度。仍倾在瓦盆，去萝卜片，再放在见天处露一宿。次日结块，去水取出滤干，入好皮纸袋盛，悬挂当风处，自然成粉。乃阴中有阳之药，太阴之精华，水之子也。

收　瓷器盛贮。

用　白净者佳。

质　类腻粉而轻亮。

色　白。

味　辛、甘。

性　冷、散、缓。

气　气薄味厚，阴中之阳。

主　积热，烦躁。

制　研细为末。

治　〔疗〕〔别录云〕治诸热毒风，除冷，痃癖，气胀满，五劳七伤，骨蒸，传尸，头痛，烦热，搜除恶疾，五脏秘涩，大小肠不通，三焦热淋，痊忤疾，咳嗽，呕逆，口苦干涩，咽喉闭塞，心、肝、脾、肺脏，胃积热，惊悸，健忘，荣卫不调，中酒中脍，饮食过度，腰膝冷痛，手足酸，久冷久热，四肢壅塞，背膊拘急，眼目昏眩，久视无力，肠风，痔病，血癖不调，妇人产后，小儿疳气，阴毒，伤寒表里，疫疠等疾。〔补〕〔别录云〕久服令人轻身、耳聪、驻颜。

禁　瘤冷、寒多者勿服。

忌　苦参。

解　中诸鱼、藕菜饮食毒，以葱白煎汤一碗，调玄明粉两钱顿服之，立泻下。

○ 石之水

马牙消①

无毒　土生

马牙消主除五脏积热，伏气。末筛，点眼及点眼药中用，甚去赤肿，障翳，涩泪痛。名医所录。

---

① 消：原作"硝"，据目录改。

名 英硝。

地 〔图经曰〕生益州山谷、武都、陇西，今南北皆有之。此亦出于朴消也，以朴消用暖水淋汁，澄清炼之，倾木盆中经宿，莹白若白石英，作四五棱，白色莹澈可爱，功用与芒消颇同，但不能下利，力差小耳。近世用之最多。

时 〔生〕无时。〔采〕无时。

收 以瓷器盛贮。

用 明净者为好。

色 白。

味 甘。

性 大寒。

气 气之薄者，阴中之阳。

臭 朽。

主 诸热。

制 碾细如粉用。

治 〔疗〕〔别录云〕小儿鹅口，细研掺于舌上，日三五度，及小儿重舌，细研涂舌下，日三度。

合治 取一两碎，合吴茱萸半升陈者，煎取浓汁，投消在内，乘热服，治食物过饱不消，遂成痞膈。良久未转，更进一服，立愈。○取消光净者，用厚纸裹令按实，安在怀内著肉处，养一百二十日，取出研如粉，入少龙脑同研细，每用药末两米许点目中，治不计年岁深远眼内生翳膜，渐渐昏暗远视不明，但瞳仁不破散，并医得。

禁 妊娠不可服。

解 消化火石之气，及能制伏阳精。

生消

无毒　石穴生

生消主风热癫痫，小儿惊邪，瘰疬，风眩头痛，肺壅，耳聋，口疮，喉痹咽塞，牙颔肿痛，目赤热痛多眵泪。

名医所录。

地 〔图经曰〕生茂州西山岩石间及蜀道。其形块大小不常，似朴消而小坚，其色青白，不由煮炼而成者也。今医家所用甜消，弥更精好，或疑是此。

时 〔生〕无时。〔采〕冬月取。

收 以瓷器密封盛贮。

用 青白而坚者佳。

质 类朴消而小坚。

色 青白。

味 苦。

性 大寒，泄。

气 气薄味厚，阴也。

臭 朽。

主 积热。

反 恶麦句姜。

禁 妊娠不可服。

滑石

无毒　山穴生

滑石出神农本经。主身热，泄澼，女子乳难，癃[1]闭，利小便，荡胃中积聚寒热，益精气，久服轻身，耐饥长年。以上朱字神农本经。通九窍六腑津液，道州滑石去留结，止渴，令人利中。以上黑字名医所录。

---

① 癃：原注"音隆"。

名 液石、共石、脱石、番石、
画石、夕冷。

地 〔图经曰〕生赭阳山谷
及泰山之阴，或掖北白山或卷[1]
山，今道、永、莱、濠州皆有之。
此有三种，道、永州出者，白
滑如凝脂。《南越志》云：脊[2]
城县出脊石，脊石即滑石也。莱、
濠州出者，理粗质青有白黑点，
又谓之斑石。二种惟可作烹器，
不堪入药。《本经》所载土地，
皆是北方，而今医家所用多是
白色者，乃自南方来。按雷公云：
滑石有五色，当用白色，如方
解石。白青色，画石上有白腻
纹者为真，余皆有毒，不入药也。
如此与今南中来者，形色相类，
用之无疑矣。

时 〔生〕无时。〔采〕无时。
用 白腻者为好。
质 如方解石而软暗。
色 白。

① 卷：原注"羌权切"。
② 脊：原注"音僚"。

味 甘。

性 大寒。

气 气之薄者，阳中之阴。

臭 朽。

主 利水道。

行 足太阳经。

助 石韦为之使。

反 恶曾青。

制 〔雷公云〕用刀刮研如粉，以牡丹皮同煮一伏时，出，去牡丹皮取滑石，却，用东流水淘过，于日中晒干方用。

治 〔疗〕〔图经曰〕利小便，治淋涩。○石淋烦闷，取十二分研粉，分二服，以水调和搅令散，顿服之，烦热定即停，后服未已，尽服必瘥。〔药性论云〕末服，治五淋，主难产，除烦热心躁。〔日华子云〕治乳痈，利津液。〔衍义曰〕若暴得吐逆不下食，以生细末二钱匕温水服，仍急以热面半盏押定。〔别录云〕乳石发动，躁热，烦渴不止，用半两细研如粉，以水一中盏绞如白饮，顿服之，未瘥再服。○妊娠不得小便，研为末，水和泥脐下二寸。○气壅，关格不通，小便淋结，脐下妨闷兼痛，用滑石八分研如面，以水五大合和搅，顿服。

合治 末合术[①]，丹参、蜜、猪肪为膏，治妊娠入其月。空心酒下弹丸大，临产倍服，令滑胎易生。○合葱汤调末二钱匕服之，治妇人过忍小便致胞转。○取二两捣碎，以水三大盏煎取二盏，去滓，下粳米二合煮粥，温温食之，治膈上烦热、多渴，通利九窍。○取末一升，合车前汁和涂脐四畔方四寸，疗小便不通。热即易之，冬月水和亦得。

禁 画画石上有青黑色者，杀人。绿色者，性寒有毒，不入药用。

---

① 术：原作"末"，据罗马本、东京本改。

石胆

有毒　山窟生

石胆出神农本经。主明目，目痛，金疮，诸痫痉①，女子阴蚀痛，石淋寒热，崩中下血，诸邪毒气，令人有子，炼饵服之不老，久服增寿，神仙，能化铁为铜，成金银。以上朱字神农本经。**散癥积，咳逆上气及鼠瘘，恶疮**。以上黑字名医所录。

---

① 痉：原注"臣郢切"。

名 毕石、黑石、棋石、铜勒、胆矾、立制石。

地 〔图经曰〕出羌道山谷，羌里句青山，今惟信州铅山县有之。生于铜坑中，采得煎炼而成。又有自然生者，尤为珍贵。苏恭云：真者，出蒲州虞乡县东亭谷窟及薛集窟中，有块如鸡卵者为真，今南方医人多用之。又著其说云：石胆，最上出蒲州，大者如拳，小者如桃栗，击之纵横解，皆成叠纹，色青，见风久则绿，击碎其中亦青也。其次出上饶曲江铜坑间者，粒细有廉棱如钗股米粒。《本草》注言伪者，以醋揉青矾为之。今不然，但取粗恶石胆合消石销溜而成，今块大色浅，浑浑无脉理，击之则碎，无廉棱者是也。亦有挟石者，乃削取石胆床溜造时，投消汁中及凝则相著也。〔陶隐居云〕《仙经》有用此处，俗方甚少，此药殆绝。今人时有采者，其色青绿，状如琉璃而有白纹，易破折。梁州、信都无复有，俗用乃以青色矾石当①之，殊无仿佛。

时 〔采〕二月庚子、辛丑日取。

用 画铁上有金线者佳。

质 类扁青而形如鸭嘴。

色 青碧。

味 酸、辛。

性 寒，收。

气 气薄味厚，阴中之阳。

臭 腥。

主 去痰热，喉痹。

助 水英、陆英为之使。

---

① 当：原注"去声"。

反　畏牡桂、菌桂、芫花、辛夷、白薇。

制　凡用，研为细末。

治　〔疗〕〔图经曰〕吐风痰。〔药性论云〕破热毒。〔日华子云〕治蚰牙，鼻内息肉。〔唐本云〕下血赤白，面黄，女子脏寒。〔别录云〕甲疽，以一两于火上烧令烟尽，碎研末，傅疮上，不过四五度，立瘥。○患口疮，众疗不效，胆矾半两，入银锅子内火煅通赤，置于地上出火毒一夜，细研，每取少许傅疮上，吐酸水、清涎便瘥。

合治　细研石胆，合人乳汁和如膏，疗齿痛及落尽，擦齿上或孔中，日三四度，止痛，复生齿。百日后，复故齿生止，每日以新汲水漱令净。○胆矾为末，用糯米糊丸如芡实大，以朱砂为衣。常以朱砂养之，冷水化一丸，治一切毒，立瘥。○细研胆矾，每使一字许，用温醋汤下，治初中风瘫痪一日内者，立吐出涎，渐轻。

赝　醋揉青矾为伪。

空青

无毒　土石生

空青出神农本经。主青盲，耳聋，明目，利九窍，通血脉，养精神，久服轻身，延年不老，能化铜铁铅锡作金。以上朱字神农本经。益肝气，疗目赤痛，去肤翳，止泪出，利水道，下乳汁，通关节，破坚积，令人不忘，志高神仙。以上黑字名医所录。

名　杨梅青、碧青、鱼目青、白青、脱剔牙。

地　〔图经曰〕空青生益州山谷及越嶲山有铜处。铜精熏则生空青，今信州亦时有之。状若杨梅，故别名杨梅青。其腹中空，破之有浆者，绝难得。亦有大者如鸡子，小者如豆。古方虽稀用而今治眼瞖障为最要之物。又有白青，出豫章山谷，亦似空青，圆如铁珠，色白而腹不空。亦谓之碧青，以其研之色碧也。亦谓之鱼目青，以其形似鱼目也。无空青时亦可用，今不复见之。〔陶隐居云〕越嶲属益州。今出铜官者色最鲜深，出始兴者弗如益州诸郡，无复有，恐久不采之故也。凉州西平郡有空青山，亦甚多。今空青但圆，实如铁珠无空腹者，皆凿土石中取之。又以合丹，成则化铅为金矣。诸石药中惟此最贵。医方乃稀用之而多充画色，殊为可惜。〔唐本注云〕此物出铜处，有乃兼诸青，但空青为难得。今出蔚州、兰州、宣州、梓州，宣州者最好，块段细，时有腹中空者。蔚州、兰州者片块大，色极深，无空腹者。

时　〔采〕无时。又云：三月中旬取。

收　采时摇之响者有浆，随以湿土养之。否则浆干不甚珍也，入药功力差小。

用　有浆者最佳。

质　壳如荔枝，其腹中空。

色　青。

味　甘、酸。

性　寒，缓、收。

气　味厚于气，阴也。

主　镇肝，明目。

反　畏菟丝子。

治〔疗〕〔药性论云〕去头风，镇肝，瞳仁破者再得见物。
〔日华子云〕壳内浆能点多年青盲内障翳膜，养精气。其壳又可
磨翳也。

曾青

无毒　土石生

曾青 出神农本经。主目痛，止泪出，风痹，利关节，通九窍，破癥坚积聚，久服轻身不老，能化金铜。以上朱字神农本经。**养肝胆，除寒热，杀白虫，疗头风脑中寒，止烦渴，补不足，盛阴气。**以上黑字名医所录。

地〔图经曰〕生益州山谷及越嶲山有铜处，铜精熏则生，今信州亦有之。与空青疗颇相似而色理亦无异，但其形累累如连珠相缀，今极难得。〔唐本注云〕蔚州者好，其次鄂州、余州，并不任用。

时〔采〕无时。

用 无夹石者佳。

质 类蝉腹而连珠相缀。

色 土青。

味 酸。

性 微寒，收。

气 味厚于气，阴也。

主 目痛，爽神气。

反 畏菟丝子。

制〔雷公云〕凡修事二两，要紫背天葵、甘草、青芝草三件干湿各一镒并细剉，放于一瓷埚内，将曾青于中，以东流水二镒并诸药等缓缓煮之五昼夜，勿令水火失，时足取出，以东流水浴过，却，入乳钵内研如粉用。

三种海药余

车渠《韵集①》云：生西国，是玉石之类，形似蚌蛤，有纹理。大寒，无毒。主安神，镇宅，解诸毒药及虫螫。以玳瑁一片，车渠等同，以人乳磨服，极验也。又《西域记》云：重堂殿梁檐皆以七宝饰之，此其一也。

金线矾《广州志》云：生波斯国。味咸、酸、涩，有毒。主野鸡，瘘痔，恶疮，疥癣等疾。打破，内有金线纹者为上。多入烧家用。

波斯白矾《广州记》云：出大秦国。其色白而莹净，内有棘针纹。味酸、涩，温，无毒。主赤白漏下，阴蚀，泄痢，疮疥，解一切虫蛇等毒，去目赤暴肿，齿痛。火炼之良。恶牡蛎。多入丹灶家。功力逾于河西石门者。近日文州诸番往往亦有，可用也。

一十八种陈藏器余

金浆味辛，平，无毒。主长生神仙，久服肠中尽为金色。

古镜味辛，无毒。主惊痫，邪气，小儿诸恶。煮取汁，和诸药煮服之。文字弥古者，佳尔。

劳铁主贼风。烧赤投酒中热服之。劳铁，经用辛苦者铁是也。

---

① 韵集：原作"集韵"，据《证类本草》乙转。

神丹味辛，温，有小毒。主万病有寒温，飞金石及诸药，随寒温共成之，长生神仙。

铁锈[①]主恶疮，疥癣，和油涂之；蜘蛛、虫等咬，和蒜磨傅之。此铁上衣也，锈生铁上者堪用。

布针主妇人横产。烧令赤，内酒中七遍服之。可取二七布针，一时火烧，粗者用缝布大针是也。

铜盆主熨霍乱，可盛灰厚二寸许，以炭火安其上，令微热，下以衣藉患者腹，渐渐熨之，腹中通热，瘥。

钉棺下斧声之时主人身臇肉。可候有时，专听其声，声发之时，便下手速擦二七遍，已后自得消平也。产妇勿用。

枷上铁钉有犯罪者，忽遇恩得免枷了，取叶钉，等后遇有人官累带之，除得灾。

黄银银注中，苏云：作器，辟恶，瑞物也。按瑞物即黄银，载于《图经》。银瓮、丹甑非人所为，既堪为器，明非瑞物。今乌银辟恶，煮之工人以为器物。养生者为器以煮药，兼于庭中高一丈，夜承得醴，投别器中饮，长年。今人作乌银，以硫黄熏之再宿，泻之出即其银黑矣。此是假，非真也。

石黄雄黄注中，苏云：通名黄石。按石黄，今人敲

---

① 锈：原作"绣"，据清本改。

取精明者为雄黄，外黑者为熏黄。主恶疮，杀虫，熏疮疥，𧏾虱。和诸药，熏嗽。其武都雄黄，烧不臭；熏黄中者，烧则臭，以此分别之。苏云：通名。未之是也。

　　石脾芒消注中，陶云：取石脾为硝石，以水煮之，一斛得三斗，正白如雪，以石投中则消，故名消石。按石脾、芒消、消石并生西戎卤地，咸水结成，所生次对相似。

　　诸金有毒生金有大毒，药人至死。生岭南夷獠洞穴山中，如赤黑碎石、金铁屎之类。南人云：毒蛇齿脱在石中。又云：蛇著石上，又鸠屎著石上，皆碎。取毒处为生金，以此为雌黄有毒，雄黄亦有毒，生金皆同此类。人中金药毒者，用蛇解之，其候法在金蛇条中。《本经》云：黄金有毒。误甚也。生金与彼黄金全别也。

　　水中石子无毒，主食鱼脍腹中胀满、成瘕，痛闷，饮食不下日渐瘦。取水中石子数十枚，火烧赤，投五升水中，各七遍，即热饮之。如此三五度，当利出瘕也。

　　石漆堪燃，烛膏半缸如漆，不可食。此物水石之精，固应有所主疗，检诸方见有说。《博物志》：酒泉南山石出水，其如肥肉汁，取著器中如凝脂，正黑与膏无异。彼方人谓之石漆，今检不见其方，深所恨也。

　　烧石令赤，投水中，内盐数合，主风瘙，瘾疹，及[①]

————————
① 及：此字后，科本有一"热"字。

洗之。又取石，如鹅卵大，猛火烧令赤，内醋中十余度，至石碎尽，取屑暴干，和醋涂肿上。出《北齐书》，医人马嗣明发背及诸恶肿皆愈。此并是寻常石也。

石药味苦，寒，无毒，主折伤内损，瘀血，止烦闷欲死者，酒消服之。南方俚人，以傅毒箭镞及深山大蝮中人。速取病者，当顶上十字劈之，令皮断出血，以药末疮上，并傅所伤处，其毒必攻，上下泄之，当出黄汁数升则闷解。俚人重之，带于腰，以防毒箭。亦主恶疮，热毒，痈肿，赤白游，瘘蚀等疮。北人呼肿名之曰游。并水和傅之。出贺州石上山内，似碎石、硇砂之类，土人以竹筒盛之。

研朱石槌主妒乳，煮令热，熨乳上，取二槌更互用之，以巾覆乳上令热彻内，数十遍，取瘥为度也。

本草品汇精要卷之一

本草品汇精要

·卷之二·

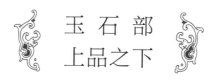

玉 石 部
上品之下

七种	**神农本经** 朱字
一种	**名医别录** 黑字
一种	**唐本先附** 注云唐附
八种	**宋本先附** 注云宋附
二种	**今补**
一十七种	**陈藏器余**

已上总三十六种，内八[①]种今增图

---

① 八：原作"七"，按"五色石脂"条据罗马本新增一幅图而改。

禹余粮　　　　太一余粮今增图

白石英青、黄、赤、黑石英附

紫石英　　　　五色石脂今增图①　　　青石脂宋附，今增图

赤石脂宋附　　　黄石脂宋附，今增图　　白石脂宋附

黑石脂宋附，今增图　　白青今增图　　　　绿青

扁②青今增图　　　石中黄子唐附　　　无名异宋附

菩萨石宋附，今增图　　婆娑石宋附　　　　炉甘石今补

鹅管石今补

一十七种陈藏器余

晕石　　　　　流黄香　　　　白师子

玄黄石　　　　石栏杆③　　　玻璃

石髓　　　　　霹雳针　　　　大石镇宅

金石　　　　　玉膏　　　　　温石及烧砖④

印纸　　　　　烟药　　　　　特蓬杀

阿婆赵荣二药　　六月河中诸热沙

---

① 今增图：原无，据罗马本、东京本补。

② 扁：原注"音褊"。

③ 杆：原作"干"，据正文药名改。

④ 及烧砖：原无，据正文药名补。

本草品汇精要卷之二
玉石部上品之下

○ 石之土

禹余粮

无毒　土石生

禹余粮出神农本经。主
咳逆，寒热，烦满，
下赤白，血闭，癥瘕，
大热。炼饵服之不饥，
轻身延年。以上朱字神
农本经。**疗小腹痛结，
烦疼。**以上黑字名医所录。

名　白余粮。

地　〔图经曰〕生东海池泽及山岛中，或池泽中，今惟泽、潞州有之。多出东阳山岸间，茅山甚有好者，状如鹅鸭卵，外有壳重叠，中有末如蒲黄。又若牛黄，重重甲错。其佳处乃紫色泯泯如面，啮之而无碜也。〔陶隐居云〕平泽中有一种藤，苗似菝葜，根形如薯蓣者。禹山行乏食，采此以充粮而弃其所余耳。〔张华《博物志》云〕扶海洲上有草焉，名薢草，其实食之如大麦。从七月稔熟，民敛至冬乃讫，名自然谷，亦曰禹余粮。今药中有禹余粮者，世传昔禹治水，弃其所余，食于江中而为药也。然则薢草与此异物而同名也。其云弃之江中而为药，乃与生海池泽者同种乎。

时　〔采〕无时。

收　瓷器盛之。

用　石内细末。

色　黄白。

味　甘。

性　平、寒，缓。

气　气之薄者，阳中之阴。

臭　朽。

主　咳逆，烦满。

助　牡丹为使。

制　〔雷公云〕凡修事四两，先用黑豆五合、黄精五合、水二斗，煮取五升，置于瓷埚中。下禹余粮著火煮，旋添，汁尽为度。其药气自然香如新米。捣了，又研一万杵方用。

治　〔疗〕〔药性论云〕止崩漏。〔日华子云〕治邪气及骨节疼、四肢不仁、痔瘘等疾。〔补〕〔日华子云〕久服耐寒暑。

合治 合赤石脂各一斤并碎之，以水六升煮取二升。去滓，分二服，治伤寒下痢[1]不止，心下痞鞕[2]，痢在下焦者。○禹余粮一枚，状如酸馅者，入地埋一半，四面紧筑，用炭一秤，发顶火一斤煅，以火三分耗二为度。用湿砂土罨一宿，取出打去外面一重，细研，水淘澄五七度，将纸衬干，再研数千遍。用甘草煎汤，服二钱匕，治产后烦躁。○醋淬，细研，合干姜末等分，空心酒服二钱，治白带。○醋淬，细研一两，合干姜末五钱，空心酒服二钱，治赤带。

---

① 痢：原作"利"，据罗马本改。
② 鞕：原注"音硬，或作靳"。

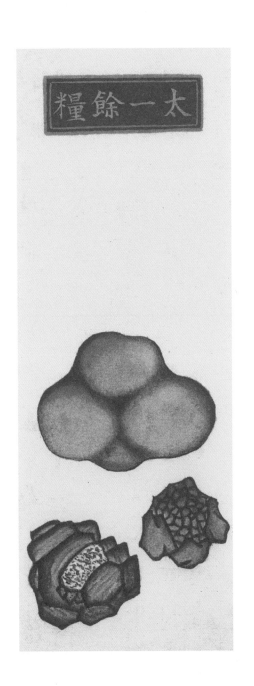

太一余粮

无毒　土石生

太一余粮 出神农本经。主咳逆上气，癥瘕，血闭，漏下，除邪气。久服耐寒暑，不饥，轻身，飞行千里，神仙。以上朱字神农本经。**肢节不利，大饱，绝力，身重。**以上黑字名医所录。

名 石脑、禹哀。

地 〔图经曰〕生泰山山谷。苏恭云：此与禹余粮但以精粗为别，其精者为太一也。其壳若瓷，方圆不定，初在壳中未凝结者犹是。黄水名石中黄子，久凝乃有数色，或青，或白，或赤，或黄。年多变赤，因赤渐紫，惟赤及紫者俱名太一，其余通谓之禹余粮也。今医家用之，亦不能如此分别。〔陈藏器云〕太一者，道之宗源。太者，大也；一者，道也。大道之师，即禹之理化神君，禹之师也。师常服之，故有太一之名。苏恭直以紫赤、精粗为名，都无按据。〔雷公云〕太一禹余粮，看即如石，轻敲便碎如粉，兼重重如叶子雌黄也。〔谨按〕诸说禹余粮、太一余粮之源固有所自，以至理论之未无疵也。盖尝药命名，肇自神农，二种之名皆神农朱书所载。一云禹余粮，为大禹食余而名；一云太一，为理化神君常食而名。殊未可信。且禹后神农而出，安得未生而预有其名乎？理化先禹而生，焉有先师而取弟之名乎？如丁公藤、刘寄奴、何首乌之类，一时感遇，因人致名，好事者遂以此例之。若苏恭以为禹余、太一之异者，但精粗之分耳。此说似为得之。

时 〔采〕无时，或九月取。

用 石壳中末。

色 赤紫。

味 甘。

性 平，缓。

气 气之薄者，阳中之阴。

臭 朽。

主 癥瘕，血闭。

助 杜仲为之使。

反 畏贝母、菖蒲、铁落。

制 与禹余粮同。

治〔疗〕〔图经曰〕定六腑，镇五脏。〔补〕〔雷公云〕益脾，安脏气。

赝 石中黄并卵石黄，此二石真似禹余粮也。其石中黄向里赤黑黄，味淡微䖏；卵石黄味酸，个个如卵，内有子一块，不堪用也。若误饵之，令人肠干。

○ 石之石

白石英

无毒　附青、黄、赤、黑石英　石生

白石英出神农本经。主消渴，阴痿不足，咳逆，胸膈间久寒，益气，除风湿痹。久服轻身长年。以上朱字神农本经。**疗肺痿下气，利小便，补五脏，通日月光，耐寒热。**以上黑字名医所录。

　　地〔图经曰〕生华阴山谷及泰山。陶隐居以新安出者佳，苏恭以泽州者为胜。大抵明澈有光，精白无瑕，如指长二三寸，六面如削者可用，长五六寸者弥佳。其黄端白棱名黄石英；赤端名赤石英；青端名青石英；黑端名黑石英。古人服食，惟白石英为重，余色者方家不甚见用。惟紫石英，下品已具之矣。盖英乃精英之义，况六英之贵者，惟白石英也。〔唐本注云〕所在皆有，今虢州、洛州山中俱出。大径三四寸，长五六寸。通以泽州者为胜也。〔衍义曰〕紫、白二石英当攻疾，可暂煮汁用，未闻久服之益。张仲景只令㕮咀，不为细末，用者岂无意也。其欲久服者，更宜详审。

　　时〔采〕无时。亦云二月取。

　　用　透明方洁者佳。

　　质　类白玉而方棱莹澈。

　　色　白。

　　味　甘、辛。

　　性　微温。

　　气　气厚于味，阳中之阴。

　　臭　朽。

　　主　镇心，安魂魄。

　　反　恶马目毒公。

　　制　剉如麻豆大，或研如粉用。

　　治〔疗〕〔药性论云〕除肺痈吐脓，嗽逆上气，黄疸。〔日华子云〕五色石英去心腹邪气，女人心腹痛及胃中冷气。主惊悸，安魂定魄，下乳。〔补〕〔日华子云〕益毛发，悦颜色，壮阳道。其补益随脏色而治，青者治肝，赤者治心，黄者治脾胃，白者治肺，黑者治肾。

　　合治 取十两捶如大豆许，以瓷瓶盛，用好酒二斗浸，以泥重封瓶口，将马粪及糠火煨之，常令酒小沸，从卯至午。次日暖三盅饮，日三度。如饮酒少，随性饮之。治腹坚胀满，白石英可更一度烧用。○合朱砂各一两同研如散，每服半钱，夜卧，煎金银汤调下，治心脏不安，惊悸，善忘，上膈风热，化痰安神。

紫石英

无毒　石生

紫石英出神农本经。主心腹，咳逆，邪气，补不足，女子风寒在子宫，绝孕十年无子，久服温中，轻身延年。以上朱字神农本经。疗上气，心腹痛，寒热邪气，结气，补心气不足，定惊悸，安魂魄，填下焦，止消渴，除胃中久寒，散痈肿，令人悦泽。以上黑字名医所录。

地　〔图经曰〕生泰山山谷，今岭南及会稽山中亦有之。欲令如削，紫色达头如樗蒲者。陶隐居云：泰山石色重澈，下有根者最佳；会稽石形色如石榴子者最下。昔时并杂用，今丸散家采择惟用泰山最胜，余处者可作丸酒饵。又按《岭表录异》云：陇州山中多紫石英，其色淡紫莹澈，随其大小皆五棱，两头如箭镞，煮水饮之，暖而无毒。比北中白石英，其力倍矣。隐居又云：今第一用泰山石，色重澈，下有根，次出虷零山亦好。又有南城石无根。又有青绵石，色赤重黑不明澈。又有林邑石，腹里别有一物如眼。吴兴石四面才有紫色，无光泽者次之。

时　〔采〕无时。

用　莹澈者佳。

色　紫。

味　甘、辛。

性　温、平，缓。

气　气厚于味，阳中之阴。

臭　朽。

主　安心神，养肺气。

助　长石为之使。

反　畏扁青、附子，恶蛇甲、黄连、麦句姜。

制　生用，打碎如米豆大。入丸散，火煅醋淬七遍，研细，水飞用。

治　〔疗〕〔图经曰〕镇心，疗妇人诸疾。〔药性论云〕治惊痫，蚀脓，虚而惊悸不安。〔补〕〔药性论云〕女人服之有子，主养肺气。〔别录云〕轻身充饥。

合治　用醋淬，捣为末，合生姜、米醋煎，傅之，磨亦得，治痈肿毒，瘥。○以五两打碎如米豆大，水淘一遍。以水一斗煮二升，去滓，细细服。或煮粥羹食亦得，服尽，更煎之，补虚劳，止惊悸，令人能食。○合白石英、寒水石、石膏、干姜、大黄、龙齿、牡蛎、甘草、滑石各等分，㕮咀，以水一升煎三分，去滓，食后温呷，治风热瘭疭及惊痫，效。

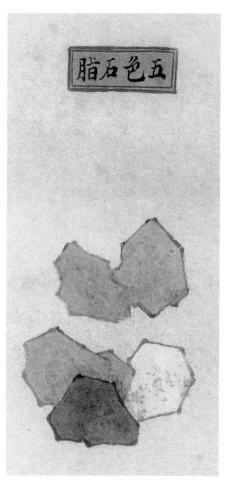

注：此图弘治本原无，据罗马本补

五色石脂

无毒　土石生

五色石脂主黄疸，泄痢，肠澼脓血，阴蚀，下血，赤白，邪气，痈肿，疽痔，恶疮，头疡，疥瘙。久服补髓益气，肥健不饥，轻身延年。五石脂各随五色补五脏。神农本经。

〔图经曰〕五色石脂，旧经同一条。并生南山之阳山谷中，主治并同，后人各分之。所出既殊，功用亦别，用之当依后条。然今惟用赤、白二种，余不复识也①。

---

① 图经曰……余不复识也：罗马本、东京本有新增图，文字按二十四则名条分述之。"名：五色符""地：生南山之阳山谷中""时：〔采〕无时""色：五色""味：甘、平""性：温""反：畏黄芩、大黄、官桂""制：火煅，水飞""治：各随五色补五脏及血崩，吐血，衄血，涩精，淋沥，除烦，疗惊悸，壮筋骨，补虚损，久服悦色""合治：赤、白二脂"。

○ 石之土

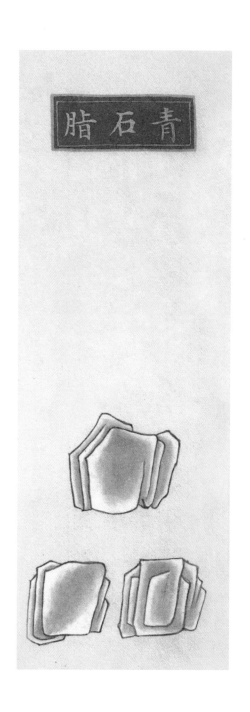

青石脂

无毒 土石生

青石脂主养肝胆气，明目，疗黄疸，泄痢，肠澼，女子带下，百病及疽痔，恶疮。久服补髓益气，不饥延年。名医所录。

名 青符。

地 〔图经曰〕生齐区山及海崖山谷中。

时 〔采〕无时。

用 色理鲜腻者佳。

质 类滑石而酥软。

色 青。

味 酸。

性 平，收。

气 味厚于气，阴中之阳。

臭 朽。

主 养肝气，除烦热。

制 火煅通赤，放冷，研细，水飞用。

赤石脂

无毒　土石生

赤石脂主养心气，明目，益精，疗腹痛，泄澼，下痢赤白，小便利及痈疽，疮痔，女子崩中漏下，产难，胞衣不出。久服补髓，好颜色，益智不饥，轻身延年。名医所录。

名 赤符。

地 〔图经曰〕出济南射阳及泰山之阴。苏恭云：济南泰山不闻出者，惟虢州卢氏县、泽州陵川县、慈州吕乡县并有，及宜州诸山亦出。今出潞州，以色理鲜腻者为胜。

时 〔生〕无时。〔采〕无时。

用 纹理细腻者佳。

质 类滑石而酥软。

色 赤。

味 甘、酸、辛。

性 大温，缓。

气 气之厚者，阳也。

臭 朽。

主 养心气，固肠胃。

反 畏黄芩、芫花，恶大黄、松脂。

制 煅过用，生用亦可。

治 〔补〕〔药性论云〕补五脏虚乏。

合治 取一斤捣筛，合酒饮。服方寸匕，任加至三匕，服尽一斤。能补五脏，则终身不吐淡水，又不下痢，令人肥健。其源盖饮冷过度，遂令脾胃气羸，饮食入胃不消皆成冷水，反吐不停也。○取一斤，一半全用，一半末用。干姜一两、粳米半升，水七升煮之，米熟为度。去滓，饮七合，内石脂末一方寸匕服，日三。治伤寒下痢不止，便脓血者。○合乌头一分、附子二分并炮，赤石脂、干姜、蜀椒各四分同为末，蜜丸桐子大，食前服一丸，治心痛彻背者。○合干姜各一两、胡椒半两为末，醋糊丸桐子大，空心米饮下五七十丸。治大肠寒滑，小便精出。○末合粥饮，调服半钱。治小儿疳泻，加京芎等分同服，妙。

○ 石之土

黄石脂

无毒　土石生

黄石脂主养脾气，安五脏，调中，大人小儿泄痢，肠澼，下脓血，去白虫，除黄疸，痈疽，虫。久服轻身延年。名医所录。

名　黄符。

地　〔图经曰〕生嵩高山，色如莺雏。吴氏谓之黄符，如豚脑雁雏者。今潞州亦有之，然医家所用，惟赤、白二种也。

时　〔生〕无时。〔采〕无时。

用　纹理腻，缀唇者为上。

质　类滑石而酥软。

色　黄。

味　苦。

性　平，泄。

气　味厚于气，阴中之阳。

臭　朽。

主　养脾气，固肠胃。

助　曾青为之使。

反　畏蜚蠊、黄连、甘草，恶细辛。

制　凡使，须研如粉，以新汲水投器中搅不住手，飞过三度。澄者去之，取飞过者入药用。

禁　不得食卵味。

○ 石之土

白石脂

无毒　土石生

白石脂主养肺气，厚肠，补骨髓，疗五脏，惊悸不足，心下烦，止腹痛，下水，小肠澼热溏，便脓血，女子崩中漏下，赤白沃，排痈疽，疮痔。久服安心不饥，轻身长年。

名医所录。

名 白符。

地 〔图经曰〕生泰山之阴。苏恭云：出慈州诸山，泰山左侧不闻有之，今惟潞州有焉。潞与慈相近，此亦应可用。古断下方多用之，今医家亦多用也。〔唐本注云〕出杭①州余杭山，今不采，而苏州今乃见贡，然入药不甚佳。惟延州山中所出最良，揭两石中取之。延州每以蕃寇围城，若无水乃撅地深广三五丈，以石脂密固贮水，得经时久不渗漏，宜以此为良。

时 〔采〕无时。

用 纹理细腻者佳。

质 类滑石而酥软。

色 白。

味 甘、酸。

性 缓、收。

气 气之薄者，阳中之阴。

主 固肠胃，排疮疡。

助 燕屎为之使。

反 畏黄芩、黄连、甘草、飞廉，恶松脂、马目毒公。

治 〔疗〕〔图经曰〕小儿脐中汁出不止兼赤肿，以石脂末熬温，扑脐中，日三，良。〔药性论云〕涩大肠。〔衍义曰〕初生未满月，小儿多啼叫致脐中血出，以石脂末贴之即愈。未愈，微炒过，放冷再贴，仍不得剥揭。

合治 合干姜等分，捣以百遍，沸汤和面为糊，溲匀，丸如梧桐子大，暴干，米饮下三十丸，治泻痢。久痢不止，更加三十丸。○研半两如粉，和白粥，空肚服之。治小儿水痢，形羸不胜汤药者，瘥。

---

① 杭：原文为"苏"，罗马本、清本作"杭"，余杭在杭州，故改。

○ 石之土

黑石脂

无毒　土石生

黑石脂主养肾气，强阴，主阴蚀疮，止肠澼，泄痢，疗口疮，咽痛。久服益气，不饥延年。名医所录。

名 石涅、黑符、石墨。

地 〔图经曰〕出颖川阳城。〔吴氏云〕生洛西山空地。〔陶隐居云〕五石脂如《本经》疗、体亦相似，《别录》各条所以具载。今医家惟用赤、白二脂，余三色脂而无正用，惟黑石脂乃可画用。今用亦稀也。

时 〔采〕无时。

用 纹理腻，缀唇者为佳。

质 类滑石而酥软。

色 黑。

味 咸。

性 平，软。

气 味厚于气，阴中之阳。

臭 朽。

主 益肾气，固肠胃。

反 畏黄芩、大黄。

制 〔雷公云〕凡使，须研如粉，用新汲水投于器中搅不住手，飞过三度。澄者去之，取飞过者用。

治 〔疗〕〔唐本注云〕治下痢。

　　　　　　　　　　　　　　　○ 石之土

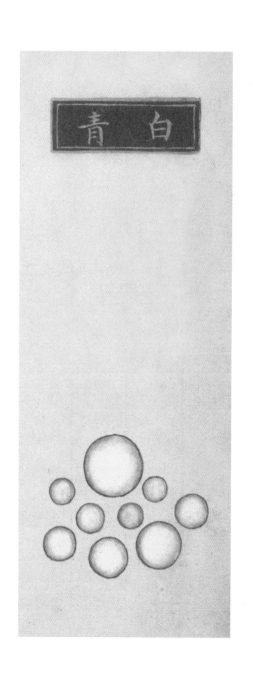

白青

无毒　石生

白青出神农本经。主明目，利九窍，耳聋，心下邪气，令人吐。杀诸毒，三虫。久服通神明，轻身延年不老。以上朱字神农本经。

可消为铜剑，辟五兵。以上黑字名医所录。

地　〔图经曰〕生豫章山谷。〔唐本注曰〕其白青似空青，圆如铁珠，色白而腹不空者是也。研之色白如碧，亦谓之碧青。不入画用，无空青时亦用之。名鱼目青，以形似鱼目故也。今出简州、梓州者好。

时　〔采〕无时。

用　白如碧者为好。

质　类空青而腹不空。

色　白碧。

味　甘、酸、咸。

性　平，缓。

气　味厚气薄，阴中之阳。

臭　朽。

主　通九窍，杀诸虫。

制　先捣罗，更以水飞极细，候干再研用。

○ 石之土

绿青

无毒　石生

绿青主益气,疗鼽[1]鼻,
止泄痢。名医所录。

---

[1]　鼽：原注"音求"。

名 石绿。

地 〔图经曰〕旧不著所出州土，但云生山之阴穴中。空青条云：生益州山谷及越嶲山有铜处。此物当是生其山之阴耳。今出韶州、信州其色青白，即画工用画绿色者。极有大块，其中青白花纹可爱。信州人用琢为腰带环及妇人服饰。其入药者，当用颗块如乳香，不挟石者佳。

时 〔生〕无时。〔采〕无时。

用 颗块不挟石者佳。

色 绿。

味 酸。

性 寒。

气 味厚于气，阴也。

臭 朽。

主 益气，止痢。

制 〔图经曰〕先捣罗，更用水飞过，乃再研至细用。

治 〔疗〕〔图经曰〕吐风痰。

合治 取二三钱匕，同龙脑三四豆许研匀，以生薄荷汁合温酒调服。治风痰，眩闷，使偃卧须臾，涎自口角流出乃愈。

扁青

无毒　石生

扁[1]青出神农本经。主目痛，明目，折跌[2]，痈肿，金疮不瘳[3]，破积聚，解毒气，利精神。久服轻身不老。以上朱字神农本经。**去寒热风痹，及丈夫茎中百病，益精。**以上黑字名医所录。

---

① 扁：原注"音褊"。
② 跌：原注"音迭"。
③ 瘳：原注"音抽"。

地〔图经曰〕生朱崖山谷，武都，朱①提②。〔唐本注云〕出朱崖、巴南及林邑、扶南。舶上来者，形块大如拳，其色又青，腹中时或有空者。武昌出片块者，其色更佳。简州、梓州者，形扁作片而色浅也。〔谨按〕苏恭云：扁青即绿青。唐本注云：绿青即扁青。二论乃为一种也。其绿青形块如拳而色绿，扁青形扁作片而色浅。前人拟质命名，必有所自。况其性味、治证各有不同，难以为一物也，明矣。

时〔采〕无时。

用 片块而色青者为好。

色 青。

味 甘。

性 平，缓。

气 气薄味厚，阴中之阳。

臭 朽。

主 消疮肿，养精神。

制 先捣，下筛，更用水飞过，至细乃再研。

治〔疗〕〔别录云〕治丈夫内绝，令人有子。

---

① 朱：原注"音殊"。

② 提：原注"音时"。

○ 石之水

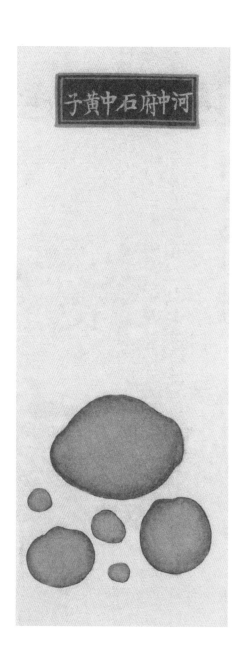

石中黄子

无毒　石生

石中黄子久服轻身，
延年不老。名医所录。

地 〔图经曰〕《本经》不载所生州土，云出禹余粮处有之，今惟出河中府中条山谷内。旧说是余粮壳中未成余粮黄浊水，今云其石形如面剂，紫黑色石皮，内黄色者谓之中黄。据此两说小异。今按《抱朴子》云：石子中黄所在有之，近水之山尤多。在大石中，其石常润湿不燥，打石，石有数十重，见之赤黄，溶溶如鸡子之在壳。得者即当饮之，不尔，便坚凝如石，不中服也。破一石中，多者有一升，少者数合。法当正及未坚时饮之，其坚凝亦可末服也。若然旧说是初破取者，今所用是久而坚凝者尔。陶云：芝品中有石中黄子，非也。〔衍义曰〕石中黄子，此子字误也，子当作水况当条自言未成余粮黄浊水，焉得却名之子也？若言未干者，亦不得谓之子也，子字乃水字无疑矣。

时 〔生〕无时。〔采〕无时。

用 石中黄浊水。

色 黄。

味 甘。

性 平，缓。

气 气之薄者，阳中之阴。

臭 朽。

制 研细用。

无名异

无毒　石生

无名异主金疮，折伤，内损，止痛，生肌肉。

名医所录。

地〔图经曰〕出大食国。生于石上，状如黑石炭。蕃人以油炼如鹥石，嚼之如饧。今广州山石中及宜州南八里龙济山中亦有之。其色黑褐，大者如弹丸，小者如黑石子也。

时〔生〕无时。〔采〕无时。

用 如鹥石者佳。

质 类墨石而成碎颗。

色 黑褐。

味 甘。

性 平，缓。

气 气之薄者，阳中之阴。

臭 朽。

主 续骨，长肉。

治〔疗〕〔图经曰〕消肿毒、痈疽。

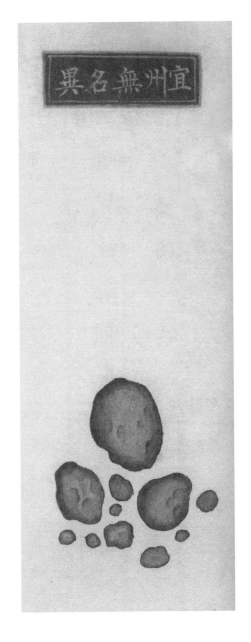

菩萨石

无毒　石生

菩萨石解药毒、蛊毒，及金石药发动作痈疽、渴疾，消扑损瘀血，止热狂惊痫，通月经，解风肿，除淋，并水磨服。蛇、虫、蜂、蝎、狼、犬、毒箭等所伤，并末傅之，良。

名医所录。

地 〔衍义曰〕出峨嵋山中，如水精明澈，日中照出五色如佛
之圆光，因以名之。今医家鲜用。〔别录云〕嘉州峨嵋山有菩萨石，
人多采得，其色莹白，若泰山狼牙石^①、饶州水晶之类，日光射之
有五色，如佛顶圆光也。

时 〔生〕无时。〔采〕无时。

用 明澈者佳。

质 类水晶而有光。

色 白。

味 淡。

性 平，寒。

气 气之薄者，阳中之阴。

臭 朽。

主 解诸毒，傅疮疡。

---

① 狼牙石：此后原衍"上"一字，据文义删。

○ 石之土

婆娑石

无毒　石生

婆娑石主解一切药
毒，瘴疫，热闷，头痛。
名医所录。

名　摩娑石。

地　〔图经曰〕生南海，胡人尤珍贵之。无斑点，有金星，磨成乳汁者为上。以金装饰作指驱带之。每欲食及食罢，辄含吮数四以防毒。今人有得指面许块，则价值甚重。又有豆斑石，虽亦解毒，功力不及。复有鄂绿有纹理，磨铁成铜色，人多以此为之，非真。凡欲验真者，以水磨，点鸡冠热血，当化成水是也。

时　〔生〕无时。〔采〕无时。

质　类石绿而有金星。

色　绿。

味　淡。

性　平。

气　气之薄者，阳中之阴。

臭　朽。

解　一切药毒。

○ 石之石

炉甘石

无毒　土生

炉甘石主风热赤眼，或痒或痛，渐生翳膜，及治下部生疮，津唾调敷。今补。

地　〔谨按〕此种出川、广、池州山谷，其形腻软，棱层作块，大小不一。有粉红色如梅花瓣者，亦有青白色而挟石者，入药惟以纯白而腻者佳，余色粗砺为劣。今以点炼蟹壳铜而成黄铜者，即此也。

时　〔生〕无时。〔采〕无时。

用　如羊脑者佳。

色　白。

味　甘。

性　平。

气　气之薄者，阳中之阴。

臭　朽。

主　明目退翳。

制　凡使，以炭火煅赤，童子小便淬三十次，研细，用黄连、龙胆草各一两，当归三钱，煎水二碗，飞过，讫重汤蒸干，再研约一日，令极细如面用。

治　〔疗〕眼目昏赤，眵泪羞明，及风眼赤烂，隐涩疼痛，暴发肿痛，翳膜遮睛。

合治　制过甘石四两，合腻粉、硇砂、白矾、黄连各半两，铜青一两半，白丁香、乳香、铅白霜、胆矾各一字，另研令极细，每用少许点治新、久病眼昏涩难开，翳膜遮睛，或成胬肉，冷泪及暴发赤眼肿痛。○制过甘石一两，合珍珠、孩儿茶、轻粉、枯白矾各一分，片脑少许，治下部疮。

鹅管石

无毒　石生

鹅管石主咳嗽，痰喘及小儿诸嗽。今补。

地 〔谨按〕此石出蜀地、岭南，今济南历城县有之。长二三寸，形圆而层层甲错，色白，酥脆易折，中空如管，故谓之鹅管石也。

时 〔采〕无时。

用 中空而明净者佳。

质 类石钟乳而极短小。

色 白。

味 甘。

性 平。

气 气之薄者，阳中之阴。

一十七种陈藏器余

晕石无毒。主石淋。磨服之，亦烧令赤，投酒中服。生大海底，如姜石，紫褐色，极紧似石。是咸水结成之，自然有晕也。

流黄香味辛，温，无毒。去恶气，除冷，杀虫。似硫黄而香。吴时《外国传》云：流黄香出都昆国，在扶南南三千里。《南洲异物志》云：流黄香出南海边诸国，今中国用者从西戎来。

白师子主白虎病。向东人呼为历节风。置白师子于病者前自愈。此压伏之义也。白虎鬼，古人言如猫在粪堆中，亦云是粪神。今时人扫粪，莫置门下，令人病。此疗之法，以鸡子揩病人痛，咒愿送著粪堆头，勿反顾。

玄黄石味甘，平、温，无毒。主惊恐，身热，邪气，镇心。久服令人眼明，令人悦泽。出淄川北海山谷土石中，如赤土、代赭之类。又有一名零陵，极细研服之，如代赭。土人用以当朱，呼为赤石，恐是代赭之类也。人未用之。

石栏杆味辛，平，无毒。主石淋，破血，产后恶血。磨服，亦煮汁服，亦火烧投酒中服。生大海底，高尺余，如树，有根茎，茎上有孔如物点之。渔人以网罥得之，初从水出微红，后渐青。

玻璃味辛，寒，无毒。主惊悸，心热，能安心，明目，去赤眼，熨热肿。此西国之宝也，是水玉①。或云：千岁冰化为之，应玉石之类，生土石中，未必是冰。今水精、珠精者极光明，置水中不见珠也。熨目除热泪。或云：火燧珠。向日取得火。

石髓味甘，温，无毒。主寒热，中赢瘦，无颜色，积聚，心腹胀满，食饮不消，皮肤枯槁，小便数疾，癖块，腹内肠鸣，下痢，腰脚疼冷，男子绝阳，女子绝产，血气不调，令人肥健能食，合金疮。性壅宜寒瘦人。生临海华盖山石窟，土人采取，澄淘如泥，作丸如弹子，有白有黄弥佳矣。

霹雳针无毒。主大惊失心，恍惚不识人，并下淋。磨服，亦煮服。此物伺候雷②震处，掘地三尺得之，其形非一。或言：是人所造纳，与天曹不知事实。今得之亦有似斧刃者，亦有如剉刃者，亦有安二孔者，一用人间石作也。注出雷州并河东山泽间，因雷震后时多，似斧，色青，黑斑纹，至硬如玉。作枕除魔梦，辟不祥，名霹雳屑也。

大石镇宅主灾异不起宅。经取大石镇宅四隅。《荆楚岁时记》：十二月暮日，掘宅四角，各埋一大石，为

---

① 玉：原作"王"，据罗马本、东京本改。
② 雷：原脱，据罗马本、东京本补。

镇宅。又《鸿宝万毕术》云：埋丸石于宅四隅，捶①桃核七枚，则鬼无能殃也。

金石味甘，无毒。主久羸瘦不能食，无颜色，补腰脚冷，令人健壮，益阳。有暴热脱发，飞炼服之。生五台山清凉寺。石中金屑②作赤褐色。

玉膏味甘，平，无毒。玉石③主延年，神仙。术家取蟾蜍膏软玉如泥，以苦酒消之成水，此则为膏之法。今玉石间水饮之，长生，令人体润。以玉投朱草汁中，化成醴。朱草，瑞物，已出金石④卷中。《十洲仙记》：瀛洲有玉膏泉，如酒，饮之数杯辄醉，令人长生。洲上多有仙家似吴儿。虽仙境之事有可凭者，故以引为证也。

温石及烧砖煮⑤之得热气彻腰腹，久患下部冷，久痢，肠腹下白脓。烧砖并温石熨，及坐之并瘥。但取坚石烧暖用之，非别有温石也。

印纸无毒。主令妇人断产无子。剪有印处烧灰，水服之一钱匕，神效。

烟药味辛，温，有毒。主瘰疬，五痔瘘，瘿瘤，疮根恶肿。石黄、空青、桂心并四两，干姜一两，为末，

---

① 捶：原作"槌"，义通，据罗马本、东京本改。
② 屑：原作"历"，据罗马本、东京本改。
③ 玉石：原作小字双行文，据罗马本、东京本改为大字正文。
④ 石：原作"水"，据罗马本、东京本改。
⑤ 煮：原作"主"，据文义改。

取铁片阔五寸烧赤，以药置铁上，用瓷碗以猪脂涂其^①碗底，药飞上，待冷即开，如此五度。随疮孔之^②大小，以药如鼠屎内孔中，面封之，三度，根出也。无孔者，针破内之。

特蓬杀味辛、苦，温，小毒。主飞金石用之，炼丹亦须用。生西国，似食脂、蛎粉之类。能透金石铁，无碍下通出。

阿婆赵荣二药有小毒。主疔肿，恶疮出根，蚀息肉，肉刺。齐人以白姜石、犬屎、绯帛、棘针钩等合成如墨，硬土作丸。又有阿婆赵荣药，功状相同，云石灰和诸虫及绯帛、棘针合成之。并出临淄、齐州。

六月河中诸热沙主风湿顽痹不仁，筋骨挛缩脚疼，冷风掣瘫，缓血脉断绝。取干沙日曝令极热，伏坐其中，冷则更易之。取热彻通汗，然后随病进药及食，忌风冷，劳役。

本草品汇精要卷之二

---

① 其：原脱，据罗马本、东京本补。
② 之：原脱，据罗马本、东京本补。

本草品汇精要

·卷之三·

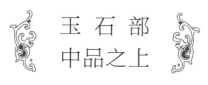

玉 石 部
中品之上

已上总四十九种，内一十一种今增图

雄黄　　　　　　　　石硫黄　　　　　　　雌黄

石膏玉火石附　　　　方解石自下品今移并增图　　凝水石

石钟乳自上品今移　　殷蘖今增图　　　　　孔公蘖今增图

石花唐附，今增图　　石床唐附，今增图　　长石

理石今增图　　　　　磁石磁石毛附　　　　玄石

阳起石　　　　　　　砺石宋附，砥石附，今增图　桃花石唐附

石脑今增图　　　　　石蟹宋附，浮石附　　金屑

银屑　　　　　　　　生银宋附，朱砂银附　水银

水银粉宋附，今增图　灵砂唐慎微附，今增图　密陀僧唐附

珊瑚唐附　　　　　　玛瑙宋附，今增图

二十种陈藏器余

天子藉田三推犁下土　　　社坛四角土　　　土地

市门土　　　　　　　自然灰　　　　　　　铸钟黄土

户垠①下土　　　　　铸铧锄孔中黄土　　　瓷坯中里白灰

弹丸土　　　　　　　执日取天星上土　　　大甑中蒸土

鼢鼠壤堆上土　　　　冢上土及砖石　　　　桑根下土

春牛角上土　　　　　土蜂窠上细土　　　　载盐车牛角上土

驴溺泥土　　　　　　故鞋底下土

---

① 垠：原作"限"，据清本改。

本草品汇精要卷之三
玉石部中品之上

○ 石之石

雄黄

有毒　石生

雄黄 出神农本经。主寒热，鼠瘘，恶疮，疽痔，死肌。杀精物，恶鬼邪气，百虫毒，胜五兵。炼食之轻身神仙。以上朱字神农本经。疗疥虫，蜃疮，目痛，鼻中息肉及绝筋，破骨，百节中大风，积聚，癖气，中恶，腹痛，鬼疰，杀诸蛇虺毒，悦泽人面。饵服

之，皆飞入人脑中。胜鬼
神，延年益寿，保中不饥。
得铜可作金。以上黑字名医
所录。

名 黄食石、黄石。

地 〔图经曰〕生武都山
谷，敦煌山之阳，今阶州山中
亦有之。形块如丹砂，明澈不
挟石，其色如鸡冠者为真。有
青黑色而坚者，名熏[①]黄。有
形色似真而气臭者，名臭黄，
并不入药。其臭以醋洗之便可
断气，足以乱真，用之尤宜细
辨。又阶州接西戎界出一种水
窟雄黄，生于山岩中有水泉流
处，其石名青烟石、白鲜石，
黄出其中。其块大者如胡桃，
小者如粟豆，上有[②]孔窍，其
色深红而微紫，体极轻虚而功
用胜常，丹灶家尤所贵重。或

① 熏：原注"音训"。
② 有：原作"其"，据清本、罗马
本改。

云：雄黄，金之苗也，故南方近金坑冶处时或有之，但不及西来者真正尔。〔水经云〕黄水出零阳县西北连巫山，溪出雄黄，颇有神异。采常以冬月祭祀，凿石深数丈方得，故溪水取名焉。〔衍义曰〕雄黄非金之苗，今有金窟处无雄黄，条中言金之所生，处处皆有，雄黄岂处处皆得也。

　时〔生〕无时。〔采〕无时。

　用 纯而不杂，烨烨如鸡冠色者为佳。

　质 类石黄而赤亮。

　色 红黄。

　味 苦、甘。

　性 平、寒、大温。

　气 气味俱厚，阳中之阴。

　臭 臭。

　主 疮疡，辟百邪。

　制〔雷公云〕凡修事，先以甘草、紫背天葵、地胆、碧棱花四件并细剉，每件各五两。雄黄三两，下东流水入坩埚中，煮三伏时，漉出，捣如粉，水飞，澄去黑者，晒干再研，方入药用。

　治〔疗〕〔唐本注云〕辟恶，疗疮。〔药性论云〕治尸疰，辟百邪鬼魅，杀蛊毒。〔日华子云〕治疥癣，风邪，癫痫，风瘴，蛇、虫、犬、兽伤咬。〔陈藏器云〕熏黄主恶疮，杀蛊，熏疮疥、蚁虱。〔补〕〔日华子云〕久服不饥。

　合治 末合酒服一匙，日三，治卒中鬼击及刀所伤，血满腹者，化血为水。○合细辛等分，研细用一字，治偏头疼。左边疼嗅入右鼻，右边疼嗅入左鼻。

解　藜芦毒，杀百毒。人佩之，鬼神不能近；入山林，虎狼伏；涉川济，毒物不敢伤。

赝　今人敲取石黄[①]中精明者为雄黄，外黑者为熏黄。武都雄黄烧不臭，熏黄烧则臭，以此分别。

---

① 今人敲取石黄：原作"石黄令人敲取"，据清本改。

石硫黄

有毒　石生

石硫黄出神农本经。主妇人阴蚀，疽痔，恶血。坚筋骨，除头秃。能化金银铜铁奇物。以上朱字神农本经。疗心腹积聚，邪气，冷癖在胁，咳逆上气，脚冷疼弱无力及鼻衄，恶疮，下部䘌疮，止血，杀疥虫。以上黑字名医所录。

名 石留黄。

地 〔图经曰〕石硫黄，矾
石液也。生东海牧羊山谷中及
泰山、河西，今惟出南海诸蕃、
岭外州郡或有而不甚佳。以色
如鹅子初出壳者为真，谓之昆
仑黄。其赤者名石亭脂，青色
者号冬结石，半白半黑名神惊
石，并不堪入药。又有一种土
硫黄，出广南及荣州，溪涧水
中流出，其味辛性热，腥臭，
可煎炼成汁，以模镉作器。蜀
中雅州亦出，光腻甚好，功力
不及舶上来者。按古方书未有
服饵硫黄者，其经所说功用，
止于治疮蚀及积聚，冷气，脚
弱而已。世燧火炼治为常服丸
散，观其制炼、服食之法殊无
本源，非若乳石之有议论节度，
故服之其效虽紧而其患更速，
可不戒之。

时 〔生〕无时。〔采〕八月、
九月取。

用 莹净无夹石者为佳。

荣州土硫黄

色 淡黄。

味 酸。

性 温、大热。

气 气厚味薄，阳也。

臭 臭。

主 心腹积聚，冷癖，邪气。

助 石亭脂、曾青为之使。

反 朴消、石亭脂，畏细辛、飞廉、铁。

制 〔雷公云〕凡用，硫黄四两，先以龙尾蒿自然汁一镒，东流水三镒，紫背天葵汁一镒，粟遂子茎汁四件合之，搅令匀。一垍埚，用六一泥固济底下，将硫黄碎之入于埚中。以前件药汁旋旋添入，火煮之，汁尽为度。了，再以百部末十两，柳蚌末二斤，一簇草二斤，细剉之，以东流水并药等同煮硫黄二伏时，日满去诸药取用，熟甘草汤洗了，入钵中研二万匝方用。

治 〔疗〕〔药性论云〕炼服能下气，主脚弱，腰肾久冷，除风顽痹，虚损，泄精，生用疗寒热咳逆及疥癣。〔图经曰〕土硫黄杀疥疮，虫毒。〔日华子云〕石亭脂壮阳道，除疟癖，冷气，强筋骨，劳损，风劳，止嗽上气及下部痔瘘，恶疮，疥癣，杀腹脏虫，邪魅。

解 中硫黄毒，以猪肉、鸭羹、余甘子并解之。

○ 石之石

雌黄

有毒　石生

雌黄出神农本经。主恶疮，头秃，痂疥，杀毒虫虱，身痒，邪气，诸毒。炼之，久服轻身，增年不老。以上朱字神农本经。蚀鼻中息肉，下部䘌疮，身面白驳，散皮肤死肌及恍惚，邪气，杀蜂、蛇毒。令人脑满。以上黑字名医所录。

地〔图经曰〕生武都山谷，与雄黄同山。其阴山有金。金精熏则生雌黄。今出阶州，以其色如金又似云母甲错可析者为佳。其夹石及黑如铁色者不可用。或云：一块重四两者，析之可得千重，此尤奇好也。

时〔采〕无时。

用 软如烂金可析者为佳。

质 类云母石。

色 黄。

味 辛、甘。

性 平、大寒。

气 气之薄者，阳中之阴。

臭 臭。

主 辟邪去恶，疗疮杀毒。

制〔雷公云〕凡修事，勿令妇人、鸡犬、臭秽等物触之，若犯之者，其色黑如铁，不堪用，及损人寿。每四两用天碧枝、和阳草、粟遂子草各五两，三件干，湿加一倍，甩瓷埚子中煮三伏时，其色如金。汁一垛在埚底下用东流水猛投于中，如此淘三度去水取出，拭干，于臼中捣筛过，研如尘用之，不入汤药。

合治 研如粉，合醋并鸡子黄打令匀，涂于疮上，干即更涂，治乌癞疮，杀虫。

○ 石之石

石膏

无毒　附玉火石　石生

石膏出神农本经。主中风，寒热，心下逆气，惊喘，口干舌焦不能息，腹中坚痛，除邪鬼，产乳，金疮。以上朱字神农本经。除时气头痛，身热，三焦大热，皮肤热，肠胃中隔气，解肌发汗，止消渴，烦逆，腹胀，暴气，喘息，咽热。亦可作浴汤。以上黑字名医所录。

名 细石。

地 〔图经曰〕生齐山山谷及齐庐山、鲁蒙山。今汾、孟、虢、耀州、兴元府亦有之。生于山石上，色至莹白，其黄者不堪。此石与方解石绝相类，今难得真者，惟取未破者以别之。其方解不附石而生，端然独处，外皮有土及水苔色，破之皆作方棱。石膏自然明莹如玉，此为异也。〔陶隐居云〕今出钱塘，皆在地中。雨后时时自出，取之皆如棋子，此又不附石生也。据《本草》又似长石，议者又谓青石间往往有白脉贯彻，类肉之有膏肪者为石膏。此亦《本草》所谓理石也。今密州九仙、山东南隅地中出一种石，青白而脆，击之内有火，谓之玉火石。彼土医常用之，云：味甘、微辛，温，疗伤寒发汗，止头目昏眩、痛，功与石膏等，彼土人或以当石膏。〔谨按①〕诸家之说不一，其真伪将何据耶？按丹溪云：药之命名固有不可晓者，中间亦多有意义。盖石膏火煅，细研，醋调，封丹炉，其固密甚于石脂。苟非有膏，焉能为用，此兼质与能而得名，正与石脂同意，阎孝忠妄以方解石为石膏。况石膏甘、辛，本阳明经药，阳明主肌肉，其甘也；能缓脾益气，止渴去火，其辛也。能解肌出汗，上行至头，又入手太阴、手少阳。彼方解石止有体重、质坚、性寒而已，其所谓石膏而可谓三经之主者焉在哉？医欲责效，不亦难乎？大抵石膏当如《经》中所言，有细理白泽为真，无细理而不白泽为伪。仍如《经》中所言州土方可入药。如此庶不惑于多歧之论而灼然有定矣。

时 〔采〕无时。

用 细理白色者良。

---

① 谨按：原无此二字，今据引文内容补。

质 类长石而肌细。

色 白。

味 甘、辛。

性 微寒。一云大寒。

气 气薄味厚,阴中之阳。

臭 朽。

主 清胃去热,解肌发汗。

行 足阳明经,手太阴经、少阳经。

助 鸡子为之使。

反 畏铁,恶莽草、巴豆、马目毒公。

制 〔雷公云〕凡使,先于石臼中捣成粉,以密绢罗过,生甘草水飞过,澄令干,重研用之。

治 〔疗〕〔药性论云〕治伤寒头痛,壮热,皮如火燥,烦渴,解肌,出毒汗,通胃中结,烦闷,心下急,烦躁,唇口干焦。〔日华子云〕治天行热狂,下乳,头风旋,揩齿益齿。〔别录云〕热油汤火烧,疮痛不可忍,捣末傅之,愈。

合治 合葱煎茶服,治头痛。○合知母、甘草、粳米,治伤寒热病,或大汗后脉洪大,口舌干燥,头痛,大渴不已。○合香白芷,治牙痛。

禁 黄色者令人淋,不可服。

赝 方解石为伪。

方解石

无毒　土生

方解石主胸中留热，结气，黄疸，通血脉，去蛊毒。名医所录。

名　黄石。

地　〔图经曰〕出方山，不附石而生，端然独处，外皮有土及水苔色，破之皆作方棱。〔唐本注云〕此种大与石膏相似，惟不附石而端然独处，形块大小不同，或在土，或生溪水。得之敲破皆方解，故以为名。今沙州大鸟山出者佳。

时　〔采〕无时。

用　方而有棱者佳。

质　类晋矾。

色　白。

味　苦、辛。

性　大寒，泄。

气　气薄味厚，阴中之阳。

臭　朽。

主　除热。

反　恶巴豆。

制　捣为末，水飞过用。

凝水石

无毒　土生

凝水石出神农本经。主身热，腹中积聚，邪气，皮中如火烧，烦满，水饮之。久服不饥。以上朱字神农本经。除时气热盛，五脏伏热，胃中热，烦满，止渴，水肿，小腹痹。以上黑字名医所录。

名　白水石、寒水石、凌水石。

地　〔图经曰〕凝水石，盐之精也。生常山山谷及出中水县、邯郸，今河东、汾、隰州、德顺军亦有之。此有两种，有纵理者，有横理者。色清明如云母可析，投置水中，与水同色，其水凝动者为佳。或曰：纵理者为寒水石，横理者为凝水石。又有一种冷油石，全与此相类，但投沸油铛中，油即冷者是也。此石有毒，切勿误用。〔衍义曰〕凝水石又谓之寒水石，纹理通彻，人磨刻为枕，以备暑月之用。入药须烧过。或市人烧，入腻粉中以乱真，不可不察也。《图经》云：入水凝动者佳。如此，则举世不能得也。

时　〔采〕三月取。又云无时。

用　清明如云母可析者良。

质　类滑石而有纹理。

色　青黄。

味　辛、甘。

性 寒。一云大寒。

气 气薄味厚，阴中之阳。

臭 朽。

主 伏热积聚。

反 畏地榆。

制 〔雷公云〕每修事十两，以生姜自然汁一镒煮，汁尽为度，细研成粉用。或以火烧半日，净地坑内盆，合四面湿土拥起，候经宿，取出用。

治 〔疗〕〔药性论云〕能压丹石毒风，去心烦，渴闷，解伤寒，劳复。

合治 合白土为末，用米醋调，傅小儿丹毒，皮肤热赤。

解 巴豆毒。

赝 冷油石为伪。若误服之，令人腰以下不能举。

○ 石之土

石钟乳

无毒　岩穴生

石钟乳_{出神农本经}。主咳逆上气，明目，益精，安五脏，通百节，利九窍，下乳汁。以上朱字神农本经。益气，补虚损，疗脚弱疼冷，下焦伤竭，强阴。久服延年益寿，好颜色，不老，令人有子。不炼服之，令人淋。以上黑字名医所录。

名　公乳、芦石、夏石、虚中。

地　〔图经曰〕生少室山谷及泰山，道州江华县连英，韶、阶、峡州山中皆有之。生岩穴阴处，溜山液而成。长者五六寸，中空相通，如鹅翎管状，色白微红，碎之如爪甲，中无雁齿光明者善。旧说乳有三种，有石钟乳者，其山纯石，以石津相滋，状如蝉翼者为石钟乳，性温；有竹乳者，其山多生篁竹，竹津相滋，乳如竹状，谓之竹乳，性平；有茅山乳者，其山遍生茅草，以茅津相滋，乳色稍黑而滑润，谓之茅山乳，性微寒。唐李补阙《炼钟乳法》云：取韶州钟乳，无问厚薄，但令颜色明净光泽者，宜入修炼，惟黄赤者不堪用也。

时　〔采〕无时。

收　以瓷器贮之。

用　明净白薄者为上。

质　类鹅管石而大小不等。

色　白、微红。

味　甘。

性　温，缓。

气　气厚味薄，阳中之阴。

臭　朽。

主　固精，壮元气。

助　蛇床为之使。

反　恶牡丹、玄石、牡蒙，畏紫石英、蘘草。

制　〔雷公云〕凡修事，钟乳八两，用沉香、零陵、藿香、甘松、白茅等各一两，以水先煮过一度，方用甘草等二味各二两，再煮了，漉出拭干，缓火焙之。然后入臼，杵如粉，筛过，却，入钵中，

令有力少壮者三两人不住研三日夜，勿歇。然后用水飞过，以绢
笼之，于日中晒令干。又入钵中研二万遍用之。

治〔疗〕〔药性论云〕止寒嗽及通声。〔别录云〕治心烦，
肝气不平。〔补〕〔药性论云〕止泄精，壮元气，益阳事。〔日
华子云〕补五劳七伤，添精益髓。

禁 煮不如法，服之多发淋渴。

忌 羊血。

赝 石脑、黄石砂为伪。

○ 石之土

殷孽

无毒　岩穴生

殷孽出神农本经。主烂伤，瘀血，泄痢，寒热，鼠瘘，癥瘕，结气。以上朱字神农本经。**脚冷疼弱**。以上黑字名医所录。

名　姜石。

地　〔图经曰〕殷孽，即钟乳根也。生赵国山谷，又梁山及南海。〔唐本注云〕盘结如姜，故名姜石。〔蜀本云〕孽之类有五种，惟以次小蓷嵷者为殷孽。盖原出于一体，而主疗有异。此但可以浸酒，不堪入药也。〔谨按〕孔公孽、殷孽乃钟乳之旁出者也。从石室中汁溜垂下，渐溜稍长，旁歧而中通者为孔公孽；再溜分歧，中实如姜石者曰殷孽。正溜中空而轻者为石钟乳；滴下积久盘结者为石床；床上有槎牙如鹿角者曰石花。三种同体，其上下悬殊，而功用亦异也。

时　〔采〕无时。

用　石盘结蓷嵷者佳。

质　类姜，歧而长。

色　白、微红。

味　辛。

性　温，散。

气　气之厚者，阳也。

臭　朽。

主　壮筋骨，消癥瘕。

反　畏术，恶防己。

制　捣末，水飞过用。

治　〔疗〕〔日华子云〕治筋骨弱并痔瘘，及下乳汁。

○ 石之土

孔公孽

无毒　岩穴生

孔公孽出神农本经。主伤食，不化邪，结气，恶疮疽，瘘痔，利九窍，下乳汁。以上朱字神农本经。**男子阴疮，女子阴蚀及伤食，病常欲眠睡。**以上黑字名医所录。

名　通石。

地　〔陶隐居云〕孔公孽，即殷孽根也。生梁山山谷，亦出始兴。从石室上汁溜积久，盘结者为钟乳床，即此孽也。〔唐本注云〕此孽次于钟乳，如牛羊角者，中尚孔通，故名通石也。

时　〔采〕无时。

色　白、微红。

味　辛。

性　温，散。

气　气之厚者，阳也。

臭　朽。

主　疗阴疮，消宿食。

助　木兰为之使。

反　恶细辛。

制　研细，水飞过用。

治　〔疗〕〔药性论云〕治腰冷，膝痹，毒风，男女阴蚀疮，人常欲多睡，能使喉声圆亮。〔日华子云〕疗癥结。〔补〕〔别录云〕轻身，充肌。

合治　合酒渍饮之，治脚弱。

忌　羊血。

○ 石之土

石花

无毒　岩穴生

石花主腰脚风冷，与
殷孽同。名医所录。

名 乳花、石笋。

地 〔图经曰〕石花与殷孽同产，即钟乳之类。从石室上汁溜积久，盘结于地者为石床花，即床上槎牙而生者是也。〔衍义曰〕色白，圆如覆，大马杓上有百十枝，每枝各槎牙，分歧如鹿角，上有细纹起，以指撩之铮铮然有声，此石花也。

时 〔采〕三月、九月取。

用 白如霜雪者佳。

色 白。

味 甘。

性 温，缓。

气 气之厚者，阳也。

臭 朽。

主 暖腰膝。

制 研细，水飞过，以酒渍服。

治 〔补〕〔日华子云〕壮筋骨，助阳。

○ 石之土

石床

无毒　岩穴生

石床酒渍服，与殷孽同。名医所录。

名　乳床、逆石。

地　〔图经曰〕出南海及赵国、梁山山谷。从石室中汁溜积久，盘结为床，谓之石床。《本经》云：石床与殷孽同。又云：孔公孽，殷孽根也；钟乳床，即孔公孽；其次小而巃嵸者，为殷孽也。〔谨按〕已上四种，本乎一体，互说纷纭而无定见。窃观乳之下溜，有似于乳，故曰钟乳，二孽亦乳之别溜，犹孟子所谓孽子而亦乳之傍出者也。石床乃钟乳水滴盘结于地如床，故谓之床。床上生枝干，槎牙如花者，谓之石花。噫前人命名之义有自来矣。

时　〔采〕无时。

用　盘结如床者佳。

色　白。

味　甘。

性　温，缓。

气　气之厚者，阳也。

臭　朽。

制　研细，水飞过用。

○ 石之石

长石

无毒　石生

长石出神农本经。主身热，四肢寒厥，利小便，通血脉，明目，去翳眇，下三虫，杀蛊毒，久服不饥。以上朱字神农本经。胃中结气，止消渴，下气，除胁肋肺间邪气。以上黑字名医所录。

名 方石、土石、直石。

地 〔图经曰〕生长子山谷及泰山、临淄，今潞州有之。纹理如马齿，方而润泽玉色。此石颇似石膏，但厚大纵理而长为别耳。〔陶隐居云〕理石亦呼为长理石。〔苏恭云〕理石皮黄赤，肉白作斜理，不似石膏。市人刮去皮以代寒水石，并当礜石。今灵宝丹用长理石为一物，医家相承用者乃似石膏，与今潞州所出长石无异，而诸郡无复出理石，医方亦不见单用，往往呼长石为长理石也。〔谨按〕《本经》理石、长石二物已立二条，其味与功效亦别，岂得为一物哉！今均州辽坂山有之，土人以为理石者，是此长石也。

时 〔采〕无时。

质 类石膏，纹如马齿。

色 白。

味 辛、苦。

性 寒，散。

气 气薄味厚，阴中之阳。

臭 朽。

主 利小便，杀蛊毒。

制 研细，水飞过用。

○ 石之石

理石

无毒　石生

理石出神农本经。主身热，利胃，解烦，益精明目，破积聚，去三虫。以上朱字神农本经。除荣卫中去来大热，结热，解烦毒，止消渴及中风，痿痹。以上黑字名医所录。

名 立制石、肌石。

地 〔图经曰〕出汉中山谷及庐山，今出宁州。理石如石膏，顺理而细。〔唐本注云〕此石夹两石间如石脉，采用之。或在土中重叠而生，肉白，皮黄赤作斜理纹，全不似石膏。市人或刮削去皮，以代寒水石并当礜石。今庐山亦无此物见出，襄州西汎水侧者是也。

时 〔采〕无时。

用 白净斜理纹者为真。

色 肉白，皮黄赤。

味 辛、甘。

性 大寒。

气 气之薄者，阳中之阴。

臭 朽。

主 破癖块。

助 滑石为使。

反 恶麻黄。

制 研细，水飞过用。

治 〔补〕〔唐本注云〕令人肥悦。

○ 石之石

磁石

无毒　附磁石毛　石生

磁石出神农本经。主周痹风湿，肢节中痛，不可持物，洗洗酸瘠①，除大热，烦满及耳聋。以上朱字神农本经。养肾脏，强骨气，益精除烦，通关节，消痈肿，鼠瘘，颈核，喉痛，小儿惊痫。炼水饮之，亦令人有子。以上黑字名医所录。

---

① 瘠：原注"音消"。

名　玄石、处石、磁君。

地　〔图经曰〕生泰山山谷及慈山山阴，有铁处则生其阳。今慈州、徐州及南海傍山中皆有之，慈州者最佳。能吸铁虚连十数针或一二斤刀器，回转不落者尤真。其石中有孔，孔中黄赤色。其上有细毛，谓之磁石毛，性温，功用尤胜。按《南州异物志》云：涨海崎头水浅而多磁石，微外大舟以铁鍱锢之者，至此多不能过。以此言之，南海所出尤多也。又《本经》一名玄石，其玄石亦自有条，以其形质颇同，疑重其名尔。〔雷公云〕人欲验者，一斤磁石，四面只吸铁一斤者名延年沙；四面吸铁八两者曰续末石；四面只吸铁五两以来者号磁石。盖磁石为铁之母，取铁犹母之召子焉。

时　〔采〕无时。

用　能吸铁有力者佳。

质　类生铁。

色　赤黑。

味　辛、咸。

性　寒。

气　气薄味厚，阴中之阳。

臭　朽。

主　滋养肾脏，补益精气。

助　柴胡为之使。

反　畏黄石脂，恶牡丹、莽草。

制　〔雷公云〕凡修事一斤，用五花皮[①]一镒、地榆一镒、故绵十五两，三件并细剉，以捶于石上碎作二三十块子。将磁石于

---

① 五花皮：原注"五花者，即五加皮之五叶花也"。

瓷孔子中，下草药，以东流水煮三日夜，然后漉出，拭干，以布裹之，向大石上再捶令细。却，入乳钵中研细如尘，以水沉飞过了，又研如粉用之。

治 〔疗〕〔药性论云〕治肝肾虚风，虚身，强腰中不利。〔日华子云〕除烦躁，消肿毒，小儿误吞针铁。〔陈藏器云〕止小便白数，去疮瘘。〔补〕〔日华子云〕主眼昏，筋骨弱，五劳七伤。〔陈藏器云〕补绝伤，益阳道，长肌肤，令人有子。

合治 合酽酢封疔肿。○合滑石末，米饮调，治金疮肠出者，服之瘥。

解 杀铁毒。

赝 玄石为伪。

○ 石之石

玄石

无毒　土石生

玄石主大人、小儿惊痫，
女子绝孕，小腹冷痛，
少精，身重。服之令人
有子。名医所录。

名 玄水石、处石。

地 〔图经曰〕生泰山之阳，山阴有铜。铜者雌，铁者雄。主疗与磁石颇亦相近，而寒温、铜铁、畏恶乃别。苏恭以为铁液也，是磁石中无孔，光泽纯黑者，其功劣于磁石。又不能悬针者，即玄石也。今北蕃以磁作礼物，其块多光泽。又吸铁无力，疑是此石，医方罕用耳。

时 〔采〕无时。

用 光泽纯黑者好。

质 类磁石，无孔而不能悬针。

色 黑。

味 咸。

性 温。

气 气厚于味，阳中之阴。

臭 朽。

主 小儿惊痫，女人绝孕。

反 恶松脂、柏实、菌桂。

阳起石

无毒　土石生

阳起石出神农本经。主崩中漏下，破子脏中血，癥瘕，结气，寒热腹痛，无子，阳痿不起，补不足。以上朱字神农本经。疗男子茎头寒，阴下湿痒，去臭汗，消水肿。久服不饥，令人有子。以上黑字名医所录。

名 白石、石生、羊起石。

地 〔图经曰〕生齐山山谷
及琅琊，或云山、阳起山，今
惟出齐州，他处不复有。或云：
邢州鹊山亦有之，然不甚好。
今齐州城西惟一土山，石出其
中，彼人谓之阳起山。其山常
有温暖气，虽盛冬大雪遍境，
独此山无积白，盖石气熏蒸使
然也。山惟一穴，官中常禁闭，
至初冬则州发丁夫遣人监视取
之。岁月积久，其穴益深，镵
凿他石得之甚艰。以色白、肌
理莹明、若狼牙者为上，亦有
挟他石作块者不堪。每岁采择
上供之，余州中货之，不尔，
市贾无由得也。货者虽多，而
精好者亦难得。旧说是云母根，
其中犹挟带云母，今不复见此
色，古服食方不见用者，今补
下药多用之。〔陶隐居云〕所
出即与云母同而甚似云母，但
厚实耳。〔唐本注云〕此石以
白色肌理似殷孽，仍夹带云母
滋润者为良，故《本经》一名

石起陽

白石。今有用纯黑如炭者，误矣。云母条中既云黑者名云胆，又名地涿，服之损人，黑阳起石必为恶矣。《经》言生齐山，齐山在齐州历城西北五六里，采访无阳起石，阳起石乃齐山西北六七里庐山出之。《本经》云或云山，云，庐字讹矣。今泰山、沂州惟有黑者，其白者独出齐州也。〔别录云〕惟泰山所出黄者绝佳，邢州鹊山出白者亦好。

时　〔采〕无时。

用　肌理莹明者为佳。

质　类云母而厚实。

色　白。

味　咸。

性　微温。

气　气厚于味，阳中之阴。

臭　朽。

主　扶阳益阴。

助　桑螵蛸为之使。

反　恶泽泻、菌桂、雷丸、蛇蜕皮、石葵，畏菟丝子。

制　火煅，水飞研用。不入汤药。

治　〔疗〕〔药性论云〕除湿痹，冷癥寒瘕，止月水不定。〔日华子云〕止带下，温疫，冷气。〔补〕〔药性论云〕益肾气，精乏，腰疼膝冷，暖女人子宫。〔日华子云〕补五劳七伤。〔衍义曰〕主男子、妇人下部虚冷。

忌　羊血。

○ 石之石

砺石

无毒　附砥石　土生

砺石主破宿血，下石淋，除癥结，伏鬼物，恶气。烧赤热，投热酒中饮之。名医所录。

名　磨石。

地　〔图经曰〕即今磨刀石，《本经》不载所出，今处处有之。又不欲人蹋之，令人患带下，未知所由。又有越砥石，极细，磨汁滴目，除瘴暗。烧赤投酒中，破血瘕痛。功状极同，名又相近，应是砺矣。《禹贡》注云：砥细于砺，皆磨石也。

时　〔采〕无时。

臭　朽。

制　研细，水飞过用。

治　〔疗〕〔图经曰〕磨刀石垽，傅蠷螋溺疮。

桃花石

无毒　石生

桃花石主大肠中冷，脓血痢。久服令人肌热，能食。名医所录。

地　〔图经曰〕《本经》不载所出州土，注云出申州钟山县，今信州亦有之。形块似赤石脂、紫石英辈，其色似桃花，光润而体重，以舐之不著舌者为佳。陶隐居解赤石脂云：用义阳者，状如豚脑，色鲜红可爱。苏恭以为非是，此即桃花石也。〔衍义曰〕桃花石有赤、白两种，有赤地淡白点如桃花片者，有淡白地淡赤点如桃花片者。人往往镌磨为器用，今人亦罕服食。

时　〔采〕无时。

用　舐之不著舌者为佳。

色　红、白。

味　甘。

性　温，缓。

气　气之厚者，阳也。

臭　朽。

主　温肠止痢。

制　研细，水飞过用。

治　〔补〕〔蜀本云〕令人肥悦、能食。

○ 石之土

石脑

无毒　石生

石脑主风寒虚损，腰脚疼痹，安五脏，益气。名医所录。

名　石饴饼。

地　〔陶隐居云〕生名山土石中。此石亦钟乳之类，形如曾青而白色，黑斑软易破。今茅山东及西平山并有，凿土龛取之，俗方不见用，《仙经》有刘君导仙散用之。又《真诰》曰：李整采服，疗风痹、虚损而得长生。唐本注又云：隋时有化公者，所服亦名石脑。出徐州宋里山，初在烂石中，入土一丈已下得之，大如鸡卵或如枣许，触着即散如面，黄白色，土人号为握雪礜石，此种实非下品握雪礜石也。

时　〔生〕无时。〔采〕无时。

质　类土粉。

色　黄白。

味　甘。

性　温，缓。

气　气之厚者，阳也。

臭　朽。

主　安五脏。

制　研细用。

○ 石之石

石蟹

无毒　附浮石　土石生

石蟹主青盲目淫，肤
翳及疔翳，漆疮。细
研，水飞过，入诸药
相佐用之，点目良。

名医所录。

地〔图经曰〕生南海，今岭南近海州郡皆有之。体质石也，而都与蟹相似。又云：是寻常蟹尔，年月深久，水沫相著，因化成石。每遇海潮即飘出。又一种入洞穴年深者亦然。〔衍义曰〕石蟹真似今之生蟹，更无异处，但有泥与粗石相著尔。又有浮石，平，无毒，亦产海滨。今皮作家用之，磨皮上垢无出此石。及治淋，止渴，杀野兽毒，水飞亦治目中翳，有效，故附见于此。

时〔生〕无时。〔采〕无时。

用 形体全具者佳。

质 状如生蟹。

色 青黑。

味 咸。

性 寒，软。

气 气薄味厚，阴也。

臭 朽。

主 消痈肿，去目翳。

制 去泥并粗石细研，水飞过用。

治〔疗〕〔日华子云〕催生，血晕，天行热疾，并熟水磨服。〔浮石〕止渴，治淋。

合治 合醋磨，傅痈肿。

禁 妊娠不可服。

忌 一切药毒并蛊毒、金石毒、野兽毒。

○ 石之金

金屑

生有毒，熟无毒　石生

金屑主镇精神，坚骨髓，通利五脏，除邪毒气，服之神仙。名医所录。

名 生金。〔宝藏论云〕凡金有二十种：还丹金、水中金、瓜子金、青麸金、草砂金，已上五种是真金，堪入药用。雄黄金、雌黄金、曾青金、硫黄金、土中金、生铁金、熟铁金、生铜金、偷石金、砂子金、朱砂金、白锡金、土碌砂子金、金母砂子金、黑铅金，已上十五种是假金，不入药用。

地 〔图经曰〕金之所产虽有数处，而梁、益、宁三州尤多。生于水底沙中，谓之生金，今人乃以毡上淘取。又黔南遂府、吉州水中并产麸金。《岭表录》云：广州洽洭县有金池，彼中居人多养鹅鸭，常于屎中淘得之。《山海经》说：诸山出金最多，不独生于水也。蔡州出瓜子金，云南出颗块金，俱于山石间取之。其饶、信、南剑、登州金亦多端，或有若山石状者，或有若米豆粒者，此类未经火煅，皆为生金，不堪入药。其屑古方不见用者，而金箔入

金生州信

药最为甚便。红雪、紫雪辈，皆取金汁用之，此亦煅炼者尔。

〔衍义曰〕金屑不曰金而更加屑字者，是已经磨屑如玉浆之义也。生金若不煅，屑不可入药。颗块金，穴山或至百十尺，若见伴金石，定见金也。其石褐色，一头如火烧黑之状，此金色深赤黄。麸金乃江水中淘汰而得，其色淡黄，此皆生金。若销炼之，麸金耗折少，块金耗折多，入药当用块金，盖取其金色深，则金气足矣。

时 〔采〕无时。

用 经煅炼者佳。

质 类沙而黄。

色 黄。

味 辛。

性 平，散。

气 气之薄者，阳中之阴。

臭 朽。

主 辟邪去恶，镇心安魄。

反 畏水银，恶锡。

制 以火煅炼则为熟金。磨屑用或煎取汁用，或为金箔入丸药用。

治 〔疗〕〔药性论云〕主小儿惊伤，五脏风痫，失志。〔日华子云〕镇心，利血脉。〔别录云〕治风热上气咳嗽，伤寒，肺损吐血，骨蒸劳，极渴。〔补〕〔日华子云〕益五脏，添精补髓。

禁 不炼服之杀人，多服伤损肌肉。

解 中金毒，以鹧鸪肉解之。

○ 石之金

银屑

有毒　石生

银屑主安五脏，定心神，
止惊悸，除邪气。久服
轻身长年。名医所录。

地 〔衍义曰〕所产之地已备生银条下，屑义与金屑之义同焉。然银屑《经》言有毒，生银《经》言无毒，释者漏略不言。盖生银已发生于外，无蕴郁之气，故无毒；矿银尚蕴蓄于石中，郁结之气未泄，故有毒也。

时 〔采〕无时。

用 经煅炼者良。

质 类沙而白亮。

色 白。

味 辛。

性 平，散。

气 气之薄者，阳中之阴。

臭 朽。

主 定心志，去惊痫。

反 恶锡。

制 磨剉①为屑用。

治 〔疗〕〔药性论云〕主小儿癫疾、狂走。〔别录云〕妊娠卒腰背痛如折，用水煮服之。破冷除风。

---

① 剉：原为"错"，据义例改。

○ 石之金

生银

有毒　附朱砂银　石生

生银主热狂，惊悸，发痫，恍惚，夜卧不安，谵①语，邪气鬼祟。服之明目镇心，安神定志。小儿诸热丹毒，并以水磨服，功胜紫雪。名医所录。

---

① 谵：原注"音詹"。

名 〔宝藏论云〕夫银有一十七种：至药银、山泽银、草砂银、母砂银、黑铅银，已上五种是真银，堪入药用。白锡银、曾青银、土碌银、丹阳银、生铁银、生铜银、硫黄银、砒霜银、雄黄银、雌黄银、钥石银、真水银银，已上十二种是假银，不入药用。

地 〔图经曰〕出饶州乐平诸坑生银矿中。状如硬锡，纹理粗错自然者真。今坑中所得，乃在土石中渗溜成条，状若丝发，土人谓之老翁须，似此者极难得。方书用生银，必得此乃真尔。〔别录云〕银生洛平卢氏县，褐色，石打破，内即白，生于铅坑中，形如笋子。此有变化之道。亦曰自然牙，亦曰生铅，又曰自然铅，可为利术，不堪食。铅内银性有毒，可用结砂子。一种朱砂银冷，无毒，畏石亭脂、磁石、铁及忌诸血，有延年益色、镇心安神、止惊悸、辟邪、治中恶蛊毒、心热煎烦、忧忘虚劣之功，故附于此。〔衍义曰〕其生银即是不自矿中出而特然自生者，又谓之老翁须，亦取像而言之耳。

时 〔采〕无时。

用 纹理粗错、自然生者佳。

质 状如硬锡。

色 白。

味 辛。

性 寒，散。

气 气之薄者，阳中之阴。

臭 朽。

主 镇心安神。

反 畏石亭脂、磁石。

制〔雷公云〕金、银、铜、铁气，凡使在药中用时即浑，安置于药中，借气生药力而已；若以金、银、铜、铁入于药中用之，俱消人脂也。

治〔疗〕〔日华子云〕治小儿冲恶，热毒，烦闷，水磨服。〔别录云〕身有赤疵，常以银揩令热，不久，渐渐消除。

禁　其性戾，服之伤肝。

水银

有毒　石生

水银出神农本经。主疹瘘，痂①疡②，白秃，杀皮肤中虱，堕胎，除热，杀金、银、铜、锡毒。熔化还复为丹，久服神仙不死。以上朱字神农本经。**以傅男子阴，阴消无气。**以上黑字名医所录。

名 汞、澒③。

地 〔图经曰〕生符陵平土，今出秦、商、道等州、邵武军，而秦州者，来自西羌界。《经》云：出自丹砂者，乃是山中采粗次朱砂，和硬炭屑匀，内阳城罐内令实，以薄铁片可罐口，作数小孔掩之，仍以铁线罗固。一罐贮水承之，两口相接，盐泥和豚毛固济上罐及缝处，候干。以下罐入土，出口寸许，外置炉围火煅炼，旁作四窦，欲气达而火炽也。候一时则成水银，溜于下罐矣。〔陶隐居云〕今水银有生熟，符陵平土者，是出朱砂腹中，亦别

---

① 痂：原注"音加"。
② 疡：原注"音羊"。
③ 澒：原注"红董切"。

出沙地，皆青白色，最胜，今不闻有此。至于西羌来者，彼人亦
云如此烧煅，但其山中所生极多。至于一山自折裂，人采得砂石，
皆大块如升斗，碎之乃可烧煅，故西来者极多于南方，但不及生者，
甚能销化金银成泥，人以镀物是也。按《广雅》谓之澒，丹灶家
乃名汞，盖字亦通用尔。〔衍义曰〕水银入药，虽各有法，极须审谨，
有毒故也。唐韩愈云：太学博士李干遇信安方士柳贲，能烧水银
为不死药。以铅满一鼎，按中为空，实以水银，盖封四际，烧为
丹砂。服之下血，比四年病益急，乃死。余不知服食之说起自何时，
杀人不可计而世慕尚之益至，此其惑也。在方册所记及耳闻传者
不说，今亲与之游者刑部尚书等官李逊辈亦服此药，败者六七人矣，

痛可惜哉。近世有水银烧成丹砂，医人不晓，研为药衣，或入药中，岂弗违误，可不慎欤。

时 〔采〕无时。

收 以竹筒盛贮，或瓷器、葫芦收之。

质 类熔锡。

色 白。

味 辛。

性 寒。

气 气之薄者，阳中之阴。

臭 朽。

主 杀虫疥，下死胎。

助 得铅则凝，得硫黄则结，得紫河车则伏，与枣肉研之则散。

反 畏磁石。

制 〔雷公云〕凡使，勿用草中取者，并旧朱漆中者，及经别药制过者，在尸过者，半生半死者。若在朱砂中产出者，其色微红，收得后用葫芦贮之，则免遗失；若先以紫背天葵并夜交藤自然汁二味同煮一伏时，其毒自退。每修十两，用前二味汁各七镒，和合煮足为度。

治 〔疗〕〔药性论云〕疗癞疥，杀虫。〔日华子云〕治天行热疾，催生，下死胎，恶疮，除风，安神，镇心。〔陈藏器云〕利水道，去热毒。

禁 妇人服之，绝娠及堕胎；入人耳，能食脑至尽；入肉，令百节挛缩，倒阴绝阳。

解 杀五金毒。镀金烧粉，人患风，须饮酒，食肥猪肉及服铁浆，以御其毒。

○ 石之金

水银粉

无毒　煅炼成

水银粉主通大肠，傅小儿疳并瘰疬，杀疮疥、癣虫及鼻上酒齇，风疮燥痒。名医所录。

名　汞粉、轻粉、峭粉。

地　〔谨按〕升符陵平土水银作轻粉，凡作粉先要作曲。其作曲之法：以皂矾一斤，盐减半，二味入旧铁锅内，以慢火炒之，仍以铁方铲搅不住手，炒干成曲，如柳青色。其升粉法：先置一平台，高三尺余，径二尺，不拘砖垍，以荆柴炭一斤，碎之如核桃大，爇于台上扇炽。每升粉一料，用水银一两二钱，曲二两二钱，内石臼内，石杵研，不见水银星为度。却，入白矾粗末二钱，三味搅匀，平摊铁鏊中心，约厚三分许，鹅翎遍插小孔，将澄浆瓦盆覆之，缝以盐泥固济，勿令太实，实则难起。置鏊于炽火上，候微热，以手蘸水轻抹其缝及盆，复用砖疏立鏊下周护火气，待火尽盆温揭之，勿令手重，重则振落。其粉凝于盆底，状若雪花而莹洁，以翎扫之，瓷器收贮。其盆鏊浊滓，入后料再升。此法目经修炼，详不过此。

收　瓷器贮之。

用　有锋芒，入水不沉者佳。

质　类雪花。

色　白。

味　辛。

性　冷。

气　气之薄者，阳中之阴。

主　杀虫。

反　畏磁石、石黄。

制　研细用。

治　〔疗〕〔衍义曰〕小儿涎潮，瘰疬，以此主之。

禁　虚人不宜服。

忌　一切血。

赝　寒水石、糯米粉、明瓦屑为伪。

○ 石之水

灵砂

无毒　煅炼成

灵砂主五脏百病，养神，安魂魄，益气明目，通血脉，止烦满，益精神，杀精魅，恶鬼气。久服通神明不老，轻身神仙，令人心灵。名医所录。

名　二气砂。

地　〔谨按〕升炼之法：用符陵平土水银四两，入铁锅内，以硫黄末一两，徐徐投下，慢火炒作青砂头。候冷研细，内阳城罐中，上坐铁盏，将铁线缠束数匝，钉纽之，弹线声清亮为紧。以赤石脂入盐密封其缝，仍用盐泥和豚毛通令固济，厚一大指许，日干之。藉以铁架围砖作炉，外以文火自下煅至罐底，约红寸余，以香烬一炷。复用武火渐加至罐口，候香烬二炷为度。铁盏贮水，浅则益之，乃既济之义也。候冷取出，其砂升凝盏底如束针绞者，则成就矣。

收　瓷器盛贮。

用　砂如束针绞者。

质　类密陀僧而赤。

色　紫赤。

味　甘。

性　温，缓。

气　气味俱厚，阳也。

臭　腥。

主　安魂魄，益精神。

反　畏咸水，恶磁石。

制　研细用。

治　〔疗〕〔别录云〕除风冷。

○ 石之水

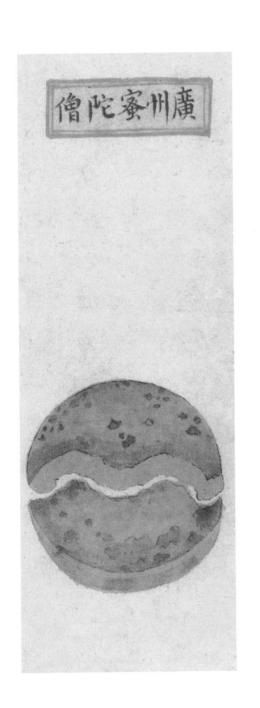

密陀僧

有小毒　土生

密陀僧主久痢，五痔，
金疮，面上瘢皯，面
膏药用之。名医所录。

名 没多僧。

地 〔图经曰〕旧不载所出州土，《注》云：出波斯国，今岭南、闽中银铜冶处亦有之。其初采矿时，银铜相杂，先以铅同煎炼，银随铅出。又采山木叶烧灰，开地作炉，填灰其中，谓之灰池。置银铅于灰上，更加火大煅，铅渗灰下，银结灰上，候火冷出银。其灰池感铅银之气，积久遂成此物，即银铅脚也。今之用者，往往是此，未必胡中来者。形似黄龙齿而坚重者佳。〔别录云〕今之市者，乃是用瓷瓶实铅丹煅成。块大者，尚有瓶之形状，银冶所出最良而罕有。其外国来者，则未尝见之。

时 〔采〕无时。

用 金色者为好。

质 类黄龙齿而坚重。

色 黄。

味 咸、辛。

性 平，软。

气 味厚于气，阴中之阳。

臭 腥。

主 涩痢，去肝。

制 〔雷公云〕凡使，捣令细，于瓷埚中安置，用重绢袋盛柳蚌末焙密陀僧，埚中次下东流水，浸令满，火煮一伏时足，去柳末绢袋取用。

治 〔疗〕〔蜀本注云〕主诸痔及肠癖，下血不止。〔日华子云〕镇心，补五脏，惊痫，嗽呕及吐痰。〔别录云〕治口疮、豆疮、瘢面䵟。

合治 合人乳调涂面，治肝䵟斑点，及令面上生光，并瘥鼻疱。

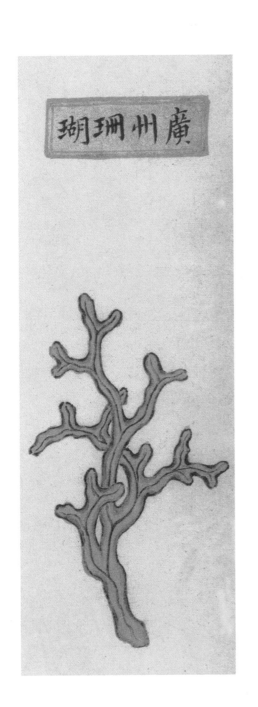

珊瑚

无毒　石生

珊瑚主宿血，去目中翳，鼻衄，末吹鼻中。

名医所录。

地 〔图经曰〕生南海及波斯国、师子国，今广州亦有之。生海底，作枝柯状，明润如红玉，中多有孔，亦有无孔者，枝柯多者更难得。《海中经》曰：取珊瑚先作铁网沉水底，珊瑚贯中而生，岁高三二尺，有枝无叶，因绞网，出之皆摧折，故难得完好者。汉积翠池中有高一丈余者，夜有光影。晋石崇家有高六七尺，今并不闻有此高大者。〔衍义曰〕一种红油色，有细纵纹可爱。又有铅丹色，无纵纹者为下。入药用红油色者。尝见一本高尺许，两枝直上，分十余歧，将至其颠，则交合连理，仍红润有纵纹，亦一异也。其所初生时，白如菌，一岁而黄，三岁则赤，枝干交错，高三四尺，网发其根，绞而出之，失时不取则腐矣。

时 〔采〕无时。

用 红色有细纵纹者佳。

质 类琅玕而红润。

色 红。

味 甘。

性 平，缓。

气 气之薄者，阳中之阴。

臭 朽。

主 镇心，止惊，退翳目。

○ 石之石

玛瑙

无毒　石生

玛瑙主辟恶，熨目赤烂。名医所录。

地 〔图经曰〕自西国玉石间来，红色，似马脑，亦美石之类，重宝也。今中国贵以为器。〔陈藏器云〕出日本国，用砑木不热者为上，砑木热者非真也。〔衍义曰〕玛瑙非石非玉，自是一类，有红、白、黑色三种。亦有其纹如缠丝等理，出西裔者佳。彼土人以小者碾为玩好之物，大者碾为器。今古方药多用之。

时 〔采〕无时。

用 砑木不热者为佳。

质 类玉而有纹彩。

色 红、白。

味 辛。

性 寒，散。

气 气之薄者，阳中之阴。

臭 朽。

二十种陈藏器余

天子藉田三推犁下土无毒。主惊悸，癫邪，安神定魄，强志，入官不惧，利见大官，宜婚市。王者所封五色土亦其次焉。已前主病正尔，水服，余皆藏宝。

社坛[①]**四角土**牧宰临官，自取以涂门户，主盗不入境。今郡县皆有社坛也。

土地主敛万物毒。人患发背者，掘地为孔，一头傍通取风，以穴大小可肿处，仰卧穴上，令痛入穴孔中吸之，作三五个，觉热即易，仍以物藉他处。又人卒患急黄，热盛欲死者，于沙土中掘坎斜，埋患人令头出，土上灌之，久乃出。曾试有效，当是土能收摄热也。又人患丹石发肿，以肿处于湿地上卧熨之，地热易之。

市门土无毒。主妇人易产。取土临月带之。又临月产时取一钱匕末，酒服之。又捻为丸，小儿于苦瓠中作白龙乞儿。此法崔知悌方，文多不录。

自然灰主白癜风，疬疡，重淋，取汁和醋，先以布揩白癜风，破，傅之，当为创，勿怪。能软琉璃、玉石如泥，至易雕刻及浣衣令白。洗恶疮疥癣，验于诸灰。生海中，如黄土。《南中异物志》云：自然灰生南海畔，可浣衣，石得此灰即烂，可为器。今玛瑙等形质异者，

---

① 坛：原作"稷"，据清本改。

先以此灰埋之令软，然后雕刻之也。

铸钟黄土无毒。主卒心痛，痓忤，恶气，置酒中温服之，弥佳也。

户垠① 下土无毒。主产后腹痛，末一钱匕，酒中热服之。户者，门之别名也。新注云：和雄雀粪，暖酒服方寸匕，治吹奶② 效。

铸铧锄孔中黄土主丈夫阴囊湿痒，细末摸之。亦去阴汗最佳。

瓷坯③ 中里白灰主游肿，醋磨傅之。瓷器物初烧时，相隔皆以灰为泥，然后烧之。坯，瓷也。但看里有即收之。

弹丸土无毒。主难产，末一钱匕热酒调服之，大有功效也。

执日取天星上土和柏叶、薰草以涂门户方一尺，盗贼不来。《抱朴子》亦云有之。

大甑中蒸土一两硕热，坐卧其上，取病处热彻汗遍身，仍随疾服药，和鼠壤用亦得。

鼢鼠壤堆上土苦酒和为泥，傅肿极效。又云：鬼痓，气痛，取土以秫米甘汁搜作饼，烧令热，以物裹熨痛处。凡鼢鼠，是野田中尖嘴鼠也。

---

① 垠：原作"限"，据清本改。
② 奶：原作"妳"，通"奶"。
③ 坯：清本作"瓯"。

冢上土及砖石主温疫，五月一日取之，瓦器中盛，埋之著门外阶下，合家不患时气。又正月朝早，将物去冢头，取古砖一口，将咒要断，一年无时疫。悬安大门也。

桑根下土溲成泥饼，傅风肿上，仍灸三二十壮，取热通疮中。又人中恶，风水肉肿，一个差以土碗，灸二百壮，当下黄水即瘥也。

春牛角上土收置户上，令人宜田。

土蜂窠上细土主肿毒，醋和为泥傅之。亦主蜘蛛咬。土蜂者，在地土中作窠者是。

载盐车牛角上土主恶疮，黄汁出不瘥渐溃[①]者，取土封之即止。牛角谓是车边脂角也，好用。

驴溺泥土主蜘蛛咬，先用醋泔汁洗疮，然后泥傅之。黑驴弥佳，浮汁洗之更好。

故鞋底下土主人适他方不伏水土，刮取末和水服之。不伏水土与诸病有异，即其状也。

本草品汇精要卷之三

---

① 溃：原作"胤"，据清本改。

本草品汇精要

·卷之四·

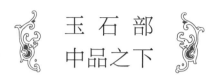

玉 石 部
中品之下

七种	**神农本经** 朱字
三种	**名医别录** 黑字
二种	**唐本先附** 注云唐附
九种	**宋本先附** 注云宋附
一种	**唐本余**
三种	**图经余**
二十种	**陈藏器余**

已上总四十五种，内一十三种今增图

食盐　　　　大盐_{自下品今移}　　　卤碱_{自下品今移}

戎盐_{盐药附，自下品今移}　　光明盐_{唐附，今增图}

绿盐_{唐附，今增图}　　铁　　　　　生铁

铁粉_{宋附，今增图}　　钢铁　　　　铁落_{今增图}

铁华粉_{宋附，铁胤粉附，今增图}

铁精_{铁蓺、淬铁水、针砂、煅锧下铁屑、刀刃、犁镵尖附，今增图}

铁浆_{宋附，今增图}　　秤锤_{宋附，铁杵、故锯、钥匙附，今增图}

马衔_{宋附，今增图}　　太阴玄精①_{宋附，盐精附}

车辖_{宋附，今增图}　　釭②中膏_{宋附，自下品今移并增图}

车脂_{宋附，自下品今移并增图}　肤青③

一种唐本余④

银膏_{今增图}

---

①　太阴玄精：此后原衍"石"一字，据正文药名删。

②　釭：原注"音工"。

③　肤青：原在"白羊石"条后，今据义例移此。

④　一种唐本余："一种"，原无，据前文补。原"唐本余"三字在"银膏"条作小字注，今据义例改。

三种图经余 ①

| 黑羊石 | 白羊石 | 石蛇 |

二十种陈藏器余

鼠壤土	屋内墒下虫尘土	鬼屎
寡妇床头尘土	床四脚 ② 下土	瓦甋
甘土	二月上壬日取土	柱下土
胡燕窠内土	道中热尘土	正月十五日灯盏
仰天皮	蚁穴中土 ③	古砖
富家中庭土	百舌鸟窠中土	猪槽上垢及土
故茅屋上尘	诸土有毒	

---

① 三种图经余："三种"，原无，据前文补。原"图经余"三字在"黑羊石""白
羊石""石蛇"三条作小字注，今据义例改。

② 脚：原作"角"，据正文药名改。

③ 土：此前原衍"出"字，据正文药名删。

本草品汇精要卷之四
玉石部中品之下

○ 石之水

食盐

无毒　煎炼成

食盐主杀鬼蛊，邪疰，毒气，下部䘌疮，伤寒寒热，吐胸中痰癖，止心腹卒痛，坚肌骨。

名医所录。

名　山盐、木盐、末盐、印盐、解盐、海盐、白盐、黑盐、柔盐、赤盐、泽盐、臭盐、石盐、马齿盐、驳盐、青盐、井盐、盐枕。

地　〔图经曰〕旧不著所出州郡。陶隐居云[①]有东海、北海盐及河东盐池，梁、益有盐井，交广有南海盐，西羌有山盐，胡中有木盐，而色类不同，以河东者为胜。河东盐，今解州、安邑两池所种，最为精好。又有并州两监末盐，乃刮碱煎炼，不甚佳。其碱盖下品所著卤碱，生河东盐池者是也。下品又有大盐，生邯郸及河东池泽。苏恭云：大盐即河东印盐，人之常食者，形粗于末盐，乃似今解盐也。解人取盐，于池傍耕地，沃以池水，每临[②]南风急则宿夕[③]成盐满畦，彼人谓之种盐，东海、北海、南海盐者，今沧、密、楚、秀、温、台、明、泉、福、广、琼、化诸州，官

① 陶隐居云：原为朱字加框，据《证类本草》改。

② 临：原作"盐"，据《证类本草》改。《纲目》又作"得"。

③ 夕：原作"昔"，据《纲目》改。

场煮海水作之，以给民食者，又谓之泽盐，医方所谓海盐是也。其煮盐之器，汉谓之牢盆，今或鼓铁为之，或编竹为之，上下周以蜃灰，广丈深尺，平底置于灶，皆谓之盐盘。《南越志》所谓织蒇为鼎，和以牡蛎是也。然后于海滨掘地为坑，上布竹木，覆以蓬茅，积沙于其上。每潮汐冲沙，卤碱淋于坑中，水退，则以火炬照之。卤气冲火皆灭，则卤气多；火不灭，则卤气少。取卤注盘中，煎之，顷刻而就。梁益盐井者，今归州及四川诸郡皆有盐井，汲其水以煎作盐，如煮海之法，但以食彼方之民耳。然羌胡之盐，种类自多。陶注又云：虏中有盐[1]九种，白盐、食盐常食者，黑盐、柔盐、赤盐、驳盐、臭盐、马齿盐之类，今人不能遍识。《本经》云：北海青，南海赤，今青盐从西羌来者，形块方棱，明莹而青黑色最奇。又通、泰、海州并有停户，刮碱煎盐输官，

---

① 盐：原脱，据《证类本草》补。

如并州末盐之类，以供给江湖，极为饶衍，其味乃优于并州末盐也。滨州亦有人户，煎炼草土盐，其色最粗黑，不堪入药，但可啖马耳。其大盐、戎盐、卤碱、光明盐，详具下条。

用 白净者。

色 青白。

味 咸。

性 温，软。

气 气之薄者，阳中之阴。

臭 朽。

主 吐痰涎，止霍乱。

助 漏芦为之使。

制 炒。

治 〔疗〕〔药性论云〕杀一切毒气，鬼疰，尸疰气及小儿卒不尿，炒盐，于脐中熨之。面上五色疮及蠼螋尿疮、蚯蚓咬疮，盐汤绵浸，揾疮上，日易五六度瘥。以空心揩齿，吐水中洗眼，夜见小字。若妇人隐处疼痛，以青布裹盐，熨之。下部䘌虫蚀疮，炒盐，布裹，坐熨之。兼主火灼疮。〔日华子云〕治霍乱心痛及金疮，明目，止风泪邪气，一切虫伤，疮肿，消食，滋五味，通大小便，小儿疝气并内肾气，以葛袋盛，于户口悬之，父母用手捻尽，当愈。〔别录云〕治脚气，盐蒸，候热，布裹踏之，令脚心热，愈。肝脏气虚，风冷搏于筋，遍体转筋入腹，不可忍者及一切风，身体如虫行，并用热盐汤渍之，效。治天行后胁胀满，炒盐熨之。小便涩亦熨脐下。儿逆生，以盐涂儿足底，并磨产妇腹上即顺。凡诸疮癣，嚼盐涂之。治耳中卒痛，蒸盐熨之。又金疮中风，煎盐令热，沥汁疮上，效。谷道中疼痛，炒盐熨之。治蜈蚣咬痛，嚼盐沃之，及盐汤浸，痛即止。卒中尸遁，其壮腹胀，气急冲心，服盐汤取吐，瘥。中毒箭，以盐贴疮上，灸盐三十壮。〔补〕〔日华子云〕暖火脏，长肉，补皮肤。

合治 用盐如鸡子大，青布裹，烧赤，内酒中顿服，治心痛，中恶或连腰脐疼，当吐恶物。○合槐白皮，切蒸，治脚气。○炒盐一大匙，合童子小便一升，温服之，治霍乱上不得吐、下不得利，出冷汗，气欲绝者，此汤入口即吐，绝气复通。○盐一升，内粗瓷瓶中实，筑泥头讫于炭火烧，勿令瓶破，候赤，盐如水汁，去火，冷即凝，破瓶取之，合豉一升，炒桃仁一两，麸炒巴豆二两，去心膜，炒令出油，不可过熟，炼蜜丸如桐子大，每服三丸，皆平旦服，治天行时气，豉汁茶下，心痛酒下，血痢饮下，鬼疟茶饮下，骨热蜜汤下。忌冷浆水。服药后吐利，勿怪，吐利多，煎黄连汁服，止之。此药合就密器盛之，勿令泄气。○合皂荚同炒，令赤，研，揩齿，治血䘌齿及牢牙。○盐三两，合豉二两，捣，捏作饼，安新瓦上炙热，熨小儿脐风撮口。○炒盐，合酒服，治金伤经脉及大脉血出不止者。○盐合醋作汤服，治气淋，脐下切痛。

禁 多食令人失色、肤黑及伤肺损筋力；及水肿人，不宜食。

忌 不宜与甜瓜同食，令人霍乱、发渴、病嗽。

○ 石之水

大盐

无毒　土生

大盐出神农本经。主令人吐。以上朱字神农本经。**主肠胃结热、喘逆、胸中病**。以上黑字名医所录。

地　〔图经曰〕大盐生邯郸及河东池泽。〔唐本注云〕大盐即河东印盐，人常食者，形粗于末盐，故名大盐。〔衍义曰〕大盐新者不苦，久则咸苦，今解州盐池所出者，皆成斗子，其形大小不等，久亦若海水煎成者，但味和二盐互有得失，入药及金银作，多用大盐及解盐。傍海之人多黑色，盖日食鱼盐，此走血之验也。〔谨按〕解人取盐，于池傍耕地，沃以池水，每南风急，则宿夕[1]而成，其味苦而力薄，较诸海水煎成者，为不及远矣。所谓煮海为盐、煮池为盐，盐苦而易败，故《诗》云：王事靡盐是也。

时　〔生〕无时。〔采〕无时。

色　青、白。

味　甘、咸。

性　寒。

---

① 夕：原作"昔"，据清本改。

气 气薄味厚，阴中微阳。

臭 朽。

主 肠胃结热及止痛。

行 接诸药入肾。

助 漏芦为之使。

制 研细用。

卤碱

无毒　土生

卤碱出神农本经。主大热消渴，狂烦，除邪及下蛊毒，柔肌肤。以上朱字神农本经。**去五脏肠胃留热，结气，心下坚，食已呕逆喘满，明目，目痛。**以上黑字名医所录。

地〔图经曰〕卤碱生河东盐池。〔陶隐居云〕是煎盐釜下凝滓。〔唐本注云〕卤碱既生河东，其河东盐不以釜煎，于此论之明非凝滓，此是碱土，名卤碱。今人熟皮皆用之，此则碱地掘取者是也。〔别录云〕卤盐纯制四黄，可作焊药。

时〔生〕无时。〔采〕无时。

色黄、白。

味苦、咸。

性寒，软。

气气薄味厚，阴也。

臭朽。

主散结气，软肌肤。

制研细用。

....○ 石之水

戎盐

无毒　附盐药　土生

戎盐出神农本经。主明目，目痛，益气，坚肌骨，去毒虫。以上朱字神农本经。**心腹痛，溺血，吐血，齿舌血出**。以上黑字名医所录。

　　名　胡盐、秃登盐、阴土盐。

　　地〔图经曰〕生胡盐山及西羌北地酒泉福禄城东南角，北海青、南海赤者是也。补下药多用青盐，疑此即戎盐。今青盐从西羌来者，形块方棱，明莹而青黑色，最奇；北胡来者，作大块而不光莹，又多孔窍，若蜂窠状，色亦浅于西盐，彼人谓之盐枕，入药差劣。〔陶隐居云〕今虏中甚有，从凉州来芮芮、河南使及北部胡客，从敦煌来亦得之，自是稀少耳。其形作块片，或如鸡鸭卵，或如菱米，色紫白，味不甚咸，口尝气臭，正如鰕①鸡子臭者为真。又有一种盐药，味咸，无毒，生海西南雷、罗诸州山谷，似芒硝，末细，入口极冷。南人多取傅疮肿，少有服者，恐极冷，入腹伤人，且宜慎之。〔唐本注云〕其戎盐即胡盐，沙州名为秃登盐，廓州

————————————

① 鰕：原注"音段"。

名为阴土盐。生河岸山坂之阴土石间，块大小不常，坚白似石，烧之不鸣炸尔。戎盐赤、黑二色者，累卵，干汞，制丹砂。

时 〔生〕无时。〔采〕十月取。

用 颗块者佳。

质 类石膏而坚。

色 青。

味 咸。

性 寒。

气 味厚于气，阴也。

臭 朽。

主 化坚积。

制 研细用。

治 〔疗〕〔日华子云〕除五脏癥结，心腹积聚，痛疮疥癣。〔衍义曰〕除目中瘀，赤涩昏。〔陈藏器云〕盐药主眼赤，眦烂，风赤，细研，水和，点目中。入腹去热烦，痰满，头痛，明目镇心，水研，服之。又主虺蛇，恶虫毒，疥癣，痈肿，瘰疬，水消服之，著疮正尔，磨傅。〔补〕〔日华子云〕助水脏，益精气。

禁 性冷，不宜多服。

○ 石之水

盬明光

光明盐

无毒　土生

光明盐主头面诸风，
目赤痛，多眵[1]泪。名
医所录。

---

① 眵：原注"音蚩"。

名 石盐、圣石。

地 〔图经曰〕生盐州五原，盐池下凿取之，大者如升，皆正方光澈。又阶州一种生山石中，不由煎炼，自然成盐，色甚明莹，彼人甚贵之，云即光明盐也。

时 〔生〕无时。〔采〕无时。

用 白净光澈者佳。

质 类方解石。

色 白。

味 咸、甘。

性 平，软。

气 味厚于气，阴中之阳。

臭 朽。

制 研细用。

○ 石之石

绿盐

无毒　土石生

绿盐主目赤泪出，肤
翳眵暗。名医所录。

地 〔图经曰〕以光明盐、硇砂、青铜屑酿之为块而色绿，其真者出焉耆国，水中石下取之，状若扁青、空青。〔别录云〕出①波斯国，在石上生。按舶上将来谓②之石绿，装色久而不变，中国以铜、醋造者，不堪入药，色亦不久。

时 〔生〕无时。〔采〕无时。

用 绿色成块者好。

质 状如扁青、空青。

色 绿。

味 咸、苦、辛。

性 平。

气 味厚于气，阴中之阳。

臭 朽。

主 明目消翳。

制 研细用。

治 〔疗〕〔海药云〕治小儿无辜疳气。

---

① 出：原脱，据《纲目》补。

② 谓：原作"为"，据《纲目》改。

铁

有毒　土生

铁主坚肌耐痛。神农本经。

地〔图经曰〕单言铁者，鍒铁也。诸铁不著所出州土，今江南、西蜀有炉冶处皆有之。铁乃黑金也，其体坚重，至于熔冶然后成器。盖铁有生有熟，有钢有精，有落有粉，并华粉、胤粉之类，析^①文立条。而鑐铁乃再三拍打以作鍱者，亦谓之熟铁也。

时 〔采〕无时。

用 鍒铁。

质 类磁石。

色 黑。

味 辛。

性 平，散。

气 气之薄者，阳中之阴。

臭 腥。

反 畏磁石、石灰炭。

解 制石亭脂毒。

① 析：原为"祈"，据罗马本改。

生铁

土生

生铁主疗下部及脱肛。名医所录。

地 〔图经曰〕出江南、西蜀，有炉冶处有之。初炼去矿，用以铸鎘器物者为生铁，即陶隐居所谓不破鑐①，枪②、釜之类是也。

时 〔采〕无时。

用 铸成器物者。

色 黑。

味 辛。

性 微寒。

气 气之薄者，阳中之阴。

臭 腥。

主 镇心，恶疮。

制 〔日华子云〕煅后飞，淘去粗赤汁，烘干用。或烧红投淬酒中或水中，并堪用。

治 〔疗〕〔日华子云〕除痫疾，镇心，安五脏，能黑须发及恶疮，疥癣。〔别录云〕熊虎所伤毒痛，煮令有味，洗之。治脱肛久不愈，以生铁煮水洗之，日再。

合治 烧赤投酒中饮之，仍以磁石塞耳中，日一易，夜去之，旦别著，治耳聋。○以一斤合酒三升，煮取一升服之，疗被打瘀血在骨节及胁外不去。○烧赤，淬水二七遍，浴，疗小儿熛疮，即烂疮也。○合蒜、生油磨，傅蜘蛛咬。

---

① 鑐：原注"音柔"。
② 枪：原注"音铮"。

○ 石之金

铁粉

无毒　煅炼成

铁粉主安心神，坚骨髓，除百病，变白润肌肤，令人不老、体健、能食。久服令人身重肥黑。合和诸药，各有所主。名医所录。

　　地〔图经曰〕旧不著所出州郡，今江南炉冶处皆有之，其造粉飞炼之法，文不多载，人以杂铁作屑，飞之，令体重，真钢则不尔。时人错柔铁屑，和针砂飞粉市之，飞炼家亦莫能辨也。〔谨按〕《雷公炮炙论·序》云：铁遇神砂，如泥似粉。窃尝试之不就，其亦秘而不悉乎？博询术家得究其奥，遂令经目法炼，载之不为无稽。据其方，以铁十两，不限生熟，入销银罐内，熔化为汁，以块雄黄五两，徐徐投入，常令铁箸搅之。候黄尽，复加猛火，约人行百步许，倾出。候冷，取轻脆者研细入药，其存性者，不堪用也。砒与硫黄亦能制粉，但其毒甚，服之伤生，慎之，慎之。

　　用 粉。

　　质 类针砂而细。

　　色 黑。

　　味 咸。

　　性 平。

　　气 味厚于气，阴中之阳。

　　臭 腥。

　　主 安心神，坚骨髓。

○ 石之金

钢铁

无毒　煅炼成

钢铁主金疮，烦满，热中，胸膈气塞食不化。名医所录。

名 跳①铁。

地 〔图经曰〕出江南、西蜀，有炉冶处皆有之。其钢铁以生柔相杂和，用以作刀剑锋刃者是也。

时 〔采〕无时。

用 坚精而脆者。

色 黑。

味 甘。

性 寒。

气 气之薄者，阳中之阴。

臭 腥。

① 跳：原注"音条"。

铁落

无毒

铁落出神农本经。主风热，恶疮疡，疽疮，痂疥，气在皮肤中。以上朱字神农本经。除胸膈中热气，食不下，止烦，去黑子，可以染皂。以上黑字名医所录。

名 铁液。

地 〔图经曰〕出牧羊平泽及祊[①] 城或析城，今江南、西蜀有炉冶处皆有之。其铁落乃煅家烧铁赤沸，砧上打落细皮屑，俗呼为铁花是也。

时 〔采〕无时。

用 屑。

色 黑。

味 辛、甘。

性 平，散。

气 气之薄者，阳中之阴。

臭 腥。

主 风热，诸疮。

治 〔疗〕〔日华子云〕除心惊邪，一切毒蛇虫及蚕咬，漆疮，肠风，痔瘘，脱肛，时疾，热狂，并染须发。

---

① 祊: 原注"音伻"。

铁华粉

无毒　附铁胤粉

铁华粉主安心神，坚骨髓，强志力，除风邪，养血气，延年变白，去百病。名医所录。

地〔图经曰〕出江南、西蜀有炉冶处皆有之。其造铁华粉之法：取钢煅作叶，如笏或团，平面磨错，令光净，以盐水洒之，于醋瓮中，阴处埋之。百日，铁上衣生，铁华成矣。此铁之精华，功用强于铁粉也。〔日华子云〕有铁胤粉，止惊悸、虚痫，镇五脏，去邪气，强志，壮筋骨，治健忘、冷气心痛、疝癖、癥结、脱肛、痔瘘、宿食等，及傅竹木刺。其所造之法，与华粉同，惟悬于酱瓶上，就润地及刮取霜时研，淘去粗汁咸味，烘干，亦入药用。

用 霜。

色 紫。

味 咸。

性 平，软。

气 味厚于气，阴中之阳。

主 安神，养血。

制 刮取霜，细捣筛，入乳钵研如面，入诸药用。

治〔疗〕〔别录云〕治心虚风邪，精神恍惚，以经使铧铁四斤，炭火烧令赤，投醋中，如此七遍，即堪打碎，如棋子大，水二斗，浸二七，食后服一小盏，愈。

合治 合枣膏为丸，服之，随所冷热去百病。

○ 石之金

....

铁精

附铁熬、淬铁水、针砂、煅锁下铁屑、刀刃、犁镵尖

铁精_{出神农本经。}主明目，化铜。_{以上朱字神农本经。}疗惊悸，定心气，小儿风痫，阴㿗脱肛。○煅锁下铁屑，味辛，平，无毒，主鬼打，鬼疰邪气，水渍，搅令沫出，澄清服之。○铁熬，主恶疮、蚀䵝、金疮，毒物伤皮肉，止风水不入，入水不烂，手足皲折，疮根结筋，瘰疬，毒肿，染髭发令永黑。并及热未凝涂之，少顷①当干硬。项边疬子以桃核烧熏之，又云杀虫。立效。○淬铁水，味辛，无毒，主小儿丹毒，饮一合。○针砂，性平，无毒，堪染白为皂，及和没食②子染须至黑。飞为粉，功用如铁粉。○刀刃，味辛，无毒，主蛇咬毒入腹者，取两刀于水中相磨，饮其汁；又两刀于耳门上相磨，敲作声，主百虫入耳，闻刀声即自出也。○铁屑，治惊邪，癫痫，小儿客忤，消食及冷气，并煎汁服之。○犁镵尖浸水，名为铁精，可制朱砂、石亭脂、水银毒。_{以上黑字名医所录。}

---

① 顷：原脱，据清本补。

② 食：原作"石"，据《证类本草》改。

地〔图经曰〕旧不著所出州郡，今江南、西蜀有炉冶处皆有之，乃煅铁灶中飞出，如尘紫色而轻虚，可以磨莹铜器者是也。〔日华子云〕犁镵尖浸水，名为铁精。二说意实矛盾。谨考诸方所用者，皆曰铁精粉，诚如《经》之所云，彼犁镵浸水，仅可制朱砂、石亭脂、水银毒，于治病之功无所取矣。及煅锁下铁屑，锁乃铁砧也，此炉冶处打铁砧下屑耳。又铁熬，以竹木熬火，于刀斧刃上烧之，津出如漆者。一名刀烟，江东人多用之，以防水是矣。若淬铁水，此打铁器时坚铁槽中水也。针砂，即作针家磨镳之细末尔。若其治病之功，当各适其用焉。

时〔采〕无时。

用 粉。

质 类尘而轻虚。

色 紫。

味 辛。

性 平、微温。

气 气厚味薄，阳中之阴。

臭 腥。

主 惊悸风痫。

治〔疗〕〔别录云〕产后阴下脱，以粉推内即入。蛇骨刺人毒痛，以粉一匕，管吹疮内。并傅阴肿，小儿因痢肛门脱。

合治 合羊脂，搅令稠，布裹炙热，熨阴脱。○合鸡肝，和为丸，桐子大，每服五丸，酒下，治食中有蛊毒，腹内坚痛，面目青黄，淋露骨立，病变无常。

禁 服多伤肺。

○ 石之金[1]

铁浆

有小毒

铁浆主镇心，癫痫，发热，急狂走，六畜癫狂，人为蛇、犬、虎、狼、毒刺、恶虫等啮，服之毒不入内。名医所录。

---

[1] 石之金：原无，据印本补。

地〔图经曰〕出江南、西蜀有炉冶处皆有之，取诸铁于器中，以水浸之，经久色青沫出，即堪染皂，兼解诸毒入腹。别说云：铁浆，即是以生铁渍水服饵者，日取饮，旋入新水，日久铁上生黄膏，则力愈胜。令人肌体轻健，唐太妃所服者，乃此也。若以染皂者为浆，其酸苦臭涩不可近，况服食乎。

时〔采〕无时。

用 浆。

色 青。

味 微咸。

性 寒。

气 味厚于气，阴也。

臭 腥。

主 癫狂发热。

制 以水浸，经久色青沫出者为度。

治〔疗〕〔别录云〕洗消漆疮并时气病，骨中热，生疱疮，豌豆疮，饮之，瘥。

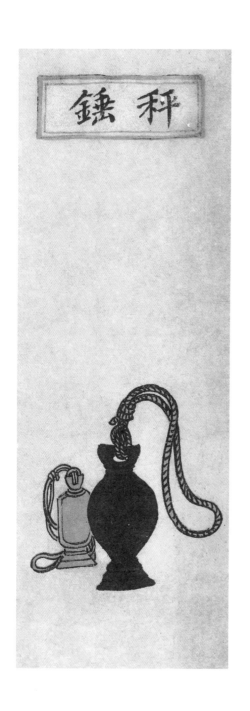

秤锤

无毒　附铁杵、故锯、钥匙　铸镴成

秤锤主贼风，止产后血瘕，腹痛及喉痹，热塞，并烧令赤，投酒中，及热饮之，时人呼血瘕为儿枕，产后即起，痛不可忍。无锤用斧。名医所录。

〔谨按〕孟子曰：权，然后知轻重。盖权，秤锤也，有铜者，有铁者，虽皆熔冶以成之，然性质既殊，功效亦异，用以治病，当择而施之。

用 古者佳。

色 黑。

味 辛。

性 温。〔铜秤锤〕平。

气 气之厚者，阳也。

臭 腥。

主 产后血瘕，腹痛。

制 烧赤，渍酒中用。

合治 铁秤锤，烧令赤，淬酒中饮之，治妊娠卒下血。○铜秤锤，烧令赤，淬酒中服之，治产难并横逆产者。○铁杵、铁斧，并烧令赤，投酒中饮之，治妇人横产。○故锯，烧令赤，渍酒中，及热饮，治误吞竹木入喉咽，出入不得者。○钥匙同生姜、醋、小便煎服，治妇人血噤失音，冲恶，弱房。入煎汤服亦得。○铁杵、铁钱，烧令赤，投酒中饮之，治胞衣不下。

○ 石之金

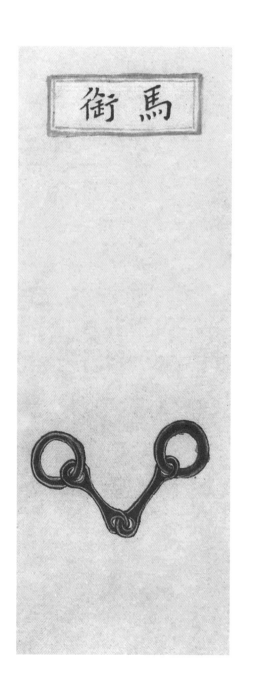

马衔

无毒

马衔主难产，小儿痫。产妇临产时手持之，亦煮汁服一盏。名医所录。

地　〔图经曰〕马衔即马勒口铁也，处处有之。古旧铤者堪作医家针用。〔谨按〕铁体坚重，其性镇坠，故有治痫之功；马乃行地无疆，则顺而健矣。夫欲驰者，必藉勒以先之，故用催生，亦取其健顺之义尔。

色　黑。

味　微咸。

性　平。

气　味厚于气，阴中之阳。

臭　腥。

主　妇人难产，小儿惊痫。

制　煮汁用。

治　〔疗〕〔别录云〕走马喉痹，喉中深肿连颊，壮热，吐气数者，用马衔一具，水三大盏，煎取一盏半，分为三服。

太阴玄精

无毒　附盐精　卤地生

太阴玄精主除风冷，邪气，湿痹，益精气，妇人痼冷，漏下，心腹积聚，冷气。止头疼，解肌。名医所录。

地〔图经曰〕出解县解池及通、泰州，积盐仓中亦有之。其色青白，如龟背者佳。盖禀阴数而成，故有六出，因名太阴玄精也。近地亦有色赤青白大片者，次之。沈存中云：大卤之地，即生阴精石是也。解池一种盐精，无毒，味更咸苦，青黑色，大者三二寸，形似铁铧嘴，三月、四月采，亦主除风冷，又名泥精，盖玄精之类也。古方不见用者，近世补药及治伤寒多用之。

时〔生〕无时。〔采〕无时。

用 龟背者为好。

质 类井泉石。

色 青白。

味 微咸。

性 温，软。

气 味厚气薄，阴中之阳。

臭 朽。

主 益精气，消积聚。

制 研细用。

合治 合消石、硫黄各二两，硇砂一两，细研，入瓷瓶中，固济。以火半斤，于瓶子周一寸爆之，约半日，候药青紫色，住火，待冷取出，用腊月雪水拌，令匀湿，入瓷罐中，放屋后北阴下，阴干。又入地埋二七日，取出细研，以面糊和丸如鸡头实大，先用热水浴，后以艾汤研，下一丸，以衣盖出汗，名正阳丹。疗伤寒三日，头痛，壮热，四肢不利。

车辖

无毒

车辖主喉痹及喉中热塞。烧令赤，投酒中，及热饮之。名医所录。

〔谨按〕辖与牵同，即轴头金也。以脂膏涂之，使其滑泽，设之而后行，不驾则脱之。《诗》所谓载脂载牵，还车言迈，遄臻于卫。实取回旋至速之义。今疗喉痹用之，以其铁体镇重，而所禀之捷速尔。

用 铁。

色 黑。

味 咸。

性 平，寒。

气 味厚于气，阴也。

臭 腥。

主 喉闭。

制 烧赤，淬酒用。

治 〔疗〕〔别录云〕治小儿大便失血，用一枚烧赤，内水中服。

合治 用火烧赤，投酒中，候冷饮之，疗妊娠咳嗽。

○ 石之金①

釭中膏

釭②中膏主逆产，以膏
画儿脚底即正。又主
中风发狂，取膏如鸡
子大，以热醋搅令消，
服之。名医所录。

---

① 石之金：原无，据罗马本补。
② 釭：原注"音工"。

　　〔谨按〕《周礼·考工记》曰：毂也者，以为利转也，毂非正不行。然车之用在毂，毂之用在釭。盖釭乃毂中之铁，其轴端铁曰锏，毂中铁曰穿，锏、穿之外有捎钉曰辖，穿即釭也。引重致远，欲其滑利，故用油以润之。锏穿辖磨荡日久，遂成脂膏，因其流行无滞，所以取治逆产而有转正速下之功，前人立意，殊深切矣。

　　用 脂垢。

　　色 黑。

　　臭 腥。

　　主 中风，逆产。

　　治 〔疗〕〔别录云〕诸虫入耳，取涂耳孔中即出。

　　合治 合酒服，治妊娠妇热病。○烧末，合酒调服，疗妊娠腹中痛。○釭头脂内酒中，温服，疗产后阴脱，亦治咳嗽。

○ 石之金^①

车脂

无毒

车脂主卒心痛，中恶气，以温酒调及热，搅服之。又主妇人妬乳，乳痈，取脂熬令热，涂之，亦和热酒服。名医所录。

---

① 石之金：原无，据罗马本补。

地 此即行使车穿上油脂是也，今北地多有之。

收 瓷器贮之。

用 脂。

色 黑。

味 辛。

性 散。

气 气厚于味，阳也。

臭 腥。

主 疮痈。

治 〔疗〕〔陈藏器云〕消虾蟆及蝌蚪蛊，得之心腹胀满，口干思水不能食，闷乱大喘而气发者，以半升，渐渐服之，其蛊即出。并治小儿惊啼，取一豆许，内脐中，瘥。

合治 合绵裹，塞耳中，疗聤耳脓血出。

肤青[①]

无毒　石生

肤青出神农本经。主蛊毒及蛇、菜、肉诸毒，恶疮。以上朱字神农本经。**不可久服，令人瘦。**以上黑字名医所录。

名　推青、推石。

地　〔别录云〕生益州川谷，俗方及《仙经》并无用此者，亦相与不复识。

色　青。

味　辛、咸。

性　平，散、软。

气　气味俱薄，阴中之阳。

主　恶疮，诸毒。

---

① 肤青：原在"白羊石"条后，据义例移此。

一种唐本余[①]

石之金：银膏　无毒　**炼成**

银膏主热风心虚，惊痫，恍惚狂走，膈上热，头面热风，冲心上下。安神定志，镇心明目，利水道，治人心风，健忘。名医所录。

地〔图经曰〕此膏以符陵平土水银和白锡及银箔合成之，凝硬如银，堪补牙齿缺落。〔谨按〕《本经》合炼之法未详，询之方士，备云其法：先以汞一百分，银箔四十五分，杀作泥子。后用白锡九百分，内铁锅中，火熔成汁，出炉，约人行二十步，将泥子投入令匀，则成膏矣。其炼之法，以人行二十步为则者，恐锡太热则汞飞走，太冷则锡坚凝，与其不相合也。时经试炼，果如所言。

质 类银。

色 白。

---

① 一种唐本余：原无，据目录及义例补。

味 辛。

性 大寒，散。

气 气之薄者，阳中之阴。

臭 朽。

主 安神定志，清心明目。

三种图经余^①

石之石：黑羊石　土生

黑羊石解诸药毒。

名医所录。

地 〔图经曰〕生兖州
宫山之西。春中掘地采之，
以黑色有墙壁光莹者为上。

时 〔采〕春月取。

质 类方解石。

色 黑。

味 淡。

性 热。

气 气厚味薄，阳中之
阴。

臭 朽。

制 研细，水飞用。

---

① 三种图经余：原无，据目录及义例补。

石之石：白羊石　无毒　土生

白羊石解众药毒。名医所录。

地〔图经曰〕生兖州白羊山。春中掘地取之，以白莹者为良。

时〔采〕春月取。

色 白。

味 淡。

性 生冷，熟热。

气 气味俱薄，阴中之阳。

臭 朽。

制 研细，水飞用。

石之石：石蛇　无毒　石生

石蛇主解金石毒。名医所录。

地〔图经曰〕出南海水傍山石间，其形盘屈如蛇，无首尾，内空，红紫色。又如车螺，不知何物所化，大抵与石蟹同类，功用亦相近。〔衍义曰〕《本经》不收，自《开宝本草》添附。其色如古墙上土，盘结如楂梨大，中空，两头巨细一等，无盖，不与石蟹同类。蟹则真蟹也，蛇非真蛇，今人用之绝少。

时〔采〕无时。

用 左盘者为好。

质 类蛇而无首尾。

色 红紫。

味 咸。

性 平，软。

气 味厚于气，阴中之阳。

臭 朽。

制 研细，水飞用。

二十种陈藏器余

鼠壤土主中风，筋骨不随，冷痹，骨节疼，手足拘急，风掣痛，偏枯，死肌。多收取，暴干用之。

屋内墉[①]**下虫尘土**治恶疮久不瘥，干傅之，亦油[②]调涂之。

鬼屎主人马反花疮，刮取，和油涂之。生阴湿地，如屎，亦如地钱，黄白色。

寡妇床头尘土主人耳上月割疮，和油涂之，效也。

床四脚下土主猘犬咬人，和成泥，傅疮上，灸之

---

① 墉：原作"墉"，据目录改。

② 油：原作"消"，据清本改。

一七壮，疮中得大毛者，愈。猘犬，狂犬也。

瓦甑主魇寐不寤，覆人面疾，打破之，觉好魇及无梦。取火烧死者，灰著枕中、履中即止。

甘土无毒。主去油垢，水和涂之，洗腻服，如灰。及主草、叶、诸菌毒，热汤末和之。出安西及东京龙门，土底澄取之。

二月上壬日取土泥屋四角，大宜蚕也。

柱下土无毒。主腹痛暴卒者，末服方寸匕。

胡燕窠内土无毒。主风瘙瘾疹，末，以水和傅之。又巢中草，主卒溺血，烧为灰，饮服。又主恶刺疮，及浸淫疮遍身至心者死，亦用之。

道中热尘土主夏中热暍死，取土积死人心，其死非为遇热①。亦可以蓼汁灌之。

正月十五日灯盏令人有子。夫妇共于富家局会所盗之，勿令人知之，安卧床下，当月有娠。

仰天皮无毒。主卒心痛，中恶，取人膏和作丸，服之一七丸。人膏者，人垢汗也，揩取。仰天皮者，是中庭内停污水后，干地皮也，取卷起者。一名掬天皮，亦主人马反花疮，和油涂之，佳。

蚁穴中土取七枚如粒，和醋，搽狐刺疮。

① 取土……遇热：清本作"取土积心口，少冷即易，气通则苏"。

古砖热烧之，主下部久患白痢，脓泄下，以物裹上，坐之。入秋小腹多冷者，亦用此古砖煮汁服之。主哕气，又令患处熨之三五度，瘥。又主妇人带下五色，俱治之。取黄砖石烧令微赤热，以面、五味和作煎饼七个，安砖上，以黄瓜蒌傅面上，又以布两重，患冷病人坐上，令药气入腹，如熏之有虫出如蚕子，不过三五度，瘥。

富家中庭土七月丑日，取之泥灶，令人富，勿令人知。

百舌鸟窠中土末和酽醋，傅蚯蚓及诸恶虫咬疮。

猪槽上垢及土主难产，取一合，和面半升、乌豆二十颗，煮取汁，服之。

故茅屋上尘无毒。主老嗽。取多年烟火者，拂取上尘，和石黄、款冬花、妇人月经衣带为末，以水和涂于茅上，待干，内竹筒子中烧一头，以口噏之入咽喉，数数咽之，无不瘥也。

诸土有毒怪曰羵羊，掘土见之，不可触，已出上土部。土有气，触之令人面黄色，上气身肿。掘土处谨之，多断地脉，古人所忌。地有仰穴，令人移也。

本草品汇精要卷之四

本草品汇精要

·卷之五·

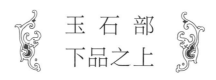

玉 石 部
下品之上

九种	**神农本经** 朱字
四种	**名医别录** 黑字
三种	**唐本先附** 注云唐附
一十种	**宋本先附** 注云宋附
一种	**唐慎微附**
一种	**今补**
十九①种	**陈藏器余**

已上总四十七②种，内一十七种今增图

---

① 十九：原作"二十"，陈藏器余药"千里水"条存目无文，而合并于卷六"东流水"条中，因据改。

② 四十七：原作"四十八"，陈藏器余药数减一，因据改。

伏龙肝 今增图　　　　石灰　　　　　礜石

砒霜 宋附，砒黄附　　铛墨 宋附，百草霜附，今增图

硇砂 唐附　　　　　铅丹 今增图　　　　铅 宋附，铅灰附

粉锡　　　　　　　锡灰 今补

东壁土 好土、土消、土槟榔附，今增图

赤铜屑 唐附，铜器附，今增图　　锡铜镜鼻 古鉴附，今增图

铜青 宋附，今增图　　　　井底沙 唐慎微附，今增图　代赭 赤土附

石燕 唐附　　　　　　浆水 宋附，冰浆附，今增图

井华水 宋附，今增图　　菊花水 宋附，今增图　　地浆 今增图

腊雪 宋附，霜附，今增图　　泉水 宋附，今增图　　半天河 今增图

热汤 宋附，缲①丝汤、麻沸汤、焊②猪汤附，今增图　　白垩③ 白土也

冬灰 荻灰、桑薪灰、青蒿灰、柃灰附，今增图

青琅玕 琉璃、玻璃附

---

① 缲：原作"澡"，据正文药名改。

② 焊：原作"挦"，据总目改。

③ 垩：原注"乌恪切"。

十九① 种陈藏器余

玉井水	碧海水	秋露水
甘露水	繁露水	六天气
梅雨水	醴泉	甘露蜜
冬霜	雹	温汤
夏冰	方诸水	乳穴中水
水花	赤龙浴水	粮罂中水
甑气水		

---

① 十九：原作"二十"，据前目改。

本草品汇精要卷之五

玉①石部下品之上

○ 土之土

伏龙肝

无毒

伏龙肝主妇人崩中吐血，止咳逆，止血，消痈肿毒气。名医所录。

---

① 玉：原脱，据前目录补。

地 〔图经曰〕此灶中对釜月下黄土也。以灶有神，故号为伏龙肝，并以迁隐其名尔。〔雷公云〕凡使，勿误用灶下土。其伏龙肝是十年以来，灶额内火气积久，结如赤色，石中黄，其形貌八棱者是。〔丹房镜源云〕伏龙肝或经十年者，灶下掘深一尺，其片紫瓷色者可用。〔谨按〕三说然虽皆取于灶，但今所用，并以灶中对釜月下经久者，疗疾多效，与《图经》所言吻合，用之无疑矣。

时 〔生〕无时。〔采〕无时。

用 土。

色 紫。

味 辛。

性 微温，散。

气 气之厚者，阳也。

臭 腥。

主 调血消毒。

制 研细，罗过用。

治 〔疗〕〔图经曰〕消化积滞。〔日华子云〕止鼻洪，肠风，带下血崩，泄精，尿血，催生下胞，及小儿夜啼，及中风，心烦恍惚。〔别录云〕治鬼魅不寐及诸腋臭。

合治 合四交道土为末饮儿，辟夜啼。○为末，合醋调涂痈肿。

·· ○ 石之土

石灰

有毒　煅成

石灰出神农本经。主疽
疡疥瘙，热气恶疮，
癞疾，死肌堕眉，杀
痔虫，去黑子息肉。
以上朱字神农本经。**疗髓
骨疽**。以上黑字名医所录。

名 恶灰、希灰、石垩、锻石、石锻。

地 〔图经曰〕生中山川谷及所在近山处皆有之，今之作窑烧青石为灰也。有风化、水化两种，其风化者，以经煅灰块置风中自解，此为有力；水化者，以水沃之，即热蒸而解，其力差劣矣。

时 〔采〕无时。

用 风化者为胜。

色 白。

味 辛、甘。

性 温，散。

气 气味俱厚，阳也。

臭 腥。

主 止血生肌。

制 〔雷公云〕凡使，用醋浸一宿漉出，待干下火煅，令腥秽气出，用瓶盛著密盖，放冷，拭上灰令净，细研用。

治 〔疗〕〔药性论云〕治瘑疥，蚀恶肉，止金疮血。〔日华子云〕疗白癜，疬疡，瘢疵及妇人粉刺，痔瘘，疽疮，瘿赘，疣子。又产后阴不能合，浓煎汤熏洗，瘥。〔补〕〔日华子云〕暖水脏。

合治 五月五日采蘩蒌、葛叶、鹿活草、槲叶、芍药、地黄叶、苍耳叶、青蒿叶，合石灰捣为团如鸡卵，暴干为末，疗金疮，生肌，神验。○合百草团为末，治金疮。或以腊月黄牛胆取汁溲和，却，内胆中挂之，当风百日研之，亦治金疮。○合水调如粥，浸好糯米粒全者，半置灰中半在外，经宿，取糯米点人面上黑黡。○合醋调如泥，疗口㖞斜者，左㖞涂右，右㖞涂左，立便牵正。

禁 不入汤药，妊娠不可服。

○ 石之石

礜石

有毒　石生

礜石出神农本经。主寒热
鼠瘘，蚀疮，死肌风
痹，腹中坚癖，邪气。
以上朱字神农本经。**除热，
明目，下气，除膈中
热，止消渴，益肝气，
破积聚痼冷，腹痛，
去鼻中息肉。火炼百
日，服一刀圭。**以上黑
字名医所录。

名 青分石、食盐、立制石、鼠乡、太白石、泽乳、固羊石、白礜玉。

地 〔图经曰〕生汉中山谷及少室，今潞州亦有焉。其性大热，置水中令水不冰，质坚而能拒火，烧之一日夕，但解散而不夺其坚。市人多取洁白细理石当之，烧即为灰也。此石惟攻击积聚痼冷之病，亦能柔金，真者乃佳。〔唐本注云〕今汉川武当西辽坂，名礜石谷，此即是其真出处。少室亦有，粒细理不如汉中者。入药必须煅炼，盖其有毒故也。

时 〔采〕十二月取。

收 瓷器盛贮。

质 类晋矾。

色 白。

味 辛、甘。

性 大热，生温熟热。

气 气味俱厚，阳也。

臭 朽。

主 消积聚，除风冷。

石礜州潞

助 得火良，棘针、铅丹为之使。

反 畏水，恶马目毒公、鹜屎、虎掌、细辛。

制 火煅，研细，水飞用。

治 〔疗〕〔图经曰〕治冷积聚。〔药性论云〕除胸膈间积气，去冷湿风痹，瘙痒皆积年者。〔衍义曰〕消久积及久病胸腹冷。

合治 礜石炼，合干姜、桂心、皂荚、桔梗各三两，附子二两，蜜丸桐子大，服五丸，疗寒冷百病。

禁 久服令人筋挛。不炼服之，则杀人及百兽。

忌 羊血。

○ 石之土

砒霜

大毒　附砒黄　土生

砒霜主诸疟，风痰在胸膈，可作吐药。名医所录。

地〔图经曰〕旧本不著所出郡县，今近铜山处亦有之，惟信州者佳。其块甚有大者，色如鹅子黄，明彻不杂。此种甚难得，每一两大块者，人竞珍重，市之不啻金价，古服食方必得此种乃可入药。其市肆所蓄，片如细屑，亦夹土石，入药服之，为害不浅。〔衍义曰〕今信州凿坑井下取之，其坑官常封锁甚严。坑中有浊渌水，先绞水尽，然后下凿取生砒，谓之砒黄，其色如牛肉，或有淡白路，谓石非石，谓土非土，治病虽有功，不可造次服也。取砒之法：将生砒就置火上，以器覆之，令砒烟上飞着覆器遂凝结，累然下垂如乳尖，长者为胜，平短者次之。《图经》云大块者。其大块是下等，片如细屑者极下也。入药当用如乳尖长者佳。〔别录云〕初取飞烧霜时，人在上风十余丈外立，下风所近草木皆死。又多见以和饭毒鼠，若猫犬食死鼠者亦死，其毒猛于射罔远矣。

时〔生〕无时。〔采〕无时。

用 如乳尖长者佳。

色 黄白。

味 苦、酸。

性 泄。

气 味厚于气，阴中之阳。

臭 臭。

主 诸疟。

反 畏绿豆、冷水、醋。

制〔雷公云〕凡使，用小瓷瓶子盛，后入紫背天葵、石龙芮二味，三件便下火煅，从巳至申便用甘草水浸，从申至子出，拭干入瓶盛，于火中煅，别研三万下用之。

治〔疗〕〔日华子云〕砒霜，除妇人血气冲心痛，落胎。○砒黄，祛疟疾，肾气带，辟蚤虱。〔别录云〕砒霜疗卒中风，昏瞶若醉，痰涎壅。○四肢不收，用如绿豆大研，以新汲水调下，少许，用熟水投，大吐即愈。

合治 末二两，合胶清涂之，治毒蛇尿草木着人，似刺扎，便肿痛肉烂，若手脚着之，节即堕落。○砒黄一钱，合麝香半钱，研细，先用纸条子以生油涂之，后掺药末在上，少用末，剪作小纸片棋子大，看大小用，插在烂动处，治小儿牙宣，常有鲜血不止，牙断臭烂。○信州砒黄细研，合浓墨汁，丸如桐子大。于铫子内炒令干，后用竹筒子盛。要用，如所患处灸破，或针将药半丸敲碎贴之，以自然蚀落为度，觉药尽更贴少许，疗瘰疬。

禁 不可轻服，能伤人，妊妇不可服。

解 误中其毒，以冷水研绿豆浆饮之，及得石脑油即伏。

铛墨

无毒　附百草霜

铛墨主蛊毒，中恶，血晕，吐血，以酒或水细研，温服之。亦涂金疮，生肌止血。

名医所录。

地 〔谨按〕铛墨是铛底煤也。又有灶额上墨，谓之百草霜。然百草霜入药必须山野人家釜底者为胜，盖因取杂草供爨，得众草之性，故有是名。张仲景黑奴丸以此二味及梁上尘同用，盖其功力相近。百草霜治证，旧本混收煅灶灰条下，今移附于此。

时 〔生〕无时。〔采〕无时。

用 霜。

质 类窑煤。

色 黑。

臭 朽。

主 止血。

制 研细用。

治 〔疗〕〔别录云〕治鼻气壅塞不通者，水调服。又逆产，以手中指取墨，交画儿足下即顺生。

合治 合酒涂舌下，疗舌卒肿如猪胞状满口者，不治，须臾死。○合热小便调下二钱匕，疗心痛。○以五钱合盐一钱，熟水调，顿服，疗中恶，心痛欲绝。○合酒服疗转筋，入肠中欲转者。○百草霜二钱，合狗胆汁一处，拌匀，分作二服，以当归酒调下，疗妇人崩中。○百草霜末，合米饮调下二钱，治暴泻痢。○百草霜合白芷等分，每服二钱，童子小便、醋各少许，调匀，更以热汤化开服，疗逆生，横生，瘦胎，妊娠产前产后虚损，月候不调，崩中，不过两服，瘥。○百草霜合腻粉少许，研细，生油调涂，疗头疮及诸热疮，先用醋少许，和水净洗去痂，再用水洗裹干，然后涂之。

禁 疮生在面，慎勿涂之，黑入肉如印。

○ 石之水

硇砂

有毒　石生

硇砂主积聚，破结血，烂胎，止痛下气，疗咳嗽，宿冷，去恶肉，生好肌，柔金银，可为焊[1]药。名医所录。

---

[1] 焊：原注"音旱"。

名 北庭砂、狄盐、浓沙、气砂。

地 〔图经曰〕出西戎，今西凉夏国及河东、陕西近边州郡亦有之。其北庭者为上，然西戎来者颗块光明，大者如拳，重三五两；小者如指，入药最紧，亦能消五金八石。边界出者，杂碎如麻豆粒，又夹砂石，用之须飞澄去土石讫，亦无力矣，彼人谓之气砂。此物多食，腐坏人肠胃，生用又能化人心为血，固非平居可饵者。西土用淹肉炙以当盐，食之无害，盖积习之久，若魏武啖野葛不毒之义也。《本经》云：柔金银，可为焊药。今人作焊药乃用硼砂，此则不甚须也。〔衍义曰〕金银有伪，投硇砂于熔窝中，其伪物尽消。矧入腹中有积久，岂不溃腐乎。

时 〔生〕无时。〔采〕无时。

收 瓷器贮之。

用 光明大者佳。

质 类牙消。

色 白。

味 咸、苦、辛。

性 温，软。

气 气味俱厚，阳中之阴。

臭 腥。

主 破积聚，结血，去恶肉，生肌。

反 畏浆水、一切酸物。

制 〔日华子云〕凡修制，以黄丹、石灰作柜，煅赤用之，无毒。或水飞过，入瓷器中，以重汤煮之，使其自干而杀其毒及去尘秽也。

治 〔疗〕〔药性论云〕伏炼者除冷病，大益阳事。〔日华子云〕

益水脏，暖子宫，消冷癖瘀血，宿食不消，气块疝癖及血崩带下，恶疮息肉，食肉饱胀，女人血气心疼，须修制可服。〔陈藏器云〕妇人、丈夫积病，血气不调，痰饮，喉中结气，反胃吐水。

禁　误服生痈肿，多食腐坏人肠胃。

忌　羊血。

解　服此药毒，研生绿豆汁饮一二升解之。

铅丹

无毒

铅丹出神农本经。主吐逆胃反，惊痫，癫疾，除热下气。炼化还成九光，久服通神明。以上朱字神农本经。**止小便利、除毒热，脐挛，金疮，血溢。**以上黑字名医所录。

名　铅华、黄丹。

地　〔别录云〕出蜀郡平泽，即今熬铅而成者也。其制法以铅一斤、土硫黄一两、消石一两，先溶铅成汁，下醋点之，滚沸时下土硫黄一小块，续更下消石少许，沸定再点醋，依前下消、黄少许，待消、黄沸尽，炒为末，乃成丹也。

时　〔生〕无时。〔采〕无时。

用　细腻无砂者。

色　红、黄。

味　辛。

性　微寒。

气　气之薄者，阳中之阴。

臭　朽。

主　生肌肉，止疼痛。

制　水飞过，细研，炒紫色用。

治　〔疗〕〔药性论云〕治惊悸狂走，呕逆，消渴。煎膏，止痛生肌。〔日华子云〕镇心安神，除反胃，止吐血及嗽，傅金疮，长肉及汤火疮，染须发。〔别录云〕小儿重舌，用安舌下。及逆产，以刀圭涂儿蹠下即顺。

合治　合醋调涂，疗蝎螫。○合百草霜各等分，研，空心米饮调服二钱匕，疗疟疾于发日服。○合蜜水服二钱匕，疗小儿疟疾，冷即以酒和服。○真丹方寸匕，合蜜三合，和服之，疗忤中恶，心腹疼痛，腹满，气冲心胸。如口噤者，折齿灌之。○黄丹四两，米醋半升，同煎干，却用炭火煅透红，研为末，以粟米饮丸如桐子大，名碧霞丹。酒下七丸，疗吐逆，立效。○合白矾各二两，为末，用三角砖相斗七寸，纸铺砖上，先以丹铺纸上，次以矾铺丹上，然后用纸扭，却，将十斤柳木柴烧过，研为末，名驱风散。每用二钱，温酒调下，疗风痫。○合醋调涂蝎螫毒。

铅

无毒　附铅灰　土生

铅主镇心安神，治伤
寒毒气，反胃呕哕，
蛇蝎所咬。炙熨之。
名医所录。

地 〔图经曰〕铅乃青金也，生蜀郡平泽。〔别录云〕铅，咸。铅者不出银，熟铅是也。嘉州、陇陀、利州出铅精之叶，深有变形之状，文曰紫背铅。铅能碎金钢钻。草节铅出嘉州，打着碎，如烧之有硫黄臭烟者。信州铅、卢氏铅，此粗恶，用时直须滤过。阴平铅出剑州，是铁之苗，铅黄花投汞中，以文武火养，自浮面上，掠刮取，炒作黄丹色。钩脚铅出雅州山洞溪砂中，形如皂子，又如蝌蚪子，黑色，此皆禀北方壬癸阴极之精而生也。又有铅灰，其法：取铅三两，铁器中熬之，久当有脚如黑灰。治瘰疬有效，故附于此。

时 〔生〕无时。〔采〕无时。

质 类锡而软。

色 黑。

味 甘。

性 缓。

气 气之薄者，阳中之阴。

臭 朽。

主 镇心神，消恶疮。

合治 以一斤合甘草三两，微炙，剉，用酒一斗，著空瓶在傍，先以甘草置在酒瓶内，然后熔铅，投在酒瓶中，却，出酒在空瓶内，取出铅，依前熔后投，如此者九度，并甘草去之，只留酒，治发背及诸般痈毒疮，令饮醉寝即愈。○以半斤内大锅中熔成汁，旋入桑条灰，柳木搅令成砂后，以熟绢罗为末，每日早晨如常揩牙齿，后用温水漱在盂内，取其水洗眼，治诸般眼疾，须发黄白者用之，皆变黑也。○以一斤干锅中熔成汁，投酒一升，如此十数回，候酒至半升，去铅顿服之，疗金石药毒。○以三两铁器中熬之，久当有脚如黑灰，取此灰合腊月猪脂，涂瘰疬上，仍以旧帛贴之，数数去帛拭恶汁，又贴，如此半月许，亦不痛不破不作疮，但内消之为水，瘥。虽流过项，亦瘥。

　　禁　性濡滑，服之多阴毒，伤人心胃。

○ 金之土

粉锡

无毒

粉锡_{出神农本经。}主伏尸毒螫^①，杀三虫。_{以上朱字神农本经。}

去鳖瘕，疗恶疮，堕胎，主小便利。_{以上黑字名医所录。}

---

① 螫：原注"音释"。

名 解锡、定粉、胡粉。

地 〔陶隐居云〕即今化铅所作胡粉也，而谓粉锡事与《经》乖。〔唐本注云〕铅丹、胡粉，实用锡造。陶云化铅作之，《经》云粉锡，亦为误矣。〔谨按〕李含光云：黄丹、胡粉二物俱是化铅为之，未闻用锡者，故《参同契》云：若胡粉投炭中，色坏为铅。《抱朴子·内篇》云：愚人乃不信黄丹及胡粉是化铅所作，噫！古者或以铅锡兼称乎？故英公序云铅锡莫辨者，盖谓此也。唐注因袭，遂以三物俱言炒锡所致，殊深误矣。更熟思之，陶说为是。今造粉之法：以砖作灶，高五六尺，中砌一小缸，贮糟醋至八分许，以竹篦平置缸口，篦底木作井字架之。用蜀郡平泽铅，不限分两，熔化成汁，以杓倾铁掀模，内作方片。每重二十两，至三百片，数攒积篦上，以酱蓬覆盖缸底，用重一斤炭墼，火煨，日夜各二饼，使醋气熏蒸于上。候至二七日夜，其醋已尽，将铅片上浮粉击取称过，泡水缸中，仍带水细罗澄于别缸，撇去上面清水。以粉三百斤为则，加白盐一斤、福蜜四两，二味相和炼熟，稍澄，罗滤入粉令匀。外作一炕，上铺细砂土一层，再以绵纸严遮其土，摊粉于纸上，炕下仍煨炭墼，微火转展将近一月方干，以竹刀切成块，冬月水寒不宜造也。

用 光腻者佳。

色 白。

味 辛。

性 寒。

气 气之薄者，阳中之阴。

臭 腥。

制　研细用。

治　〔疗〕〔别录云〕主从高落下，瘀血抢心，面青短气，欲死，以胡粉一钱匕和水服之即瘥；治干湿癣及狐①臭，若股内阴下常湿且臭，或作疮，以胡粉一物涂之即愈，常用大验；小儿夜啼，水调服三豆许，日三服之，效。

合治　胡粉水合鸡子白服，治小儿久痢成疳，服之以粪黑为度，为其杀虫而止痢也。○合炭灰白等分，以脂和涂疮孔上，治疮中水即止。○合羊髓和涂火烧疮。○合猪骱骨中髓，治小儿舌上疮，日三傅之，效。○熬八分，合猪脂涂小儿疳疮，以瘥为度。○合盐熬色变，以磨小儿腹上，治腹胀及腹皮青。若不理，须臾死。○合土和涂小儿耳后月蚀疮。

禁　妊娠不可服。

解　硫黄毒。

---

① 狐：原作"胡"，据同卷"赤铜屑"条改。

锡灰

有毒

锡灰主杀虫去积。今补①。

---

① 今补：原作"名医所录"，
据目录及义例改。

名 白镴。

地 〔图经曰〕生桂阳山谷，今有银坑处皆有之，而临贺所出尤盛。又谓之白镴，然有黑有白，黑即铅也，与此形虽相近，而所用殊别。锡灰乃以锡置铁盘中熔炼，良久澄下粗滓如灰者是，今妙应丸中用之。

时 〔生〕无时。〔采〕无时。

用 灰。

色 黑褐。

味 咸。

性 平。

气 味厚于气，阴中之阳。

臭 朽。

制 去锡细研，罗过用。

东壁土

无毒　附好土、土消、土槟榔

东壁土主下部疮，脱肛。名医所录。

地　〔陶隐居云〕此朽壁干久之土，取其东向者，故谓之东壁土也。由其感旭日之精华，钟震方发育之气。刮取之，亦可去衣油垢。张司空云：土三尺已上曰粪，三尺已下曰土。服之当去上恶物，勿令入客水。〔陈藏器云〕一种土消，大寒，无毒。庄子云：蛣蜣转丸是也。藏在土中，掘地得之，正圆如人捻作，弥久者佳。又有土槟榔，状如槟榔，于土穴中及阶除间得之，新者犹软，云蟾蜍屎也。蟾食百虫，故特主恶疮。〔衍义曰〕今详南壁上土亦向阳久干，何不取之？盖东壁常得晓日烘炙，日者，太阳真火，故治瘟疟。或曰：何不取午盛之时南壁土，而取日初出东壁土者，何也？火生之时，其气壮。故《素问》云：少火之气壮，及其当午之时，则壮火之气衰，故不取之，实用此义。或曰：何以知日者太阳真火？以水精珠或心凹铜鉴向日射之，以艾承接，其光聚处火出，故知之。

时　〔生〕无时。〔采〕无时。

收　暴干。

色　黄。

味　甘。

性　平、温，缓。

气　气厚于味，阳也。

臭　朽。

主　解毒除湿。

制　研细用。

治　〔疗〕〔陶隐居云〕治小儿风脐。〔唐本注云〕磨干湿癣。〔药性论云〕点目中，去翳。○东壁土上蚬壳为细末，傅豌豆疮及除温疟。〔陈藏器云〕止泄痢，霍乱，烦闷。○好土，味甘，无毒，主泄痢，冷热赤白，腹内热毒，绞结痛，下血。取入地干土，以水煮三五沸，绞去滓，适稀稠，暖服一二升。○土消，主伤寒时气，黄疸病，烦热，汤淋，取汁顿服之，良。○土槟榔，主恶疮，诸虫咬及瘰疬，疥瘘，细研，油涂之。〔别录云〕东壁土，主小儿脐风疮，历年不瘥。

合治 东壁土一升，合皂荚三挺，长一尺二寸，疗肛门凸出，以壁土挹粉肛门头出处，皂荚炙暖，更递熨之，瘥。○好土合头发，疗食牛马肉及肝中毒者，先剉头发令寸长，拌好土作溏泥二升，合和饮之，须臾，发皆贯所食肝出。○多年烟熏壁土，合黄檗同捣，罗末，以生姜汁拌成膏，摊贴之，更以茅香汤调下一钱匕，疗背生痈疖。

解 好土，以水煮三五沸，去滓，适稀稠，暖服二升，解诸药毒、中肉毒、合口椒毒、野菌毒。

○ 石之金

赤铜屑

微毒　附铜器

赤铜屑以醋和如麦饭，袋盛，先刺腋下脉，去血封之，攻腋臭，神效。又熬使极热，投酒中，服五合，日三，主贼风反折。又烧赤铜五斤，内酒二斗中百遍，服同前，主贼风，甚验。名医所录。

地 〔陈藏器云〕出武昌，盖铜禀东方乙阴之气结而成魄，其性利，能焊人骨，凡六畜有损者，取细研酒中温啖之，直入骨损处。六畜死后，取骨视之，犹有焊痕。赤铜为佳，黄熟铜不堪用。〔别录云〕定州人崔务坠马折足，医者令取赤铜末和酒服之，遂痊平，及亡后十余年改葬，视其胫骨折处有铜束之，是其验也。

时 〔生〕无时。〔采〕无时。

用 屑。

色 赤。

味 苦。

性 平，泄。

气 味厚于气，阴也。

臭 腥。

主 伤折。

制 细剉为屑，或烧淬酒服。

治 〔疗〕〔日华子云〕明目及风眼，接骨焊齿，疗女人血气及心痛。○铜器，治霍乱转筋，肾堂及脐下痃痛，并衣被衬后贮火熨之。〔陈藏器云〕主折伤，能焊人骨。

合治 合酢，于银器中炒极热，以布裹，熨腋下，冷复易之，治狐臭。或用清醋浆净洗讫，微揩使破，取铜屑和醋，热揩之，甚验。

○ 石之金

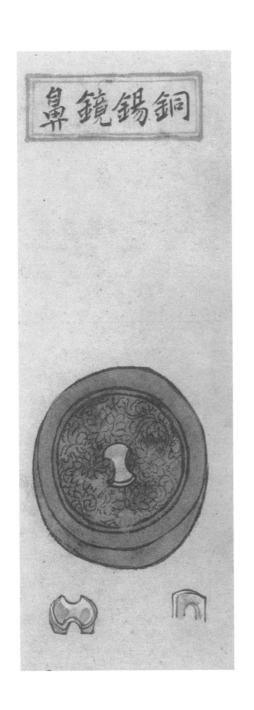

锡铜镜鼻

无毒　附古鉴

锡铜镜鼻出神农本经。
主女子血闭，癥瘕，
伏肠，绝孕。以上朱字
神农本经。伏尸，邪气。
以上黑字名医所录。

地〔陶隐居云〕古无纯铜铸镜，皆用锡和杂之，以取其明白故也，以广陵者为胜。今所用铜镜鼻者，乃破古铜镜之鼻尔。用之当烧令赤，内酒中饮之，若置醯中出入百过，亦可捣矣。其入药之义，即铜弩牙、古文钱之类皆有锡相杂，故所用也。以意推之，其理则一。

时〔生〕无时。〔采〕无时。

用 古者愈佳。

色 青绿。

味 酸。

性 冷。

气 气薄味厚，阴也。

臭 朽。

主 祛邪通经。

制 烧赤淬酒，碾细服。

治〔疗〕〔日华子云〕古鉴，辟一切邪魅，女人鬼交，飞尸，蛊毒，小儿惊痫。百虫入人耳鼻中，就将彼敲，其虫自出。

合治 以七枚投醋中，熬过呷之，亦可入当归、芍药煎服，疗产后余疹刺痛三十六候。○铜照子鼻烧赤，著少许酒淬过，少少与小儿服之，疗小儿卒中，客忤。○古鉴烧赤，淬酒服，疗暴心痛及催生。

铜青

微毒　铜生

铜青主妇人血气心痛，合金疮，止血，明目，去肤赤，息肉。

名医所录。

地 〔图经曰〕生熟铜皆有青，青则铜之精华，而在铜器上绿色者是也。用之以北庭署者最佳。

时 〔生〕无时。〔采〕无时。

用 细腻者佳。

色 青绿。

味 酸。

性 平、寒。

气 气薄味厚，阴中之阳。

臭 腥。

主 明目，去肤赤。

制 细研为末，淘洗用①。

治 〔疗〕〔陈藏器云〕青铜明目，去肤赤，合金疮，止血，入水不烂，令疮青黑。

合治 生绿二两洗净，于乳钵内研细，以水飞去石，澄清，同绿粉慢火熬令干，取辰日辰时于辰位上修合，再研匀，入麝香一分同研，以糯米糊丸和如弹子大，阴干，名备急大效碧琳丹。疗痰涎潮盛，卒中不语者，每丸作二服，用薄荷酒研下；瘫痪、一切风，用朱砂酒研化下，候吐涎出沫青碧色，泻下恶物，瘥。○研细如粉，合醋糊和丸，如芡实大，名绿云丹。治小儿才觉中风者，便用薄荷酒磨下一丸，须臾，便吐其涎如胶，令人以手拔之，候吐罢，神验。

----

① 细研为末，淘洗用："制"后本无内容，据罗马本补。

○ 土之土

井底沙

井底沙主治汤火烧疮用。名医所录。

地　〔谨按〕井底沙即井中泥而具坤体，乃至阴也。盖井水静而不流，为阴水也。非江湖之水，日夜流荡，上薄阳光，为之阳水。所以浸渍成泥，其性愈冷，故能祛大热、汤火之毒也。

用　沙。

色　青黑。

味　淡。

性　至冷。

气　味厚于气，阴也。

臭　腥。

主　天泡疮。

治　〔疗〕〔别录云〕涂傅蝎螫，温则易之。及妊娠得时疫病，以傅心下，令胎不伤，并疗卧忽不寤。勿以火照，照之即杀人。但痛啮其踵及足拇指甲际，而唾其面即活，以井底泥涂目毕，令人垂头于井中，呼其姓名便起。

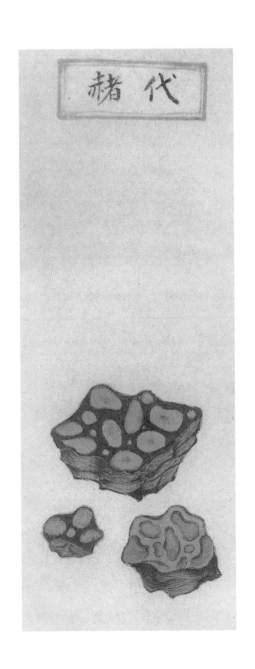

代赭

无毒　附赤土

代赭出神农本经。主鬼疰，贼风，蛊毒，杀精物，恶鬼，腹中毒邪气，女子赤沃，漏下。以上朱字神农本经。带下百病，产难，胞衣不出，堕胎，养血气，除五脏、血脉中热，血痹，血瘀，大人小儿惊气入腹，及阴痿不起。以上黑字名医所录。

名 须丸、血师。

地 〔图经曰〕生齐国山谷，今河东、京东山中亦有之，以赤红青色如鸡冠，有泽染爪甲不渝者良。古方紫丸治小儿用代赭，云无真者，以左顾牡蛎代之，乃知真者难得。今医家所用，多择取大块，其上有如浮沤丁者为胜，谓之丁头代赭。

〔陶隐居云〕旧说是代郡城门下土，江东久绝，其魏国所献犹是彼间赤土，非复真物矣。

〔唐本注云〕出姑幕者名须丸，出代郡者名代赭。此石多从代州来，云山中采得，非城门下土。又言：生齐地山谷，今齐州亭山出赤石，其色有赤红青者，其赤者亦如鸡冠且润泽。土人惟采以丹楹柱而紫色且暗，此物与代州出者相似，古来用之。今灵州鸣沙县界河北平地掘深四五尺得者，皮上赤滑，中紫如鸡肝，大胜齐、代所出者。

时 〔生〕无时。〔采〕无时。

用 如鸡冠光泽，有浮沤丁者佳。

色 紫赤。

味 苦、甘。

性 寒，泄、缓。

气 气薄味厚，阴也。

臭 朽。

主 惊风，辟鬼魅。

行 手少阴经，足厥阴经。

助 赤土以干姜为使。

反 畏附子、天雄。

制 〔雷公云〕凡使，不计多少，用蜡水细研尽，重重飞过，水面上有赤色如薄云者，去之，然后用细茶脚汤煮之一伏时，取出，又研一万匝方入。用净铁铛一口，著火，得铛热底赤，即下白蜡一两于铛底逡巡间，便投新汲水冲之，于中沸一二千度了，如此放冷，取出使之。

治 〔疗〕〔药性论云〕疗女子崩中，淋沥不止及生子不落。末温服，辟鬼魅。〔日华子云〕止吐血，鼻衄，肠风，痔瘘，月经不止，小儿惊痫，疳疾，反胃，止泻痢，脱精，尿血，遗溺，金疮长肉，安胎健脾及夜多小便。

合治 以一两合米醋一升，用火烧代赭通赤，淬米醋中，以尽为度，捣罗如面，用汤调下一大钱，疗小肠气，瘥。○赤土不计多少，研碎，空心温酒调下一钱，疗风疹疼痒不可忍。

石燕

无毒　土生

石燕以水煮饮之，主淋有效。妇人难产，两手各把一枚，立验。
名医所录。

地　〔图经曰〕出零陵郡，今永州祁阳县江傍沙滩上有之，形似蚶而小，其实石也。或云生山洞中，因雷雨则飞出，堕于沙上而化为石，未审的否。〔唐本注云〕俗云因雷雨则从石穴中出，随雨飞堕者，妄也。惟永州祁阳县西北百一十五里土冈上，掘深丈余取之，形似蚶而小，坚重如石是也。〔衍义曰〕今人用者，如蚬蛤之状，色如土，坚重则石也。既无羽翼，焉能自石穴中飞出，何故只堕沙滩上？此说近妄。唐本注：永州土冈上掘深丈余取之，形似蚶而小，重如石，则此自是一物，余说不可取也。

时　〔生〕无时。〔采〕无时。

收　洗刷，去泥土。

质　类蚶而小。

色　青白。

味　淡。

性　凉。

气　气之薄者，阳中之阴。

臭　腥。

主　催生，明目。

制　研细，水飞过用。

治　〔疗〕〔图经曰〕能催生，令产妇两手各握一枚，须臾子则下。〔别录云〕疗久患肠风痔瘘一二十年不瘥，面色虚黄，饮食无味，及患脏腑伤损，多患泄泻，暑月常泻不止，及诸般淋沥，久患消渴，妇人月候湛浊，赤白带下，多年不瘥，应是脏腑诸疾，皆主之。用石燕净洗，刷去泥土收之。右每日空心取一枚，于坚硬无油瓷器内，以温水磨服之，如弹丸大者一个，分三服，大小以此为准，晚食更一服。若欲作散，杵罗为末，以磁石吸去杵头铁屑后，更入乳钵内研细，水飞过，取白汁如泔乳者澄去水，曝干，每服半钱至一钱，清饭饮调下，温水亦得，此药遍治久年肠风痔，须常服勿令歇，服至一月，诸疾皆愈。

合治 合水牛鼻和，煮饮之，止消渴。○以二七枚和五味炒令熟，合酒一斗浸三日，即每夜卧时，随性饮一两盏，甚能补益，能吃食，令人健力。○为末，不计时候，合葱白汤调服半钱，疗伤寒小腹胀满，小便不通。○以七枚捣如黍米粒大，合新桑根白皮三两，剉如豆粒，同拌令匀，分作七贴，每一贴用水一盏，煎取七分，去滓，于空心午前各一服，治淋沥。

浆水

无毒　附冰浆

浆水主调中引气，宣和强力，通关开胃，止渴，霍乱泄痢，消宿食。宜作粥，薄暮啜之，解烦去睡，调理腑脏。粟米新热白花者佳。煎令酸，止呕哕，白人肤体如缯帛，为其常用，故人不齿其功。冰浆至冷，妇人怀妊不可食之，食谱所忌也。名医所录。

〔谨按〕作浆水之法：于清明日用仓黄粟米一升，淘净，下锅内，以水四斗，入酒一盏，煎至米开花为度。后将柳枝截短一大把，先内坛中，然后贮浆水于内，以苎布封口，使出热气，每日用柳条搅一次。如用去，旋加米汤，仍前搅用之。

收 瓷坛盛贮。

色 青白。

味 甘、酸。

性 温，缓。

气 气厚味薄，阳中之阴。

臭 腥。

主 除霍乱，止消渴。

合治 去黑子方，夜以暖浆水洗面，用布揩令黑子赤痛，水研白檀香，取浓汁以涂之，旦又以浆水洗面，仍用鹰粪傅上，效。○合盐少许，热渍之，疗手指肿，冷即易之。○浆水稍醋味者合干姜屑煎呷之，治人霍乱，颇有神效。及夏月腹肚不调者，并瘥。○酸浆水合水少许，顿服，令孕妇易产。

禁 妊娠不得食浆水粥，令儿骨瘦不成人。

忌 勿与李实同食，令人霍乱吐利。

井华水

无毒

井华水主人九窍大惊出血，以水噀面。亦主口臭，正朝含之，吐弃厕下，数度即瘥。又令好颜色，和朱砂服之。又堪炼诸药石，投酒醋令不腐，洗目肤翳及酒后热痢。名医所录。

〔谨按〕此水乃平旦第一汲者，取其清冷澄澈，静而不动，得纯阴之气，故疗疾与诸水有异。不尔，非谓之井华水也。水体虽属阴，汲而动之，则不得纯阴之性，其性既失，疗疾欲神不可得也。噫！前人取义深远，于斯可见矣。

收 瓷器贮之。

用 平旦第一汲者。

色 白。

味 甘。

性 平，寒。

气 味厚气薄，阴也。

臭 朽。

主 解热毒。

治 〔疗〕〔别录云〕眼睛无故突出者，以新汲水频易灌渍睛上，其睛自入。又疗马汗及毛入人疮，肿毒热痛入腹，以冷水浸疮。数易，饮好酒立愈。

合治 新汲水合蜜饮之，治心闷汗出不识人。

菊花水

无毒

菊花水主除风补衰。久服不老，令人好颜色，肥健，益阳道，温中，去痼疾。名医所录。

地　〔图经曰〕出南阳郦县北潭水，其源悉芳，菊生被崖，水
为菊味，盛洪之。《荆州记》云：郦县菊水，太尉胡广久患风羸，
常汲饮此水，后疾遂瘳。此菊甘美，广后收此菊实播之，京师处
处传植。《抱朴子》云：南阳郦县山中有甘谷水，所以甘者，谷
上左右皆生甘菊，菊花堕其中，历世弥久，故水味为变。其临此
谷中居民，皆不穿井，悉食甘谷水，无不寿。考故司空王畅、太
尉刘宽、太傅袁隗皆为南阳太守，每到官，常使郦县月送甘谷水
四十斛，以为饮食，此诸公多患风痹及眩冒，皆得愈。〔衍义曰〕
菊花水，本条言南阳郦县北潭水，其源悉芳，菊生被崖，水为菊味。
此说甚怪，且菊生于浮土上，根深者不过尺，百花之中，此特浅
露水泉，莫非深远而来。况菊根亦无香，其花当九月十月间止开
三两旬中，焉得香入水也？若因花而香，其无花之月合如何也？
殊不详水自有甘淡咸苦，焉知无有菊味者？尝官于水耀间，沿干
至洪门北山下古渠中泉水清澈，众官酌而饮，其味与惠山泉水等，
亦微香。世皆未知之，烹茶尤相宜，由是知泉脉如此，非缘浮土
上所生菊能变泉味。博识之士，宜细详之。

时　〔生〕无时。〔采〕无时。

色　白。

味　甘。

性　温，缓。

气　气厚于味，阳中之阴。

臭　香。

主　风痹。

地浆

无毒

地浆主解中毒，烦闷。

名医所录。

地〔陶隐居云〕此掘地作坎，以水沃其中，搅令浑浊，俄顷取之，以解中诸毒。山中有毒菌，人不识，煮食之，无不死。又枫树菌食之，令人笑不止，惟饮此浆者瘥，余药不能救矣。

色　土黄。

味　甘。

性　平，寒。

气　气之薄者，阳中之阴。

臭　腥。

主　热渴心闷。

解　中诸毒及食生肉中毒。

腊雪

无毒　附霜

腊雪主解一切毒，治天行时气，温疫，小儿热痫，狂啼，大人丹石发动，酒后暴热，黄疸，仍小温服之。名医所录。

〔谨按〕大寒节后而雨雪，谓之腊雪。时当阳气潜伏，寒令大行，其花六出，乃禀纯阴之数，故能治一切瘟热之疾。及淹藏果实，经年不坏。其春雪则易生虫，水亦易败，前人故不收用。腊雪之功，斯可见矣。

收　瓷器收贮。

色　白。

味　甘。

性　冷，缓。

气　味厚于气，阴也。

臭　朽。

主　疫疠，热病。

合治　霜合蚌粉，傅治暑月汗渍，腋下赤肿及痱疮。

泉水

无毒

泉水主消渴，反胃，热痢，热淋，小便赤涩，兼洗漆疮，射痈肿令散。久服却温调中，下热气，利小便，并宜多饮之。名医所录。

地 〔谨按〕水禀壬癸，乃天一所生，若穴沙石而出者，谓之泉水。《尔雅》云：一见一否为瀵泉，正出为滥泉，下出为沃泉，仄出为氿泉。此皆泉水发原之名也。亦有凿地取水曰井，夫井亦泉耳。《易》所谓改邑不改井，井冽寒泉是也。其皆得阴寒之性，具体玄洁润下，故有疗热、解毒之功。若男女心腹有疾，取新汲者互相授受饮之，得阴阳从治之义。腊日以椒投井而饮水，亦岁旦屠苏之意尔，用者当以类分可也。

时 〔生〕无时。〔采〕无时。

用 新汲者。

味 甘。

性 平，寒。

气 味厚于气，阴也。

臭 朽。

主 解烦渴，消疮肿。

治 〔疗〕〔别录云〕患心腹冷病者，若男子病，令女人以一杯与饮；女子病，令男子以一杯与饮。又主食鱼肉为骨所鲠，取一杯水合口向水张口取水气，鲠当自下。及人忽被坠损肠出，以冷水喷之，令身噤肠自入也。又腊日夜，令人持椒井傍，毋与人语，内椒井中，服此水去温气。

禁 不用停污浊暖，非直无效，固亦损人。

半天河

无毒

半天河主鬼疰，狂邪气，恶毒。名医所录。

〔谨按〕此水乃天泽水也，由雨贮于高树穴中及竹篱头上。盖禀乾阳之气，谓之半天河，故能镇心，杀鬼也。若诸水聚于地者，得坤阴之性，治疗于此有别。用之，当各适其宜可也。

时 〔生〕无时。〔采〕无时。

用 水。

色 白。

性 微寒。

气 气之薄者，阳中之阴。

主 杀鬼精，除邪气。

治 〔疗〕〔陶隐居云〕洗诸疮用之。〔药性论云〕能杀鬼精，恍惚妄语，勿令知之与饮，瘥。〔日华子云〕主蛊毒。〔陈藏器云〕在槐树穴间者，疗诸风及恶疮，风瘙疥痒，亦温取洗疮。〔别录云〕身体白驳，取树木孔中水洗之。捣桂屑唾和，傅驳上，日三。白驳者，浸淫渐长，似癣但无疮也。

热汤

无毒　附缫① 丝汤、麻沸汤、焊② 猪汤

热汤主忤死，先以衣三重藉忤死人腹上，乃取铜器若瓦器，盛汤著衣上，汤冷者去衣，大冷者换汤即愈。又霍乱手足转筋，以铜器若瓦器盛汤熨之，亦可令蹋器使脚底热彻，亦可以汤捋之，冷则易，用醋煮汤更良，煮蓼子及吴茱萸汁亦好，以绵絮

① 缫: 原作"缲"，据清本改。
② 焊: 原作"捋"，据清本改。

及破衬①脚，以汤淋之，贵在热彻。又缲丝汤，无毒，主蛔虫，热取一盏服之，此煮茧汁，为其杀虫故也。又焊②猪汤，无毒，主产后血刺心痛欲死，取一盏温服之。名医所录。

〔谨按〕水经火煎作沸者，谓之汤也。《衍义》曰：助阳气，通经络，用以熨治风冷气痹等疾，正合《内经》所谓"寒因热用"之意。抑考朱丹溪云：缲丝汤属火有阴之用，能泻膀胱水中相火，使清气上朝于口而止消渴也。又成无己云：泻心汤用麻沸汤渍服者，取其气薄而泄虚热也，观此厥有旨矣，用者审之。

治〔疗〕〔陈藏器云〕凡初觉伤寒三日内，但取热汤饮之，候吐则止，可饮一二升，随吐汗出，瘥。重者亦减半。又冻疮不瘥者，热汤洗之，效。〔衍义曰〕热汤助阳气，行经络，患风冷气痹人，多以汤渫脚至膝上，厚覆使汗出周身，然别有药，亦终假汤气而行也。四时暴泄痢，四肢冷，脐腹疼，深汤中坐浸至腹上，频频作，生阳佐药，无速于此。虚寒人始坐汤中必战，仍常令人伺守可也。〔别录云〕风疾数年不效者，掘坑令患者解衣坐于坑内，遂以热汤上淋之，良久，复以簟盖之，瘥。

---

① 衬：原作"毡角"，《证类本草》、科本同，据清本改。
② 焊：原作"挀"，据清本改。

白垩

无毒　土生

白垩①出神农本经。主女子寒热，癥瘕，月闭，积聚。以上朱字神农本经。**阴肿痛，漏下，无子，泄痢。**以上黑字名医所录。

---

① 垩：原注"乌恪切"。

名 白善土。

地 〔图经曰〕生邯郸山谷及始兴，小桂县晋阳乡有白善，今处处有之。即画家所用者，多而且贱，医方亦稀用之。又云：大次之山，其阳多垩。又《北山经》：天池之山，其中多黄垩。及《中山经》：葱聋之山，其中有大谷，多白、黑、青、黄垩。《注云》言：有杂色之垩也。然垩有五色，入药惟白者佳。〔衍义曰〕白垩即白善土，京师谓白土子，截成方寸段，鬻以浣衣也。

时 〔生〕无时。〔采〕无时。

用 白者为佳。

色 白。

味 苦、辛。

性 温，泄。

气 气厚味薄，阳中之阴。

臭 朽。

主 破癥瘕，止泄痢。

制 〔雷公云〕入药勿用色青并底白者，凡使，先捣细，三度筛过，入钵中研之，然后将盐汤飞过，晾干，每修事白垩二两，用白盐一分投于斗水中，用铜器物内沸，十余沸然后水飞过白垩，免结涩人肠也，或入药烧用。

治 〔疗〕〔药性论云〕调女子血结，月候不通，能涩肠止痢，温暖。〔日华子云〕止泻痢，痔瘘，泄精，女子子宫冷，男子水脏冷，鼻洪吐血。

合治 合王瓜等分为末，汤调二钱服，疗头痛。

禁 不入汤，久服伤五脏，令人赢瘦。

赝 白瓷为伪。

○ 木之土

冬灰

无毒　附荻灰、桑薪灰、青蒿灰、柃灰

冬灰主黑子，去疣[1]，息肉，疽蚀，疥瘙。

神农本经。

---

① 疣：原注"音尤"。

名 藜灰。

地 〔图经曰〕出方谷川泽，即今浣衣黄灰尔。烧诸蒿、藜积聚炼作之，性甚烈。又荻灰尤烈，欲销黑痣疣赘，取此三种灰和，水蒸以点之即去，不可广用，烂人皮肉。〔唐本注云〕桑薪灰最入药用，疗黑子疣赘功胜冬灰。用煮小豆，大下水肿。然冬灰本是藜灰，余草不真。又有青蒿灰，烧蒿成之；柃灰，烧木叶作之，并入染用，亦堪蚀恶肉。柃，一作苓字。〔衍义曰〕冬灰，诸家止解灰，而不解冬，亦其阙也。诸灰一烘而成，惟冬灰则经三四月方彻炉，此灰既朝夕烧灼，其力得不全燥烈乎？又体益重，今一蒸而成者，火力为劣，其体则轻，故不及冬灰也。若古紧面少容方中，用九烧益母灰，盖取此义尔。诸方中用桑灰自合，依本法既用冬灰则须尔。

用 经冬三月者佳。

色 青白。

味 辛。

性 微温，散。

气 气之厚者，阳也。

臭 朽。

主 去黑子，蚀恶肉。

治 〔疗〕〔陈藏器云〕桑灰去风血，癥瘕块及水癖，淋取酽汁，作饮服三五升。

合治 饼炉中灰，细罗，脂麻油调，疗汤火灼，以羽扫不得着水，仍避风。○桑灰汁合鳖一头，治如食法，同煎如泥，和诸癥瘕药重煎堪丸，众手捻成，日服十五丸，疗癥瘕，痃癖，无不瘥者。

〇 水之木

青琅玕

无毒　附琉璃、玻璃　石生

青琅玕出神农本经。主身痒，火疮痛伤，疥瘙死肌。以上朱字神农本经。白秃侵淫在皮肤中，煮炼服之，起阴气，可化为丹。以上黑字名医所录。

名 石珠、青珠。

地 〔图经曰〕青琅玕，生蜀郡平泽及嶲①州、西乌、白蛮中于阗国。苏恭云：琅玕乃有数种，是琉璃之类，火齐宝也。火齐珠名琅玕，五色惟青者入药为胜。秘书中有《异鱼图》载：琅玕，青色，生海中。云：海人于海底以网挂得之，初出水红色，久则青黑，枝柯似珊瑚而上有孔窍如虫蛀，击之有金石之声。《尔雅》云：西北之美者，有昆仑墟之璆琳、琅玕焉，孔安国、郭璞皆以为石之似珠者。《山海经》云：昆仑山有琅玕，若然，是石之美者，明莹若珠之色，而其状森植尔。大抵古人谓石之美者，多谓之珠。《广雅》谓：琉璃、珊瑚，皆珠也。故《本经》一名青珠，亦此义也。抑考之琅玕出海中，以其色莹如珠，故苏云：琉璃，火齐之类，实非琉璃也。盖琉璃火成，人为之物，此则天然成者，其不同也明矣。况《皇极经世》云：水之木，珊瑚之类，正此是也。盖珍瑰之物，山、海、谷俱产焉。

时 〔生〕无时。〔采〕无时。

质 类珊瑚，色青而有孔。

色 青白。

味 辛。

性 平，散。

气 气之薄者，阳中之阴。

臭 朽。

主 火疮，止痒。

助 得水银良。

---

① 嶲：原注"音随"。

反 畏鸡骨。

治 〔疗〕〔日华子云〕玻璃安心，止惊悸，明目，磨翳障。
〔陈藏器云〕琉璃主身热目赤，以水浸冷熨之。

解 杀锡毒。

十九种陈藏器余

玉井水味甘，平，无毒。久服神仙，令人体润，毛发不白。出诸有玉处，山谷水泉皆有。犹润于草木，何况于人乎？夫人有发毛，如山之草木，故山有玉而草木润，身有玉而毛发黑。《异类》云：昆仑山有一石柱，柱上露盘，盘上有玉水溜下，土人得一合服之，与天地同年。又太华山有玉水，人得服之长生。玉既重宝，水又灵长，故能延生之望。今人近山多寿者，岂非玉石之津乎？故引水为玉证。

碧海水味咸，小温，有小毒。煮浴，去风瘙疥癣。饮一合，吐下宿食，胪胀。夜行海中，拨之有火星者，咸水色既碧，故云碧海。东方朔《十洲记》云。

秋露水味甘，平，无毒。在百草头者愈百疾，止消渴，令人身轻不饥，肌肉悦泽。亦有化云母成粉，朝露未晞时拂取之。柏叶上露，主明目；百花上露，令人好颜色。露即一般所在有异，主疗不同。

甘露水味甘美，无毒。食之润五脏，长年不饥，神仙，缘是感应天降祐兆人也。

繁露水是秋露繁浓时也，作盘以收之，煎令稠，可食之，延年不饥，五月五日取露草一百种，阴干，烧为灰，和井华水，重炼令白，酿醋为饼，腋下挟之，干即易，主腋气臭。当抽一身间疮出，即以小便洗之。《续齐谐记》云：司农邓沼八月朝入华山，见一童子，以五彩囊承取柏叶下露，露皆如珠，云赤松先生取以明目。今人八月朝朝作露华明，像此也。汉武帝时，有吉云国有吉云草，食之不死。日照草木有露，著皆五色，东方朔得玄露，青、黄二露，各盛五合，帝赐群[1]臣，老者皆少，病者皆除。东方朔曰：日初出处，露皆如糖可食。汉武帝《洞冥记》所载。今时人煎露亦如糖，久服不饥。《吕氏春秋》云：水之美者，有三危之露，为水，即味重于水也。

六天气服之令人不饥长年，美颜色。人有急难阻绝之处用之，如龟蛇，服气不死。阳陵子《明经》言：春食朝露，日欲出时向东气也；秋食飞泉，日没时向西气也；冬食沆瀣，北方夜半气也；夏食正阳，南方日中气也，并天地、玄黄之气，是为六气。亦言平明为朝露，日中为正阳，日入为飞泉[2]，夜半为沆瀣，及天地、玄黄为六气，皆令人不饥，延年无疾者。人有堕穴中，穴中有蛇，蛇每日作此气，服之，其人既见蛇如此，依蛇时节，饥时便服，又即仿蛇，日日如之，经久渐渐有验，即体轻健，似能轻举，启蛰之后，人与蛇一时跃出焉。

梅雨水洗疮疥，灭瘢痕。入酱令易熟，沾衣便腐，

---

[1]　群：原作"郡"，据清本改。

[2]　飞泉：原作"泉飞"，据清本、科本改。

浣垢如灰汁，有异他水，江淮已南，地气卑湿，五月上旬连下旬尤甚，《月令》土润溽暑，是五月中气，过此节已后，皆须曝书。汉崔实七夕暴书，阮咸焉能免俗！盖此谓也。梅沾衣，皆以梅叶汤洗之脱也，余并不脱。

醴泉味甘，平，无毒。主心腹痛，痓忤，鬼气邪秽之属，并就泉空腹饮之。时代升平则醴泉涌出，读古史大有此水，亦以新汲者佳，止热消渴及反胃，腹痛，霍乱为上。

甘露蜜味甘，平，无毒。主胸膈诸热，明目，止渴。生巴西绝域中，如饧也。汉武帝立金茎，作仙人掌承露盘，取云表之露，服食以求仙。

冬霜寒，无毒。团食者，主解酒热，伤寒鼻塞，酒后诸热面赤者。

雹主酱味不正，当时取一二升酱瓮中，即如本味也。

温汤主诸风，筋骨挛缩及皮顽痹，手足不遂，无眉发，疥癣诸疾在皮肤骨节者，入浴。浴讫①，当太虚惫，可随病与药及饭食补养，自非有他病人，则无宜轻人。又云：下有硫黄，即令水热。硫黄主诸疮病，水亦宜然，水有硫黄臭，故应愈诸风冷为上，当其热处，大可燖②猪羊。

夏冰味甘，大寒，无毒。主去热，烦热，熨人乳石发，热肿。暑夏盛热，食此应与气候相反，便非宜人，或恐

---

① 讫：原作"干"，据《纲目》改。

② 燖：原作"挦"，据清本改。

入腹，冷热相激，却致诸疾也。《食谱》云：凡夏用冰，正可隐映饮食，令气冷，不可打碎食之，虽腹当时暂快，久皆成疾。今冰井，西陆朝觌出之，颁赐官宰，应悉此。《淮南子》亦有作法，又以凝水石为之，皆非正冰也。

方诸水味甘，寒，无毒。主明目，定心，去小儿热烦，止渴。方诸，大蚌也。向月取之，得三二合水，亦如朝露。阳燧向日，方诸向月，皆能致水火也。《周礼》明诸承水于月，谓之方诸。陈馔明水以为玄酒，酒水也。

乳穴中水味甘，温，无毒。久服肥健人，能食，体润不老，与乳同功。近乳穴处人取水作食酿酒，则大有益也。其水浓者，秤重他水。煎上有盐花，此真乳液也。所为穴中有鱼，出鱼部中。

水花平，无毒。主渴。远行山无水处，和苦瓜蒌为丸，朝预服二十丸，永无渴。亦入杀野兽药，和狼毒、皂荚、矾石为散，揩安兽食余肉中，当令不渴，渴恐饮水药解，名水沫。江海中间，久沫成乳石，故如石水沫，犹软者是也。

赤龙浴水小毒，主瘕结气，诸瘕，恶虫入腹及咬人生疮者。此泽间小泉，赤蛇在中者，人或遇之，经雨，取水服及入浴。蛇有大毒，故以为用也。

粮罂中水味辛，平，小毒。主鬼气，中恶，痓忤，心腹痛，恶梦，鬼神。进一合，多饮令人心闷。又云：

洗眼见鬼，未试。害蛔蛊^①，其清澄久远者佳。《古冢文》云：遯留余节，瓜毒溃尸。言此二物不烂，余皆成水。北人呼粮罂为食罂也。

甑气水主长毛发，以物于炊饮饭时承取，沐头，令发长密黑润，不能多得。朝朝梳小儿头，渐渐觉有益好。

本草品汇精要卷之五

---

① 害蛔蛊：《纲目》作"杀蛔虫"。

本草品汇精要

·卷之六·

玉 石 部
下品之下

已上总四十四种，内一十五种今增图

自然铜宋附　　　金牙　　　铜矿石唐附，今增图

铜弩牙今增图　　金星石宋附，银星石附

特生礜石今增图　　握雪礜石唐附，今增图

梁上尘唐附，今增图　　土阴孽今增图

锻灶灰灶突墨、灶中①热灰附，今增图　　　淋石宋附

礞石宋附，今增图　　姜石唐附，粗理黄石、水中圆石附

麦饭石原附姜石下，今分条　　井泉石宋附　　苍石今增图

花乳石宋附　　石蚕宋附，今增图　　石脑油宋附，今增图

白瓷瓦屑唐附，今增图　　乌古瓦唐附，今增图　　不灰木宋附

蓬砂宋附　　铅霜宋附，今增图　　古文钱宋附，今增图

蛇黄唐附　　东流水及千里水②今补

甘烂水今补　　粉霜今补

一十五种陈藏器余

好井水及土石间新出泉水③　　　正月雨水

生熟汤　　屋漏水　　三家洗碗水

蟹膏投漆中化为水　　猪槽中水

市门众人溺坑中水　　盐胆水　　水气

冢井中水　　阴地流泉

铜器盖食器上汗　　炊汤　　诸水有毒

---

① 中：原脱，据总目补。

② 及千里水：原无，据正文药名补。

③ 及土石间新出泉水：原无，据正文药名补。

本草品汇精要卷之六

玉石部下品之下

○ **石之金**

自然铜

石生

自然铜主疗折伤，散血止痛，破积聚。名医所录。

名 石髓铅。

地 〔图经曰〕生邕州山岩中出铜处，今信州、火山军皆有之。于铜坑中及石间采之，方圆不定，其色青黄如铜，不从矿炼，故号自然铜。今信州出一种，如乱铜丝状，云在铜矿中，山气熏蒸自然流出，亦若生银，如老翁须之类，入药最好；火山军者，颗块如铜而坚重如石，医家谓之鍒石，用之力薄。今南方医者说自然铜有两三体：一体大如麻黍，或多方解，累累相缀，至如斗大者，色煌煌明烂如黄金、瑜石，最上；一体成块，大小不定，亦光明而赤；一体如姜铁屎之类。又有如不冶而成者，形大小不定，皆出铜坑中，击之易碎，有黄赤，有青黑者，炼之乃成铜。据如此说，虽分析颇精而未见以乱丝者。又云：今市人多以鍒石为自然铜，烧之皆成青焰，如硫黄者是也。此亦有二三种：一种有壳，如禹余粮，击破，

石鍒

其中光明如鉴，色黄类碯石也；
一种青黄而有墙壁，或纹如束
针；一种碎理如抟砂者，皆光
明如铜，色多青白而赤，少者
烧之皆成烟焰，顷刻都尽。今
医家多误以此为自然铜，市中
所货往往是此。自然铜用多须
煅，此乃畏火，不必形色，只
此可辨也。〔雷公云〕石髓铅，
即自然铜也。凡使，勿用方金牙，
其方金牙真似石髓铅，若误饵
吐杀人。其石髓铅，色似干银
泥。〔别录云〕自然铜出信州
铅山县银场铜坑中，深处有铜
矿，多年矿气结成。似马屁勃，
色紫重，食之苦[①]涩，是真自然
铜。今人只以大礐石为自然铜，
误也。〔别说云〕今辰州川泽
中出一种，形圆似蛇含，大者
如胡桃，小者如栗，外有皮黑
色光润，破之与鉎石无别，但
比鉎石不作臭气耳，入药用之
殊验。

---

① 苦：原作"若"，据清本改。

时 〔生〕无时。

质 类方金牙。

色 青黄。

味 辛。

性 平。

气 气之薄者，阳中之阴。

臭 腥。

主 筋骨折伤。

制 〔雷公云〕如采得先捶碎，同甘草汤煮一伏时，至明漉出，摊令干。入臼中捣了，重筛过，以醋浸一宿，至明，用泥六两、盐一两，令匀，名为六一泥，固封。瓷合子约盛二升已来，于文武火中养三日夜才干，便用盖盖了，泥固。火煅两伏时，去土抉盖，研如粉用。若修事五两，以醋两镒为度。

治 〔疗〕〔日华子云〕排脓，消瘀血，续筋骨。

合治 合酒磨服。治产后血邪，安心，止惊悸。○研极细末，水飞过，合当归、没药各五分，酒调顿服，疗打扑损。服药后仍以手磨痛处。

赝 方金牙及大碙石为伪，误服吐杀人。䃥石烧之有臭气，亦为伪。

○ 石之石

金牙

无毒　石生

金牙主鬼疰，毒蛊，
诸疰。名医所录。

地〔图经曰〕生蜀郡，今雍州亦有之。此物出于溪谷，在蜀汉江岸，石间打出者，内即金色，岸摧入水，年久者多黑。葛仙翁有大小金牙酒，孙真人有大小金牙散，用者是也。又有铜牙亦相似，而外黑色，方书少见用者。〔唐本注云〕金牙离本处，入土水中久，皆色黑，不可谓之铜牙也。此出汉中金牙，湍湍两岸入石间，打出者内即金色，岸摧入水，久者皆黑。近南山溪谷，茂州、维州亦有，胜于汉中者。〔衍义曰〕金牙，今方家绝少用。以此，故商客无利不贩卖，医者由是委而不用兼所出。惟蜀郡有之，盖亦不广也。

时〔生〕无时。

用 金色者佳。

色 赤。

味 咸。

性 软。

气 味厚于气，阴也。

臭 朽。

主 舒筋骨，暖腰膝。

合治 烧赤，合酒浸服之，治一切风，筋骨挛急，腰脚不遂者，并良。○烧赤淬酒，去粗滓，温饮之，治一切冷风气，暖腰膝，补水脏，除惊悸及小儿惊痫。○以四两捣末，别盛练囊，合细辛、地肤子、莽草、干地黄、蒴藋根、防风、附子、茵芋、续断、蜀椒各四两，独活一斤，十一物皆薄切，并金牙共内大绢囊中，以清酒四斗渍之，密泥器口四宿，酒成矣。温服二合，日三，渐增之，疗风痓百病，虚劳湿冷，缓痹不仁，不能行步，用之多效。

○ 石之石

铜矿石

有小毒　石生

铜矿石主疔肿，恶疮。驴马脊疮，臭腋。石上水磨取汁，涂之。其疔肿，末之。傅疮上良。名医所录。

地　〔别录云〕此石出蜀郡铜矿中，夹土石而生，状如姜石，而有铜星，熔取铜者是也。

时　〔生〕无时。

用　有铜星者佳。

色　黄赤。

味　酸。

性　寒。

气　味厚于气，阴也。

臭　腥。

主　疮肿。

制　磨汁或研细用。

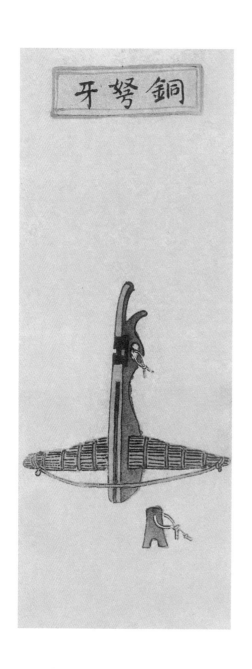

铜弩牙

微毒

铜弩牙主妇人产难，血闭，月水不通，阴阳膈塞。名医所录。

地〔陶隐居云〕即今之所用射者是也。取烧赤，内酒中，饮汁。得古者弥胜。按《南越志》云：唐时龙川尝有铜弩牙，流出水皆银黄，雕镂取以制弩。

用 年久者良。

色 黄。

性 平。

气 气之薄者，阳中之阴。

治〔疗〕〔别录云〕疗小儿吞珠、珰、钱而哽，铜弩牙烧令赤，内水中冷，饮其汁，立出。

合治 铜弩牙烧赤，投醋三合，良久，顿服，令妊娠易产。○又烧赤，内酒中，饮之，疗误吞铜、铁而哽者，立愈。

金星石

无毒　附银星石　土生

金星石主脾肺壅毒及主肺损，吐血，嗽血，下热涎，解众毒。又有银星石，主疗与金星石大体相似。名医所录。

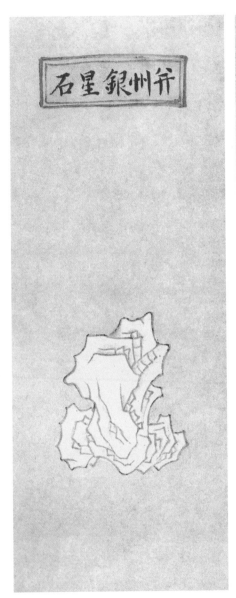 

　　地〔图经曰〕生并州，濠州又有一种银星石，然其色不同，
而体性亦相似也。〔衍义曰〕金星石于苍石内，外有金色麸片；
银星石有如银色麸片。又一种深青色坚润，中有金色如麸片，不
入药。工人碾为器，或首饰多用之。

时 〔采〕无时。

用 苍色有金星者为佳。

色 苍。

味 淡。

性 寒。

气 气之薄者，阳中之阴。

臭 朽。

主 清肺热，止吐血。

制 火煅，研细，水飞用。

治 〔疗〕〔衍义曰〕去大风疾。

解 诸毒。

○ 石之石

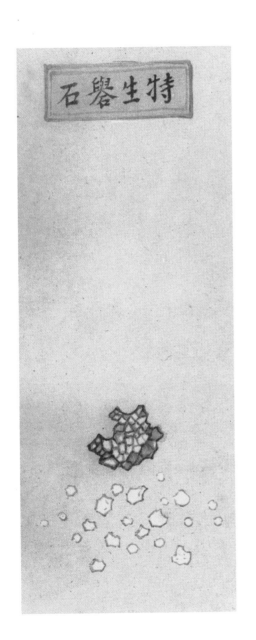

特生礜石

有毒

特生礜石主明目，利
耳，腹内绝寒，破坚
结及鼠瘘，杀百虫恶
兽。久服延年。名医所录。

名 苍礜石、鼠毒。

地 〔图经曰〕生西域及梁州。〔陶隐居云〕旧鹳巢中者最佳，鹳常入水，冷，故取以壅卵令热，今不可得。惟用出汉中者，其外形紫赤色，内白如霜，中央有臼，形状如齿者佳。《大散方》云：又出荆州新城郡房陵县，缥白色为好。用之亦先以黄土包烧之，合玉壶诸丸用。此《仙经》不云特生，则止是前白礜石耳。〔唐本注云〕陶所说特生，云中如齿白形者是。今出梁州，北马道戍涧中亦有之，形块大于白礜石，而肌粒大数倍，乃如小豆许，白礜石粒细若粟米耳。〔衍义曰〕特生礜石并礜石，《博物志》及陶隐居皆言此二石，鹳取以壅卵，如此，则是一物也。隐居又言：《仙经》不云特生，则止是前白礜石。今补注但随文解义，不见特生之意，盖二条止是一物，但以特生、不特生为异耳。所谓特生者，不附着他石为特耳。今用者绝少，惟两字礜石入药。然极须慎用，其毒至甚。及言鹳巢中者，恐为谬说，况鹳巢中皆无此石，乃曰鹳常入水，冷，故取以壅卵。如此鸬鹚、雁鹜之类皆食于水，亦自繁息生化，复不用此，亦不必泥于鹳巢中者也。

时 〔采〕无时。

用 独生，不附石者良。

色 外紫赤，内白。

味 甘。

性 温，缓。

气 气之厚者，阳也。

臭 臭。

反 畏水。

制 火炼用。

○ 石之石

握雪礜石

无毒　石生

握雪礜石主瘤冷，积聚，轻身延年。多食令人热。名医所录。

名 化公石。

地 〔图经曰〕出徐州西宋里山，入土丈余，于烂土石间，黄白色，细软如面。一名化公石，又名石脑。考之中品自有石脑一条，但所产虽同而主疗甚别，似乎重出于此，正如徐长卿一名鬼督邮之类也。

时 〔采〕无时。

用 细软如面者佳。

色 黄白。

味 甘。

性 温，缓。

气 气之厚者，阳也。

臭 朽。

主 冷疾。

制 研细用。

梁上尘

无毒

梁上尘主腹痛，噎膈[①]，中恶，鼻衄，小儿软疮。名医所录。

---

① 膈：原脱，据《纲目》补。

地 处处梁上皆有之。

时 〔采〕无时。

用 远去烟火者佳。

色 黑。

性 平、微寒。

气 气之薄者，阳中之阴。

臭 朽。

主 止衄。

制 〔雷公云〕凡使，须去烟火远者，高堂殿上拂下，筛用之。

治 〔疗〕〔别录云〕小便不通及胞转者，取梁上尘三指撮，以水服之，瘥。及自缢死者，用梁上尘如大豆许，各内一筒中，四人各一筒，同时极力吹两耳鼻，即活。

合治 合醋，和涂妒乳，亦治阴肿。○合灶突墨①，二味酒服方寸匕，疗妇人日月未足而欲产。○合葵茎等分，醋和傅痈肿。○合酒服方寸匕，疗横生不可出及倒产。○合油瓶中滓，疗小儿头疮，先以皂荚汤洗净，涂之，瘥。

---

① 墨：原作"煤"。据同卷"锻灶灰"条及《纲目》改。

○ 石之土

土阴孽

无毒　土生

土阴孽主妇人阴蚀，
大热，干痂。名医所录。

地 〔图经曰〕生高山崖上之阴，色白如脂。〔陶隐居云〕此犹似钟乳、孔公蘖之类，故亦有蘖名，但在崖上耳。〔唐本注云〕此即土乳是也，出渭州鄣县三交驿西北坡平地土窟中，见有六十余坎，是昔人所采之处。土人云：服之亦同钟乳而不发热。陶及《本经》俱云在崖上，此说非也。今渭州不复采用。别本注云：此则土脂液也，生于土穴，状如殷蘖，故名土阴蘖也。

时 〔采〕无时。

用 如脂白者为好。

质 状如殷蘖。

色 白。

味 咸。

性 软。

气 味厚于气，阴也。

臭 朽。

制 研细用。

锻灶灰

无毒　附灶突墨、灶中
热灰

锻灶灰主癥瘕坚积，
去邪恶气。名医所录。

地〔陶隐居云〕此即锻铁灶中灰耳，兼得铁力。治疾多获其效，今处处有之。

色 黑。

臭 朽。

主 消坚积。

制 碾细用。

治〔疗〕〔陶隐居云〕除暴癥大有功。〔陈藏器云〕灶突后墨①，主产后胞衣不下，为末，以三指撮暖水及酒服之。天未明时取，至验也。

合治 灶中热灰合醋，熨心腹冷气痛及血气绞痛，冷即易之。

---

① 墨：原作"黑土"，据目录改。

淋石

无毒

淋石主石淋。水磨服之，当得碎石随溺出。名医所录。

〔谨按〕淋石乃患石淋之人溺中出者，非他物也。盖人下部郁结湿热，积久不散，移入膀胱，煎熬日渍，轻则凝如脂膏，甚则结如砂石，即若烹器煎熬日久遂成汤碱之义。候出时收之仍服以治淋，正谓物各从其类也。

收　瓷器贮之。

色　白。

味　咸。

性　温。

气　气厚于味，阳中之阴。

臭　臊。

主　噎病，吐食。

制　水磨服之。

礞石

石生

礞石主食积不消，留滞在脏腑，宿食，癥块久不瘥。及小儿食积羸瘦，妇人积年食癥，攻刺心腹。名医所录。

名 青礞石。

地 〔谨按〕旧本不载所出州郡，今齐鲁山中有之。青色微有金星，其质坚理细，凿制为磨，取其出物最速，为末亦细。及考王隐君论痰致病百端，入滚痰丸用之。丹溪治食积成痰，良有验也。

时 〔采〕无时。

用 微有金星，质坚色青者为佳。

质 类玄石而有星。

色 青。

臭 朽。

主 坠痰，消食。

助 得硇砂、巴豆、大黄、京三棱等良。

制 每二两捶碎，用焰硝二两同入小砂罐内，瓦片盖定，铁线缚之，盐泥固济，晒干，火煅红，上有金星透出为度。候冷，研为极细末。

姜石

无毒　附粗理黄石、水中
圆石　土石生

姜石主热，豌豆疮，
疔毒等肿。名医所录。

地〔图经曰〕生土石间,
齐州历城东者良。所在亦有,
今惟出齐州。其状如姜,有五种。
凡用,以白烂而不碥^①者好。又
有粗理黄石、水中圆石,多主
痈疽疮肿,然皆各有其效,故
并附之。〔衍义曰〕姜石所在
皆有,须不见日色,旋取微白
者佳。

时〔采〕无时。

用 烂而不碥者佳。

色 白。

味 咸。

性 寒,软。

气 味厚于气,阴也。

臭 朽。

主 疔肿,痈疽。

制 研细用。

治〔疗〕〔别录云〕水中
圆石,治背上忽肿,渐如碟子大,
不识名者,以一两,碗烧令极热,
投入清水中,沸定后,洗肿处,
立瘥。

石黄鹿麛

① 碥: 原注"插茬切"。

合治 白姜石末合鸡子清，傅疔肿，其疔自出。乳痈涂之亦善。
○粗理黄石，如鹅卵大，猛烈火烧令赤，频淬酽醋中，待淬石至尽。
取屑暴干捣筛，和醋涂，疗背疮，立愈。

○ 石之石

麦饭石

麦饭石治发背，诸般痈疽，神效。名医所录。

　地〔图经曰〕其石粗黄白，类麦饭，曾作磨砧者尤佳。抑考陈自明云：麦饭石不可作磨，古云作磨者尤佳，恐惑人矣。盖因其石状如饭团生粒点耳。若无此石，当以旧面磨近齿处石代之，取其有麦性故也，屡试得效。此石铺家有时亦无卖者，如欲用之，但于溪中寻麻石中有白石肌，粒如豆，如米大者即是也。但其石大小不同，或如拳，或如鹅卵，或如盏大者，大略如握聚一团麦饭耳。

　时〔采〕无时。

　质 类麦饭团。

　色 黄白。

　臭 朽。

　制 不限多少，用炭火煅至红，以好酽米醋淬之。如此煅淬十次，却，碾为末，重罗去粗者，取细末入乳钵内，用数人更迭研五七日，要如面样，极细为妙。若不细，涂疮极痛难忍。

　合治 煅成细末二两，合生取鹿角一具，连脑骨全者，截作二三寸长，用炭火烧令烟尽为度，碾罗为末，再入乳钵研令极细，四两，并白蔹末二两，三物同和，用三年好米醋入银石器中，煎令鱼眼沸，却，旋旋入前药末在内，用竹篦子不住手搅，熬一二时久，令稀稠得所，取出倾在瓷盆内，候冷，以纸盖其上，勿令著尘埃。每用时，先用猪蹄汤洗去痛疮上脓血至净，以故帛挹干，以鹅翎蘸药膏涂傅四围，凡有赤处尽涂之，但留中心一孔如钱大，以出脓血，使热毒之气随出。如脓未溃，能令内消；如已溃，则排脓如湍水，逐日见疮口收敛。如患疮久，肌肉腐烂，筋骨出露，用旧布片涂药以贴疮上，但膈膜不穴，亦能取安。洗疮勿以手触动嫩肉，仍不可以口气吹着疮，更忌有腋气之人及月经见行妇人或有孕者，合药时亦忌之。

　代 如无此石，取旧面磨近齿处石代之。

○ 石之石

井泉石

无毒　土生

井泉石主诸热，治眼肿痛，解心脏热结，消去肿毒及疗小儿热疳，雀目，青盲。名医所录。

地 〔图经曰〕生深州城西二十里剧家村地，泉深一丈许，其石如土色，圆方、长短、大小不等，内实外圆，作层重叠相交者。一种出饶阳郡者为胜，生田野间，穿地深丈余得之。又有一种如姜石，时人多指以为井泉者，非也。

时 〔采〕无时。

用 重叠作层者佳。

色 青黑。

性 大寒。

气 气之薄者，阳中之阴。

臭 朽。

主 疗诸热毒。

制 研细如粉，水飞过用。

合治 合大黄、栀子，治眼脸肿。○合决明、菊花，疗小儿眼疳，生翳膜甚良，亦治热嗽。

禁 制不如法，使人患淋。

○ 石之石

苍石

有毒　石生

苍石主寒热下气，瘰
蚀，杀禽兽。名医所录。

地　〔图经曰〕生西域。〔唐本注云〕特生礜石，一名苍礜石，而梁州特生亦有青者。今房陵、汉川与白礜石同处，有色青者，并毒杀禽兽，与礜石同。汉中人亦取以毒鼠，不入方用。此石出梁州、均州、房州，与二礜石同处。特生苍石并生西域，在汉川金州也。

时　〔采〕无时。

色　苍。

味　甘。

性　平，缓。

气　气厚于味，阳中之阴。

臭　朽。

○ 石之石

花乳石

花乳石主金疮，止血，
又疗产妇血晕，恶血。

名医所录。

名 花蕊石。

地 〔图经曰〕出陕华诸郡，其阌乡县者体至坚重，色如硫黄，形块有小大，方圆无定。陕人用琢为器，古方未有用者。〔衍义曰〕于黄石中间有淡白点，以此得花之名。今惠民局花乳石散用者，是此也。

时 〔采〕无时。

质 类硫黄，有淡白点而坚重。

色 黄白。

臭 朽。

主 产妇血晕。

制 火煅通赤，碾细用。

治 〔疗〕〔图经曰〕人仓卒中金刃，刮取石上细末，傅之效。

合治 合硫黄，同煅研末，傅金疮，其效如神。

.... ○ 石之石

石蚕

无毒，《药诀》云有毒
水石生

石蚕主金疮，止血生
肌，破石淋血结。磨
服之，当下碎石。名
医所录。

地 〔图经曰〕生海岸石傍，状如蚕，其实石也。

时 〔采〕无时。

质 类僵蚕。

色 青白。

味 苦。

性 热。

气 气厚于味，阳中之阴。

臭 朽。

主 石淋，金疮。

制 研细或磨用之。

石脑油

石生

石脑油主小儿惊风化涎，可和诸药作丸服。道家多用，俗方亦不甚须。名医所录。

地^①〔衍义曰〕石脑油真者难收，多渗蚀器物。今入药最少，烧炼或须也。仍常用有油^②器贮之，又研生砒霜入石脑油，再研如膏，入坩埚内，用净瓦片子盖定，置火上，俟埚子红。泣尽油。出之，又再研，再入油，再上火。凡如此两次，即砒霜伏矣。

时 〔采〕无时。

收 用瓷器密固之，不可近金银器，虽至完密直尔透之。

色 黑。

主 祛风化痰。

———————

① 地：原无，据义例补。
② 油：原注"去声"。

○ 石之土

白瓷瓦屑

无毒

白瓷瓦屑主妇人带下
白崩，止呕吐，破血，
止血。水磨涂疮，灭
瘢。名医所录。

地 〔图经曰〕定州瓷器者良，余皆不如也。

色 白。

性 平。

气 气之薄者，阳中之阴。

臭 朽。

制 捣为末，或水磨用。

治 〔疗〕〔别录云〕捣为细末，每抄一剜耳许，吹入鼻中，治鼻衄久不止。

合治 合猪脂和涂，疗人面卒得赤黑丹如疥状，不急治，发遍身即死。如白丹者，用之良。

乌古瓦

无毒

乌古瓦以水煮及渍汁饮，止消渴。名医所录。

地〔图经曰〕处处有之，以屋上年深者良。

色 黑。

性 寒。

气 气之薄者，阳中之阴。

臭 朽。

制 水煮或渍汁用。

治〔疗〕〔药性论云〕煎汤，解人中大热。〔日华子云〕煎汁服之，止小便。〔陈藏器云〕汤火伤，当取土底深者，既古且润三角瓦子。灸牙痛法：令三姓童子，候星初出时，指第一星，下火，三角瓦上灸之。

○ 石之木

不灰木

不灰木主热痹疮。和枣叶、石灰为粉，傅身。名医所录。

名 无灰木。

地 〔图经曰〕出上党，今泽、潞山中皆有之，盖石类也。其色青白如烂木，烧之不燃，以此得名。或云：滑石根也，出滑石处皆有之，亦名无灰木。今处州山中出一种松石，如松干而实石也，或云松久化为石。人家多取以饰山亭及琢为枕，虽不入药，然与不灰木相类，故附之。

时 〔采〕无时。

质 类烂木。

色 青白。

味 淡。

性 大寒。

气 气味俱薄，阴也。

臭 朽。

主 傅热疮。

制 〔陈藏器云〕细研入药用。要烧成灰，即斫破，以牛乳煮了，用黄牛粪烧之，便成灰也。

○ 石之水

蓬砂

无毒　土生

蓬砂主消痰，止嗽，破癥结，喉痹，及焊金银用。名医所录。

名 鹏砂。

地〔图经曰〕出于南海，其状甚光莹，亦有极大块者，今医家治咽喉最为切要之药也。〔衍义曰〕南番者，色重褐，其味和，其效速；西戎者，其色白，其味焦，其功缓，亦不堪作焊。

时〔采〕无时。

收 瓷器盛贮。

用 光莹色褐者佳。

色 白褐。

味 苦、辛。

性 温，泄。

气 气厚味薄，阳中之阴。

臭 腥。

主 喉闭。

制 研细用。

治〔疗〕〔衍义曰〕蓬砂含化咽津，治喉中肿痛，膈上痰热。初觉便用，不成喉痹，亦缓取效，可也。

蓬砂

铅霜

无毒

铅霜主消痰，止惊悸，
解酒毒，疗胸膈烦闷，
中风，痰实，止渴。

名医所录。

地 〔图经曰〕用蜀郡平泽铅十五两、符陵平土水银一两合炼作片，置醋瓮中，密封。经久成霜，谓之铅白霜，今医家多用之。〔衍义曰〕取涂木瓜以失酸味，盖金克木之义也。

用 霜。

色 白。

性 冷。

气 气之薄者，阳中之阴。

臭 朽。

主 止惊悸，去风痰。

制 研细用。

治 〔疗〕〔图经曰〕消风痰及镇惊。〔衍义曰〕凉膈热，涎塞。〔别录云〕为末，新汲水调一字服之，止鼻衄。

合治 细研一钱，合温生地黄汁一合调下，治室女月经滞涩，心烦恍惚。或生地黄煎汤调服，亦得。

解 酒毒。

古文钱

有毒

古文钱主翳障，明目，疗风赤眼，盐卤浸用。妇人横逆产，心腹痛，月隔，五淋，烧，以醋淬用。名医所录。

地 〔图经曰〕凡铸铜之物，多和以锡。《考工记》曰：攻金之工，金有六齐是也。如药用铜弩牙之类，皆以有锡，故其用亦近之。〔衍义曰〕古铜焦赤，治诸疾者，非特为有锡也。此说非是，今但取景王时大泉五十及宝货秦半两，汉荚钱大小五铢，吴大泉五百，大泉当千，宋四铢、二铢，及梁四柱，北齐常平五铢耳。后其品尚多，如此之类，方可用也。

用 古者良。

色 青。

性 平。

气 气之薄者，阳中之阴。

臭 腥。

治 〔疗〕〔陈藏器云〕青钱煮汁，主五淋。磨入目，治盲障肤赤。○比轮钱，以新汲水投服之，疗时气；含青钱，治口内热疮。〔衍义曰〕少时常自患暴赤目肿痛，数日不能开。客有教以生姜一块，洗净去皮，以古青铜钱刮取姜汁，就钱棱上点，初甚苦热，泪蔑面，然终无损。后有患者，教如此点，往往疑惑。信士点之，无不获验。一点遂愈，更不再作。有疮者不可用。

合治 合薏苡根煮服，疗心腹痛。○以二十文烧赤投酒中，服之，利妇人横产。

○ 石之石

蛇黄

无毒

蛇黄主心痛疰忤，石淋，产难，小儿惊痫。以水煮研，服汁。名医所录。

地 〔图经曰〕出岭南，今越州、信州亦有之。《本经》云：是蛇腹中得之，圆重如锡，黄黑青杂色。注云：多赤色，有吐出者，野人或得之。今医家用者，大如弹丸，坚如石外黄内黑色。云：是蛇冬蛰时所含土，到春发蛰吐之而去，与旧说不同，未知孰是。

时 〔采〕二月取。

质 类弹丸。

色 黄黑青杂色，或赤。

性 冷。

制 〔日华子云〕如入药，烧赤三四次，醋淬，研细，飞过用。

治 〔疗〕〔日华子云〕镇心。

东流水及千里水^①

无毒

东流水及千里水主病后虚弱，二者皆堪荡涤邪秽。今补^②。

---

① 及千里水：原无，据正文药名补。

② 今补：原作"名医所录"，据目录及义例改。

〔谨按〕水自昆仑发源，由江河淮济而注于海，所谓江汉朝宗是也。然人病后虚弱，而气不能健运者，必用东流水及千里水也。盖千里水不泥于东流者，但取其活水耳。其东流水，必取其向东流者也。然水有二，功用则一。扬之万过以煮药，则药假其力以运行，而元气生生不息矣。抑考陈藏器云：水本为一物，皆堪荡涤邪秽，煎煮汤药，禁咒鬼神，潢污行潦，尚可荐羞王公，况其灵长者哉。盖取其洁诚也。《本经》云：东流水为云母所畏，炼云母用之，与诸水不同，即其验也^①，故《衍义》取其快顺疾速，通关下膈之义，乃因其性而用也。

时 〔采〕无时。

用 东流扬过者佳。

色 白。

味 甘。

性 平，寒。

气 气之薄者，阳中之阴。

---

① 　抑考陈藏器云……即其验也：据清本卷五"千里水及东流水"条下记载，其文为"味平，无毒，主病后虚弱。汤之万过煎药，禁神，验。二水皆堪荡涤邪秽，煎煮汤药，禁咒鬼神，潢污行潦，尚可荐羞王公，况其灵长者哉。盖取其洁诚也。《本经》云：东流水为云母所畏，炼云母用之。与清水不同，即其效也"。两者内容雷同。故底本卷五正文无"千里水"条，合并于卷六"东流水及千里水"条中。

甘烂水

无毒

甘烂水主霍乱，及入膀胱，治奔豚，药用殊胜。今补①。

---

① 今补：原作"名医所录"，据目录及义例改。

地 〔汤液本草云〕扬之水上成珠是也。《外台秘要》作甘烂水法：以木盆盛汤，杓扬千百次，泡起作珠千百颗，撇取之。〔谨按〕仲景治奔豚之药，用甘烂水煎，以杓扬之而缓其本然之性，故曰甘也。水上有珠数千颗相逐，其光灿然，故曰烂也。盖肾属水，恐水从类而助邪，故扬之，使其无力不能助矣。《经》曰：缓则气味薄是也。仲景用之，深得轩岐之微旨。

时 〔采〕无时。

用 扬过作沤者佳。

色 白。

味 甘。

性 微温。

气 气之薄者，阳中之阴。

粉霜

有小毒

粉霜主急风口噤，手足搐搦，涎潮作声，止痢脓血，消瘰疬。今补。

炒砂研麪

〔谨按〕升粉霜之法：用焰硝、食盐、白矾、皂矾各一斤，入铁锅内炒，熔成汁，急以铁铲频搅，结成黄色砂子，谓之粗面。内石臼中，以铁杵研令极细，谓之细面。入水银一斤，研令不见微星为度，是谓汞面。分作四分，先以阳城罐长五六寸者，用细炭灰一斤，入盐六两，水和得所，留罐口二分许，周匝固济，晒干。内汞面一分于内，上用铁灯盏深一二寸者盖之，下用铁鉡，上用

铁线，将灯盏与锌缠束极紧。外用盐十两，白炭灰十六两，水和为泥，捏作饼子，烧通红，待冷，研为细末。水调得所，用小竹签细细将罐口封固，约一指厚，盏罐相平，晒极干。用大铁钉三个钉在地下，高三四寸，周围离罐二寸，用砖数个围成炉。煤用四斤，炭用二斤。火候之法：先文后武。煤炭陆续旋添上，勿近盏。待盏热时，徐徐添极热水，止可九分满，水少即添，常令水足。

仍以沿盏边滚为度，若满盏通滚为火大，火大则罐必裂；慢慢滚起为火小，火小则粉不升。水上火下，欲其相济，别点长线香，以三炷为则。至二炷香尽时，火方渐渐近盏，与盏相平；至三炷香完，即便去火。莫动其罐，待罐极冷时，方可开罐。罐底曲渣不用，盏下之霜用刀刮下，其色尚未白，至汞曲四分俱升毕时，共研为细末，通入一罐。如前法再升一遍，其色渐白，再研为细末。如前法再升一遍，其霜坚白，状如寒水石一般，方入药用也。

一十五种陈藏器余

好井水及土石间新出泉水味甘，平，无毒。主霍乱，烦闷，呕吐，腹空，转筋。恐入腹及多服之，名曰洗肠。人皆惧此，尝试有效，不令腹空，空则更服。如遇力弱身冷，则恐脏胃悉寒，寒则不能支持，当以意消息，兼及当时横量灸脊骨三五十壮，令暖气彻内补胃气间，不然则危。又主消渴，反胃，热痢，淋，小便赤涩，兼洗漆疮，射痈肿令散。久服调中，下热气，伤胃，利大小便。并多饮之令至喉，少即①消下。

正月雨水夫妻各饮一杯，还房，当获时有子，神效也。

生熟汤味咸，无毒。热盐投中饮之，吐宿食毒，恶物之气，胪胀欲为霍乱者，觉腹内不稳，即进一二升，令吐得尽，便愈。亦主痰疟，皆须吐出痰及宿食。调中消食，又人大醉，及食瓜果过度，以生熟汤浸身，汤皆为酒及瓜味。《博物志》云：浸至腰，食瓜可五十枚；至胫颈则无限。未试。

屋漏水主洗犬咬疮，以水浇屋檐，承取用之。以水滴檐下，令土湿，取土以傅犬咬处疮上，中大有毒，误食必生恶疾。

三家洗碗水主恶疮久不瘥者，煎令沸，以盐投中洗之，不过三五度，立效。

---

① 即：原脱，据《证类本草》补。

　　蟹膏投漆中化为水仙人用和药。《博物志》亦载。又蚯蚓破之去泥，以盐涂之化成水，大主天行诸热，小儿热病，痫癫等疾。新注云：涂丹毒并傅漆疮，效。

　　猪槽中水无毒。主诸蛊毒，服一杯。主蛇咬，可浸疮，皆有效验者矣。

　　市门众人溺坑中水无毒。主消渴。重者取一小盏服之，勿令病人知之，三度，瘥。

　　盐胆水味咸、苦，有大毒。主䘌蚀，疥癣，瘘，虫咬。马牛为虫蚀，毒虫入肉生子毒。六畜饮一合，当时死，人亦如之。并盐初熟，槽中沥黑汁也。主疮，有血不可傅也。

　　水气有毒。能为风湿①疼痹，水肿面黄腹大，初在皮肤、脚、手，入渐至六腑，令人大小便涩。主五脏渐渐加至，忽攻心便死，急不旋踵，无宽延岁月。既是阴病，复宜以阴物生类，诸猪、鱼、螺、鳖之属。春夏秋宜泻，冬宜补，药尤宜浸酒中服之，随阴阳所行者。昔马援南征，多载薏苡仁。闵叔留寓，常食猪肝，盖以为湿疾也。江湖间雾气成瘴，两山夹水中气疟，一冷一热，相激成病症，此三疾俱是湿为。能与人作寒热，消铄骨肉，南土尤甚。若欲医疗，须细分析，其大略皆瘴类也。人多一概医之，则不瘥也。

---

① 湿：《证类本草》作"温"。

　　冢井中水有毒。人中之者立死。欲入冢井者，当先试之。法：以鸡毛投井中，毛直而下者无毒；毛回旋而舞似不下者有毒。以热醋数斗投井穴中，则可入矣。凡冢井及灶中，从夏至秋，毒气害人，从冬至春，则无毒气。凡秋露、春水著草木，亦能害人，冬夏则无。人素为物所伤，并有诸疮，触犯毒露及毒水，觉疮顽不痒痛，当中风水所为，身必反张似角弓。主之法：以盐、豉和面作碗子，盖疮上，作大艾炷，灸一百壮，令抽恶水数升，举身觉痒，疮处知痛，瘥也。

　　阴地流泉二月、八月行途之间勿饮之，令人夏发疟瘴，又损脚令软。五月、六月勿饮泽中停水，食著鱼鳖精，令人鳖瘕病也。

　　铜器盖食器上汗滴食中，令人发恶疮，内疽，食性忌之也。

　　炊汤经宿洗面，令人无颜色；洗体，令人成癣。未经宿者，洗面，令人亦然。

　　诸水有毒水府龙宫，不可触犯。水中亦有赤脉，不可断之。井水沸，不可食之。已上并害人。东晋温峤以物照水，为神所怒。《楚词》云：鳞房贝阙，言河伯所居。《国语》云：季桓子穿井获土缶。仲尼曰：水之怪，魍魉；土之怪，羵羊。水有脉及沸，并见《白泽图》。

　　本草品汇精要卷之六

本草品汇精要

·卷之七·

草　部
上品之上

一十九种	神农本经 朱字
二种	名医别录 黑字
一种	宋本先附 注云宋附
四种	今分条
一种	今补
一种	唐本余
二十六种	陈藏器余

已上总五十四种，内一种今增图

黄精　　　　　　　　菖蒲　　　　　　　菊花_{苦薏附}

人参　　　　　　　　天门冬　　　　　　甘草

生地黄_{原不分生、熟地黄，今分条}　　　干^①熟地黄_{今增图}

苍术_{原不别苍、白术，今分条并图}　白术　　　　　菟丝子

牛膝　　　　　　　　茺蔚子_{茎名，益母草附}

萎蕤_{即玉竹}　　　　　防葵　　　　　　柴^②胡

麦门冬　　　　　　　独活　　　　　　　羌活_{原附独活下，今分条并图}

升麻　　　　　　　　车前子_{叶附}　　　木香

青木香_{原附木香下，今分条}　山药_{旧名薯蓣}　　薏苡^③仁

益智子_{宋附，自木部今移}　　草果_{今补}

一种唐本余

辟虺雷

<hr>

① 干：原无，据正文药名补。
② 柴：原作"茈"，并注"音柴"，据正文药名改。
③ 苡：原注"音以"。

二十六种陈藏器余

药王	兜木香	草犀根
薇	无风独摇草	零余子
百草花	红莲花、白莲花	
旱藕	羊不吃草	萍蓬草根
石蕊	仙人草	会州白药
救穷草	草豉	陈思岌
千里及	孝文韭	倚待草
鸡侯菜	桃朱术	铁葛
伏鸡子根	陈家白药	龙珠

本草品汇精要卷之七

草部上品之上

- ○ **草之草**

黄精

无毒　植生

黄精主补中益气，除风湿，安五脏。久服轻身，延年不饥。名医所录。

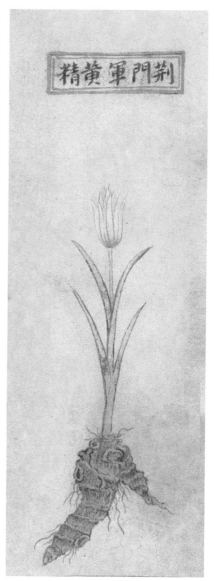

永康軍黄精精

滁州黄精精

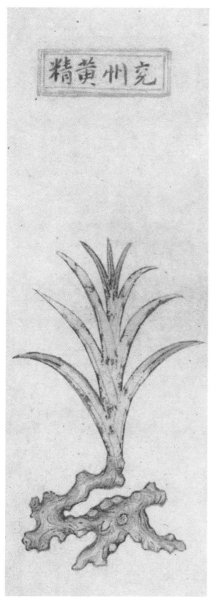

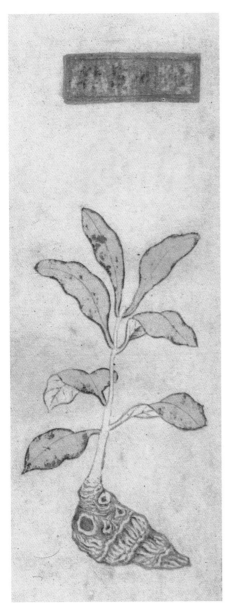

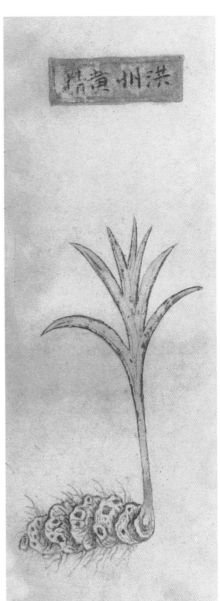

名 重楼、蚤竹、鸡格、救
穷、鹿竹、萎蕤、垂珠、马箭、
白及、黄芝、仙人余粮、龙衔、
太阳之草。

苗〔图经曰〕苗高一二尺，
叶如竹叶而短，两两相对。茎
梗柔脆，颇似桃枝，本黄，末赤。
四月开细青白花，如小豆花。
子白如黍，亦有无子者。根如
嫩生姜，黄色。肥地生者大如拳，
薄地生者如拇指，山人蒸暴作
果，食之甚甘美。

地〔图经曰〕生山谷，今
处处有之。〔永嘉记云〕出嵩
阳永宁县。〔道地〕嵩山、茅山。

时〔生〕三月生苗。〔采〕
二月取根。

收 暴干。

用 根肥而脂润者佳。

质 类嫩生姜。

色 生黄，熟黑。

味 甘。

性 平，缓。

气 气之薄者，阳中之阴。

相州黄精

臭　腥。

主　补中益气。

制　〔日华子云〕九蒸九暴。〔雷公云〕以溪水洗净后，蒸从巳至子。薄切，暴干。

治　〔补〕〔日华子云〕五劳七伤，助筋骨，止饥，耐寒暑，益脾胃，润心肺，驻颜。

赝　钩吻为伪。

○ 草之草

菖蒲①

无毒　丛生

菖蒲出神农本经。主风寒湿痹，咳逆上气，开心孔，补五脏，通九窍，明耳目，出音声。久服轻身，不忘，不迷惑，延年。以上朱字神农本经。主耳聋，痈疮，温肠胃，止小便利，四肢湿痹，不得屈伸，小儿温疟，身积热不解，可作浴

① 菖蒲: 此条药文底本作《别录》药文，但据《证类本草》应为《本经》药文，目录亦作《本经》药条，按义例因据改。

汤。聪耳目，益心智，高志，不老。以上黑字名医所录。

名 昌阳、尧韭。

苗〔图经曰〕春生青叶，长一二尺，其叶中心有脊，状如剑，
无花实。其根盘屈有节，状如马鞭大。一根傍引三四根，傍根节

尤密。一寸九节佳，有一寸十二节者。采之初则虚软，干则坚实；折之中心色微赤，嚼之辛香少滓。人多植于干燥砂石土中，腊月移之尤易活。〔陶隐居云〕生碛上，概^①节者为好。在下湿地，大根者名昌阳。〔雷公云〕石上生者，根条嫩黄、紧硬、节稠，长一寸九节者是真也。

地 〔图经曰〕出上洛、梁州池泽及蜀郡严道，今处处有之。〔道地〕池州、戎州者佳。

时 〔生〕春生叶。〔采〕五月五日及十二月取根。

收 暴干。

用 根一寸九节、坚实者为好。

质 类知母，细而盘屈有节。

色 微赤。

味 辛。

性 温，散。

气 气之厚者，阳也。

臭 香。

主 聪耳目，通心气。

助 秦皮、秦艽为之使。

反 恶地胆、麻黄。

制 〔雷公云〕铜刀刮去上黄黑硬节皮一重，用嫩桑条拌蒸，去桑条，暴干剉用。

治 〔疗〕〔药性论云〕风湿痹痹，耳鸣，头风泪，下鬼气，杀诸虫，恶疮疥瘙。〔日华子云〕除风下气，丈夫水脏、女人血

---

① 概：原注"音既"。

海冷败，多忘，长智，除烦闷，止心腹痛，霍乱转筋，客风疮疥，涩小便，杀腹脏虫及瘙虱，耳痛。

合治 菖蒲一二寸，合吴茱萸煎汤饮之，治心腹冷气挡痛。○合酒煎服，治产后崩中，下血不止。

禁 露根不可用。

忌 饴糖、羊肉、铁器。

解 大戟、巴豆毒。

赝 溪荪为伪。

○ 草之草

菊花

无毒　<u>丛生</u>

菊花出神农本经。主风，头眩肿痛，目欲脱，泪出，皮肤死肌，恶风，湿痹。久服利血气，轻身，耐老延年。以上朱字神农本经。**疗腰痛，去来陶陶，除胸中烦热，安肠胃，利五脉，调四肢**。以上黑字名医所录。

名 节花、日精、女节、傅延年、更生、周盈、女华、回蜂菊、阴成、玉英、女茎、蔡苦蒿、容成、金精、长生、地薇蒿、羊欢草。

苗〔图经曰〕初春布地生苗，夏繁茂，至深秋著花。然菊有两种，茎紫、气香而味甘，叶可作羹食者为真；一种青茎而大，叶细作蒿艾气，味苦不堪食者，名苦薏，非真也。叶正相似，惟以甘苦别之尔。南阳亦有两种，白菊叶大似艾叶，茎青根细，花白蕊黄；其黄菊叶似茼蒿，花蕊都黄，然今服饵家多用白者。南京又有一种开小花，花瓣下有小珠子如实，谓之珠子菊。十一月采实入药亦佳。〔衍义曰〕菊种不啻数十，惟单叶，花小而黄，叶深绿小薄，应候而开者，宜入药用。《月令》所谓菊有黄花者是也。

地〔图经曰〕生雍州川泽及南阳山谷、田野中，南京、颖川、汝南、上党、建安、顺政郡，河内。今处处有之。

〔道地〕南阳菊潭者佳。

时〔生〕春生苗。〔采〕正月根，三月叶，五月茎，九月花。

收 阴干。

用 花蕊甘美者为好。

质 类旋覆花。

色 黄、白。

味 甘。

性 平，缓。

气 气之薄者，阳中之阴。

臭 香。

主 除风，明目。

助 水，枸杞根、桑根白皮为之使。

治〔疗〕〔药性论云〕热头风旋倒地，脑骨疼痛，身上诸风。〔日华子云〕四肢游风，利血脉，心烦，胸膈壅闷，并痛毒头痛。〔别录云〕头风目眩，胸中泅泅，目泪出，风痹，骨肉痛。作枕，疗头目风热。○叶捣汁，疗疔肿垂死，神效。〔补〕〔日华子云〕花上水饮之，

花菊

益色壮阳。

　　合治　白菊花三斤，以生绢囊盛贮，用酒三斗，经七日服之，日用三次，疗丈夫、妇人久患头风眩闷，头发干落，胸中痰结，发时即头旋眼昏，暗不觉欲倒者。○白菊合巨胜、茯苓，蜜丸，主风眩，益颜色，变白不老。○甘菊花、叶、茎、根等分，以成日千杵为末，合酒调下一钱，或合蜜丸如梧桐子大，酒服七丸，日三服之。能轻身润泽，明目黑髭。○九月九日采菊花为末，酒饮方寸匕，治酒醉不醒。

○ 草之草

人参

无毒　植生

人参出神农本经。主补五脏，安精神，定魂魄，止惊悸，除邪气，明目，开心，益智。久服轻身延年。以上朱字神农本经。疗肠胃中冷，心腹鼓痛，胸胁逆满，霍乱吐逆，调中，止消渴，通血脉，破坚积，令人不忘。以上黑字名医所录。

名　人衔、鬼盖、神草、人微、土精、血参。

苗〔图经曰〕春生苗，初夏有花，细小如粟，蕊如丝，紫白色。秋后结子，或七八枚，如大豆，生青，熟红自落。根如人形者有神。其苗初生小者三四寸许，一桠五叶，四五年后生两桠五叶，未有花茎，至十年后生三桠，年深者生四桠，各五叶。中心生一茎，俗名百尺杵，多生于深山中背阴近椵[①]漆下湿润处。故赞曰：三桠五叶，背阳向阴，欲来求我，椵树相寻。盖椵树叶大荫广故也。〔陶隐居云〕一茎直上，四五叶相对而生，花紫色，根长而黄，状如防风，多润实而甘。百济者，形细而坚白，气味薄；辽东者，形大而虚软，不及百济远矣。〔衍义曰〕今之用者，皆河北榷场、博易到尽是。高丽所出，率虚软味薄，不若潞州上党者，

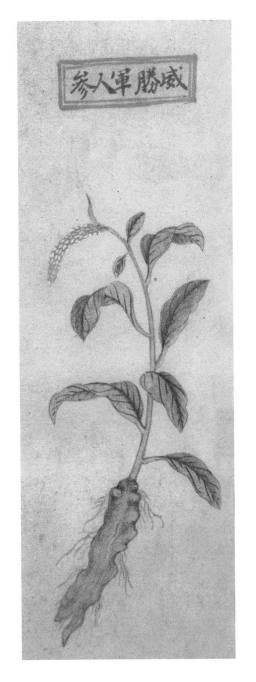

威勝軍人參

---
① 椵：原注"音贾"。

味厚体实为佳也。〔汤液本草云〕味既甘温，调中益气，即补肺之阳，泄肺之阴也。若便言补肺，而不论阴阳、寒热何气不足则误矣。若肺受寒邪，宜此补之；肺受火邪，不宜用也。肺为天之地，即手太阴也，为清肃之脏，贵凉而不贵热，其象可知。若伤热则宜沙参，然人参补五脏之阳也，沙参苦甘，微寒，补五脏之阴也。用者宜当审之。

地 〔图经曰〕生上党山谷及闽中、新罗。今河东、泰山诸州皆有之。〔唐本注云〕潞州、平州、泽州、易州、檀州、箕州、幽州、妫州、太行山。〔药性论云〕渤海。〔道地〕辽东、高丽、上党者佳。

时 〔生〕春生苗。〔采〕八月上旬取根。

收 以竹刀刮净，暴干，勿令见风和细辛。密封经年不坏。

用 根滋润、坚实者为好。

质 类桔梗而似人形。

色 淡黄。

味 甘。

性 微寒、温，缓。

气 气味俱轻，阳也，阳中微阴。

臭 香。

主 保中守神，生津益气。

助 茯苓、马蔺为之使。

反 藜芦，恶卤盐、溲疏。

制 〔雷公云〕凡使，要肥大，块如鸡腿并似人形者。采得，阴干，去芦，锉碎用。

治 〔疗〕〔药性论云〕吐逆不下食，止霍乱，烦闷，呕哕。〔汤液本草云〕泻脾、肺、胃中火邪。〔补〕〔药性论云〕五脏气不足，五劳七伤，虚损痰弱。〔海药云〕养脏腑，益气安神。〔汤液本草云〕脾肺阳气不足，及能补肺，气促，短气少气，补而缓中。又云补阳利气，脉不足者是亡血也，人参补之。

合治 合马蔺为之使，消胸中痰，主肺痿吐脓，及痃疾冷气，伤寒不下食，患人虚而多梦纷纭。○合白术、干姜、甘草各三两，水煎服，疗胸痹，心中痞坚，留气结胸，胸满，胁下逆气抢心。

○合麦门冬、五味子，名生脉散，夏月服之，以救肺金生化之源。
○茯苓为之使，补下焦元气，泻肾中火邪。○人参三分，合升麻
一分为引用，补上升之气。○合干姜，治里虚腹痛，益脾补气。

禁　肺热者勿服。

代　〔易老云〕沙参代人参，取其味甘，可也。

解　金石毒。

赝　桔梗、荠苨为伪。

○ 草之草

天门冬

无毒　丛生

天门冬出神农本经。主诸暴，风湿偏痹，强骨髓，杀三虫，去伏尸。久服轻身，益气延年。以上朱字神农本经。保定肺气，去寒热，养肌肤，益气力，利小便，冷而能补，不饥。以上黑字名医所录。

名 淫羊藿、颠勒、无不愈、百部、淫羊食、颠棘、筵门冬、管松、绤体、满冬虋①、浣草、薜虋。

苗 〔图经曰〕春生藤蔓大如钗股，高至丈余，叶如茴香，极尖细而疏滑，有逆刺，亦有涩而无刺者，其叶如丝杉而细散。夏开白花，亦有黄色者。秋结黑子，在其根枝傍。其根白或黄紫色，大如手指，长二三寸大者为胜。颇与百部根相类，然圆实而长，一二十枚同撮。洛中出者叶大干粗，殊不相类。岭南产者入伏后但无花暗结子，余无他异。〔抱朴子云〕《神仙食服方》云：在东岳名淫羊藿，在中岳名天门冬，在西岳名管松，在北岳名无不愈，在南岳名百部，在京陆山阜名颠棘，虽处处皆有，名虽各异，其实一也。生高地，根短，味甜气香者为上；其生

西京天门冬

① 虋：原注"音门"。

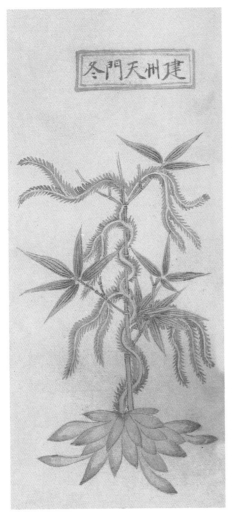

水侧下地者，叶细似蕴而微黄，根长而味多苦气臭者为下。亦可
服食，善令人下气为益。服之百日，皆力壮兼倍，驶于术及黄精也。
〔唐本注云〕此有二种，苗有刺而涩者，无刺而滑者，俱是门冬。
颠刺、浣草者形貌詺^①之，虽作数名，终是一物。二根浣垢俱净，
故互名之也。

---

① 詺：原注"音冥"。

地〔图经曰〕奉高山谷、金城，今处处有之。〔道地〕北岳地阴者尤佳。

时〔生〕春生苗。〔采〕二月、三月、七月、八月取根。

收 暴干。

用 根圆而短实者为好。

质 形类百部而脂润。

色 赤黄。

味 甘、苦。

性 平、寒，缓、泄。

气 气薄味厚，阳也。阳中之阴。

臭 朽。

主 保肺气，血热。

行 手太阴经、足少阴经。

助 贝母、垣衣、地黄为之使。

反 畏曾青。

制 〔衍义曰〕凡使，以水渍漉，使周润渗入肌，俟软，缓缓擘去心，不可浸出脂液。其不知者，乃以汤浸一二时，柔即柔矣。然气味都尽，用之不效，药欲其神，不可得也。

治 〔疗〕〔药性论云〕肺气咳逆，喘息促急，除热，通肾气，肺痿，生痈吐脓，湿疥，止消渴，去热，中风，令人肌体滑泽，除身上一切恶气，不洁之疾，令人白净。〔汤液本草云〕泄滞血及血妄行。〔补〕〔汤液本草云〕助元气。

合治 合地黄为使，服之耐老，头不白，能冷补，患人体虚而热。○合贝母为使，镇心，润五脏，益皮肤，悦颜色，补五劳七伤，肺气并嗽，消痰，风痹，热毒游风，烦闷，吐血。○合蜜煮之，食后服，补虚劳，肺劳，止渴，去热风。○暴干捣筛，合酒服方寸匕，治风癫，引胁牵痛，发作则吐，耳如蝉鸣。又除瘟痹，癥瘕，积聚，风痰癫狂。○合人参、黄芪为主，保肺气，血热侵肺，止喘气促，用之神效。

禁 勿食鲤鱼，误食中毒，以浮萍解之。

○ 草之草

甘草

无毒　丛生

甘草_{出神农本经}。主五脏六腑，寒热邪气，坚筋骨，长肌肉，倍力，金疮𤎅^①，解毒。久服轻身延年。以上朱字神农本经。**温中下气，烦满，短气，伤脏咳嗽，止渴，通经脉，利血气，解百药毒，为九土之精，安和七十二种石、一千二百种草。**以上黑字名医所录。

————————
① 𤎅：原注"时勇切"。

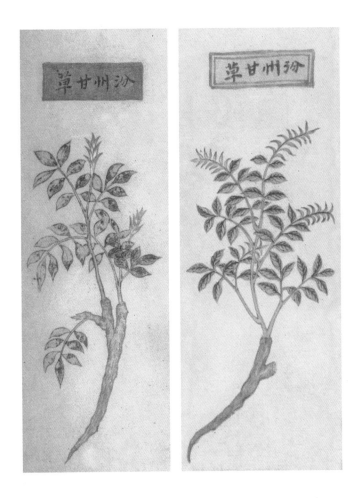

名　国老、蜜甘、美草、蜜草、蕗草、大苦、蘦[1]。

苗〔图经曰〕春生青苗，高一二尺，叶如槐叶，七月开紫花似㮈，冬结实作角，子如毕豆。根长者三四尺，粗细不定，皮赤，上有横梁，梁下皆细根也。然有数种，以坚实断理者为胜，其轻虚纵理及细韧者不堪。惟货汤家用之。〔尔雅云〕蘦，蔓延生，叶似荷青黄，茎赤有节，节有枝相当。或云：蘦，似地黄。《诗·唐风》云：采苓采苓，首阳之巅是也。蘦与苓通用，而先儒所说苗叶与今全别，岂种类有不同者哉。

---

① 蘦：原注"与苓通"。

地 〔图经曰〕河西川谷积沙山及上郡，今陕西、河东州郡皆有之。〔陶隐居云〕河西上郡及蜀汉诸夷中者佳。〔道地〕山西隆庆州者最胜。

时 〔生〕春生苗。〔采〕二月、八月除日取根。

收 暴干十日成。

用 根坚实有粉而肥壮者为好。

质 类黄芪，皮粗而赤。

色 皮赤、肉黄。

味 甘。

性 平、温，缓。

气 气味俱厚，阳也。

臭 香。

主 生泻火，炙和中。

行 足厥阴经、太阴经、少阴经。

助 术、干漆、苦参为之使。

反 甘遂、大戟、芫花、海藻，恶远志。

制 炙，去芦头，刮赤皮，生亦可用。

治 〔疗〕〔药性论云〕腹中冷痛并惊痫，除腹胀满及肾气内伤，令人阴痿及妇人血沥，腰痛，虚而多热。〔日华子云〕安魂定魄，惊悸，烦闷，健忘，通九窍，利百脉，解冷热。〔别录云〕小儿中蛊欲死。〔补〕〔药性论云〕益五脏。〔日华子云〕五劳七伤，一切虚损，益精养气，壮筋骨。

合治 合去皮生姜，治赤白痢。○合豆蔻，治冷热赤白痢及霍乱。

禁 中满者勿服。

忌 猪肉。解百药毒，乌头、巴豆毒。

生地黄

无毒　植生

生地黄主妇人崩中血不止，及产后血上薄，心闷绝，伤身胎动，下血胎不落，堕坠，踠折，瘀血，留血，衄鼻，吐血，皆捣饮之。名医所录。

名　地髓、芐[①]、芑。

苗　〔图经曰〕二月生叶，布地似车前叶，上有皱纹而不光。高者尺余，低者三四寸。其花似油麻花而红紫色，亦有黄花者。其实作房，如连翘子甚细而沙褐色。其根色状与南胡萝卜逼直，但粗细长短不一。〔日华子云〕生者水浸有浮者名天黄，不堪用；半沉者名人黄为次；其沉者名地黄最佳也。〔衍义曰〕地黄，叶如甘露子，花如脂麻花，但有细斑点。北人谓之牛奶子花，其茎微细，短促而有白毛者是也。

地　〔图经曰〕咸阳川泽及同州，今处处有之。〔陶隐居云〕渭城、彭城、历阳、江宁。〔道地〕今怀庆者为胜。

时　〔生〕春生叶。〔采〕二月、八月取根。

收　阴干。

用　根肥大者为好。

① 芐：原注"音虎"。

质 类南胡萝卜而脆。

色 黄。

味 甘、苦。

性 大寒，泄。

气 味厚气薄，阴中之阳。

臭 香。

主 安心神，凉血热。

行 手太阳经、少阴经。

助 得麦门冬、清酒良。

反 恶贝母，畏芜荑。

制 酒浸上行，或捣汁用。

治 〔疗〕〔药性论云〕解诸热，破血，通利月水闭绝，不利水道。捣薄心腹，能消瘀血，病人虚而多热，加而用之。〔李杲云〕凉心火之血热，泻脾土之湿热，止鼻中之衄热，除五心之烦热。〔补〕〔汤液本草云〕生血，益肾水，真阴不足。〔萧炳云〕黑须发。

合治 与木通同用，以导赤也。

忌 萝卜、葱白、韭白、薤白、铜铁器。

○ 草之草

干^①熟地黄

无毒

干熟地黄_{出神农本经}。主折跌绝筋，伤中，逐血痹，填骨髓，长肌肉。作汤除寒热，积聚，除痹。久服轻身不老。以上朱字神农本经。主男子五劳七伤，女子伤中，胞漏下血，破恶血，溺血，利大小肠，去胃中宿食，饱力断绝，补五脏，内伤不足，通血脉，益气力，利耳目。以上黑字名医所录。

————————

① 干: 原无，据正文药名补。

名 熟芐。

苗 〔谨按〕苗叶文具生地黄条下，旧本制、治混而不分。考其功用，随其生熟，故表出之。然蒸曝者谓之熟地黄。其制之法，以生地黄去皮，瓷锅上柳木甑蒸之，摊晒令干，拌酒再蒸，如此九度，谓之九蒸九曝，乃平易之法耳。及据《图经》曰：八月取根，以水浸验，其浮者名天黄，不堪用；半浮半沉者名人黄，为次；惟沉水肥实者名地黄，为上。以水净洗，并去细而根节瘦短者，取二三十斤曝干，又以二三十斤捣取汁，置银、瓷器中，入地黄浸令透，先于饭上蒸三四过，时时蒸曝，使汁尽为度。其色黑如漆，味甘如饴脂，柔而润泽。此法为至精也。

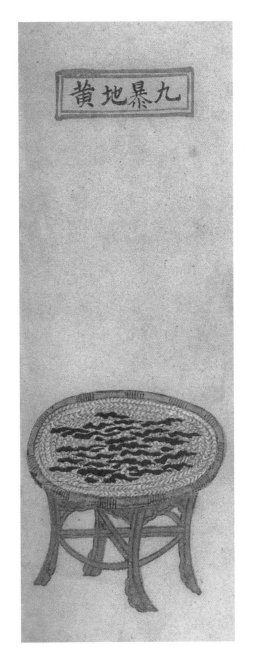

九暴地黄

收 瓷器藏之。

用 根肥大、柔润者为好。

质 类干黄精而细长。

色 黑。

味 甘。

性 寒，缓。

气 味厚气薄，阴中之阳。

臭 香。

主 补诸虚，益肾水。

行 手少阴经、厥阴经，足少阴经。

助 得麦门冬、清酒良。

反 恶贝母，畏芜荑。

治 〔疗〕〔药性论云〕温中下气，通血脉，吐血不止。〔日华子云〕止鼻衄，妇人崩中、血晕。〔李杲云〕伤寒后胫股最痛，新产后脐腹难禁。〔补〕〔药性论云〕补虚损，久服变白延年。〔日华子云〕助心胆气，安魂定魄，止惊悸，劳劣，心肺损，助筋骨，长志。〔李杲云〕活血气，封填骨髓，滋肾水，补益真阴。

忌 萝卜、葱白、韭白、薤白、铜铁器。

苍术

无毒　植生

苍术主治与白术同。若除上湿，发汗功最大。若补中焦，除湿力小于白术也。《本草》但言术而不分苍、白，其苍术别有雄壮之气，以其经泔浸、火炒，故能出汗，与白术止汗，特异用者。不可以此代彼。名医所录。

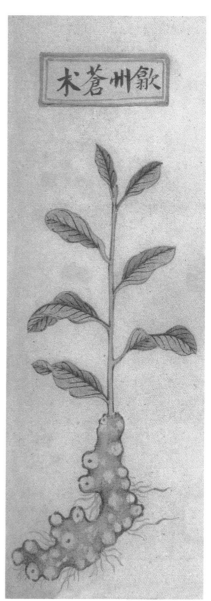

名　山连、山精、天苏、山蓟。

苗　〔图经曰〕春生苗叶，叶细无毛，两两相对。茎作蒿竿状而青赤色，长二三尺。夏开花，似刺蓟花而紫碧色，入伏后结子，至秋苗枯。其根似姜而无桠，傍有细根，皮黑肉黄，中多膏液。其味苦甘而烈。惟春及秋冬取者为佳，易生白霜者是也。

地 出郑山山谷、汉中、南郑，今处处有之。〔道地〕茅山、蒋山、
嵩山者为胜。

时 〔生〕春生苗。〔采〕八、九月，十一、十二月取根。

收 暴干。

用 根干坚实者为好。

质 类姜而无桠。

色 黑褐。

味 苦、甘。

性 温，缓。

气 味厚气薄，阴中阳也。

臭 香。

主 除湿宽中。

行 足阳明经、足太阴经。

助 防风、地榆为之使。

制 米泔浸洗，刮去粗皮。

治 〔疗〕〔药性论云〕大风痛痹，心腹胀痛，除寒热，水肿胀满，腹内冷痛，吐泻不住。〔日华子云〕一切风疾，冷气腹胀，妇人冷癥瘕，温疾，山岚瘴气。

合治 合香附、抚芎解诸郁。

忌 桃、李、雀肉、莼菜、胡荽、大蒜、青鱼。

....○ 草之草

白术

无毒　植生

白术出神农本经。主风寒湿痹，死肌，痉①疸，止汗，除热，消食，作煎饵。久服轻身，延年不饥。以上朱字神农本经。主大风在身面，风眩头痛，目泪出，消痰，水逐皮间，风水结肿，除心下急满及霍乱，吐下不止，利腰脐间血，益津液，暖胃，消谷嗜食。以上黑字名医所录。

―――――――

① 痉：原注"渠井切"。

名　山姜、山芬、马蓟、杨枹①蓟、乞力伽。

苗　〔图经曰〕春生苗叶，叶大有毛，两两相对。茎作蒿干状而青赤色，长二三尺。夏开黄白花，入伏后结子，至秋苗枯。其根似姜而有�@，傍有细根，皮褐肉白，中少膏液。其味甘苦而不烈，惟春及秋冬取者佳。剉碎不生霜者是也。〔谨按〕二术，《图经》云：春月采根，盖值春生之际，元气发于苗则根不实而力薄，固非其时矣。秋冬采之，则元气归于根而力全也。

地　〔图经曰〕宣州、舒州及郑山山谷、汉中、南郑，今处处有之。〔道地〕杭州于潜佳。

时　〔生〕春生苗。〔采〕八、九月，十一、十二月取根。

收　暴干。

用　根坚白不油者为好。

质　类生姜而皮粗皱。

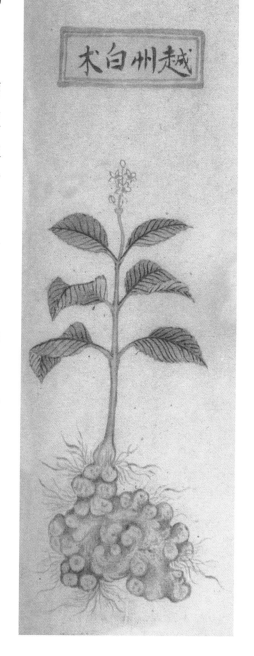

越州白术

---
①　枹：原注"音孚"。

色 土褐。

味 甘。

性 温，泄，缓。

气 味厚气薄，阴中阳也。

臭 香。

主 除湿健脾。

行 手太阳经、少阴经，足阳明经、太阴经、少阴经、厥阴经。

助 防风、地榆为之使。

制 去芦，刮皮。

治 〔疗〕〔药性论云〕多年气痢，消导宿食，开胃，去痰涎，止下泄，呕逆，胃气虚，冷痢。〔日华子云〕消痰，治水气，利小便，止翻胃及筋骨软弱，痃癖气块，除烦长肌。〔汤液本草云〕和中益气，利腰脐间血，除胃中热，去诸经之湿及皮间风，止汗消痞，补胃。通水道上而皮毛，中而心胃，下而腰脐。在气主气，在血主血。〔补〕〔日华子云〕五劳七伤，壮腰膝。

　　合治 〔洁古云〕合枳实，消痞闷。○合人参、芍药，补脾。○合泽泻，疗心下有水。○合黄芩，能安胎。

　　忌 桃、李、雀肉、菘菜、胡荽、大蒜、青鱼。

○ 草之走

菟丝子

无毒　蔓生

菟丝子出神农本经。主续绝伤，补不足，益气力肥健。汁，去面䵟。久服明目，轻身延年。以上朱字神农本经。养肌，强阴，坚筋骨，主茎中寒，精自出，溺有余沥，口苦，燥渴，寒血为积。以上黑字名医所录。

名　菟芦、菟缕、菟累、玉女、茑、赤网、唐、蒙。

苗　〔图经曰〕夏生苗如丝综，蔓延草木之上。六七月结实，极细如蚕子。然有二种，色黄而细者名赤网，色浅而大者名菟累，其功用并同。《书传》多云菟丝无根，其根不属地，假气而生。今观其苗，初生若丝，遍地不能自起，得草梗则缠绕，随上而生。其根渐绝于地而寄空中。信《书传》之说不谬矣。

地　〔图经曰〕生朝鲜川泽、田野及近京亦有之。〔道地〕冤句者为胜。

时　〔生〕夏生苗。〔采〕八月、九月取实。

收　暴干。

用　子坚实、细者为好。

质　类如蚕子而细。

色　土黄。

味　辛、甘。

性　平，散、缓。

气　气之薄者，阳中之阴。

臭　香。

主　驻悦颜色，强阴益精。

助　得酒良，山药、松脂为之使。

反　恶蘼菌。

制　〔雷公云〕全采得，去粗薄壳了，用苦酒浸二日，漉出，用黄精自然汁浸一宿至明，微用火煎至干，入臼中，热烧铁杵，一去三千余杵，成粉用。苦酒并黄精自然汁与菟丝子相对用之。

治　〔疗〕〔药性论云〕去腰疼、膝冷及消渴、热中。〔日华子云〕鬼交，泄精，尿血，润心肺。〔补〕〔药性论云〕男子女人虚冷，添精益髓。〔日华子云〕五劳七伤。〔雷公云〕益气，助筋脉。

　　合治　合牛膝内银器中，酒浸五日暴干，酒糊丸如桐子大，空心酒下，治丈夫腰膝积冷痛或顽麻无力。

　　赝　天碧草子为伪。

○ 草之草

牛膝

无毒　植生

牛膝出神农本经。主寒湿痿痹，四肢拘挛，膝痛不可屈伸，逐血气，伤热火烂，堕胎。久服轻身耐老。以上朱字神农本经。疗伤中少气，男子阴消，老人失溺，补中续绝，填骨髓，除脑中痛及腰脊痛，妇人月水不通，血结，益精，利阴气，止发白。以上黑字名医所录。

名 百倍。

　　苗〔图经曰〕春生苗，茎高二三尺，青紫色，有节如鹤膝及
牛膝状，故以名之。叶尖圆如匙，两两相对，于节上生花作穗。
秋结实甚细。此有二种，茎紫节大者为雄，青细者为雌。根极长
大而柔润者佳。茎叶亦可单用。

地 〔图经曰〕生河内川谷及临朐。今闽、粤、关中、江淮、蔡州、苏州亦有之。〔道地〕怀州者为佳。

时 〔生〕春生苗。〔采〕二月、八月、十月取根。

收 阴干。

用 根肥润者为好。

色 土褐。

味 苦、酸。

性 平，缓、收。

气 气之薄者，阳中之阴。

臭 腥。

主 填髓，壮筋。

反 恶萤火、陆英、龟甲，畏白前。

制 〔雷公云〕去芦并土，以黄精自然汁浸一宿，漉出，焙干，剉碎用，或酒浸炒用。

治 〔疗〕〔药性论云〕阴痿，逐恶血、流结。〔日华子云〕腰膝软怯、冷弱，破癥结，排脓止痛，产后心腹痛并血晕，落死胎。〔补〕〔药性论云〕益肾填精，助十二经脉。病人

滁州牛膝

虚羸，加用之。〔日华子云〕壮阳。

合治 合酒煮饮，疗小便不利，茎中痛欲死兼妇人血结腹坚痛。○为末五两，合生地黄汁五升，昼暴夜浸，汁干为度，蜜丸桐子大，每服五六十丸，空心温酒下，治消渴不止，下元虚损。久服壮筋骨，驻颜色，黑发，津液自生。○为末，合酒服方寸匕，日三，疗风瘙、瘾疹，并骨疽、癫病及痞癥。

禁 妊娠不可服。

忌 牛肉。

○ 草之木

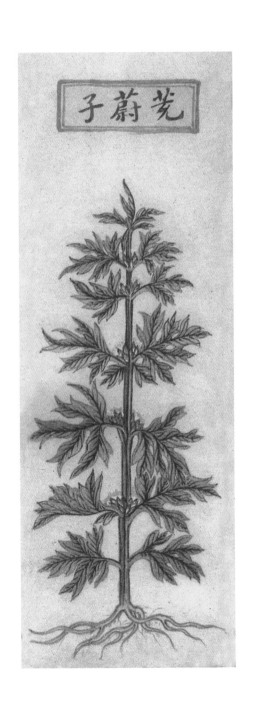

茺蔚子

无毒　特生

茺蔚子 出神农本经。主明目，益精，除水气，久服轻身。○茎，主瘾疹痒，可作浴汤。 以上朱字神农本经。子，疗血逆，大热，头痛，心烦。 以上黑字名医所录。

名 蓷臭秽、蕉蓷、萑蓷、蓷。〔茎〕益母、益明、大札、郁臭草、苦低草、贞蔚、负担、夏枯草。

苗 〔图经曰〕叶似荏叶，茎作四方棱，至夏节节开白花，实似鸡冠，子黑色。陆机云：《韩诗》及三苍皆云，蓷，益母也。故曾子见之感恩。刘歆亦谓：蓷，臭秽，即茺蔚是也。

地 〔图经曰〕生海滨、池泽及园圃、田野间，处处有之。

时 〔生〕春生苗。〔采〕五月取茎，九月取子。

收 暴干。

用 子、茎。

质 类薪蓂子。

色 黑。

味 辛、甘。

性 微温，缓、散。

气 气之薄者，阳也。

臭 臭。

主 〔子〕明目，益精。〔叶〕难产，浮肿。

制 〔图经曰〕唐天后炼益母草泽面法：五月五日采根苗具者，勿令着土，暴干捣罗，以水和之，令极熟，团之如鸡子大，再暴。仍作炉，四傍开窍，上下置火，安药中央，大火烧一炊，久即去大火，留小火养之，勿令绝。经一伏时出之，瓷器中研，治筛再研，三日收之，使如澡豆法。

治 〔疗〕〔陈藏器云〕入面药，令人光泽。○茎，傅乳痈，恶肿痛。服汁消浮肿，下水。〔图经曰〕茎，煮食，疗小儿疳痢、沉困垂死者。饮汁，疗女子因热病胎死腹中及难产。〔唐本注云〕茎，产后血胀闷，诸杂毒肿，丹游等肿。捣傅疗肿并取汁服，使毒内消。及滴耳中消聤耳。虺蛇毒，傅之良。〔名医别录云〕茎叶汁，疗产后血晕，心气绝。

合治 茎煎膏，合酒服，治折伤内损，天阴则痛及产妇恶露不尽，血晕诸疾。○烧灰，以面汤溲烧之，遍除面上风刺。

忌 铁器。

○ 草之草

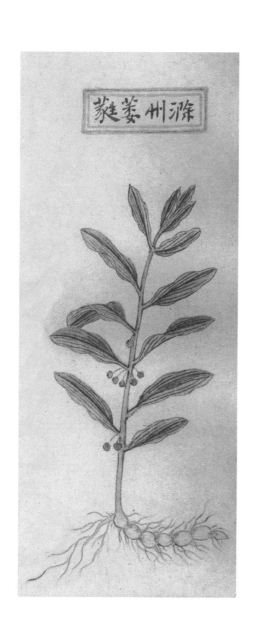

萎蕤

无毒　植生

萎蕤出神农本经。主中风暴热，不能动摇，跌筋结肉，诸不足。久服去面皯,好颜色，润泽。轻身不老。以上朱字神农本经。心腹结气，虚热湿毒，腰痛，茎中寒及目痛，眦烂，泪出。以上黑字名医所录。

名 萎蕤、地节、玉竹、马薰、
荧。

苗〔图经曰〕叶狭而长，
表白里青，亦类黄精。茎干强
直似竹箭竿，有节，节上有毛
茎斑，叶尖处有小黄点。三月
开青花，结青圆实，根黄多须，
大如指，长一二尺，或云可啖。
〔谨按〕《本经》与女萎同条，
云是一物二名，又云自是二物。
然女萎味辛，性温，主霍乱，
泄痢；萎蕤味甘，平，主虚热，
湿毒，腰痛。况萎蕤用根而女
萎用苗叶，二者主治既殊，实
非一物矣。

地〔图经曰〕生泰山山谷、
丘陵，滁州、舒州、汉中。

时〔生〕初春生苗。〔采〕
立春后取根。

收 阴干。

用 根。

质 类黄精而小异。

色 淡黄。

味 甘。

萎蕤

性 平，缓。

气 气厚于味，阳也。

臭 臊。

主 润肺，除热。

反 畏卤咸。

制 〔雷公云〕竹刀刮去节皮，洗净，以蜜水浸一宿，蒸，焙用。

治 〔疗〕〔图经曰〕虚热，湿毒，腰痛。〔药性论云〕时疾寒热，头痛不安，加而用之。〔陈藏器云〕调气血。〔日华子云〕除烦闷，止渴，润心肺及天行热狂。〔补〕〔药性论云〕内补不足，虚劳客热。〔陈藏器云〕聪耳明目，令人强壮。〔萧炳云〕补中益气。〔日华子云〕五劳七伤，虚损，腰脚疼痛。

合治 合漆叶为散，疗五脏，益精，去三虫，轻身不老，变白，润肌肤，暖腰脚。

赝 钩吻、黄精为伪。

○ 草之草

防葵

无毒　植生

防葵出神农本经。主疝痕，肠泄，膀胱热结，溺不下，咳逆，温疟，癫痫，惊邪狂走。久服坚骨髓，益气轻身。以上朱字神农本经。疗五脏虚气，小腹支满，胪胀，口干，除肾邪，强志。中火者不可服，令人恍惚见鬼。以上黑字名医所录。

名 梨盖、房慈、爵离、农果、利茹、方盖。

苗 〔图经曰〕春生，叶似葵叶，每茎三叶，一本十数茎，中发一干，其端六月开花如葱花、景天辈，其根叶似葵花子根，香味似防风，故名防葵。今以枯朽狼毒当之，极为谬矣。其防葵置水不沉，狼毒则不然，以此为别尔。

地 〔图经曰〕生临淄川谷及嵩高、少室、泰山，襄阳、望楚、山东皆有之。〔道地〕兴州。

时 〔生〕春生叶。〔采〕三月三日取根。

收 暴干。

用 根不蛀者为好。

质 类防风。

色 土黄。

味 辛、甘、苦。

性 寒，散、泄。

气 味厚于气，阴中之阳。

臭 香。

主 邪气，惊狂。

制 〔雷公云〕凡使，先须拣去蚘末，用甘草汤浸一宿，漉出暴干，用黄精自然汁一二升拌了，土器中炒令黄精汁尽为度。

治 〔疗〕〔药性论云〕疝气，痃癖气块，膀胱宿水血气，瘤大如碗，悉能消散，鬼疟百邪，鬼魅精怪，通气。

赝 枯朽狼毒为伪。

○ 草之草

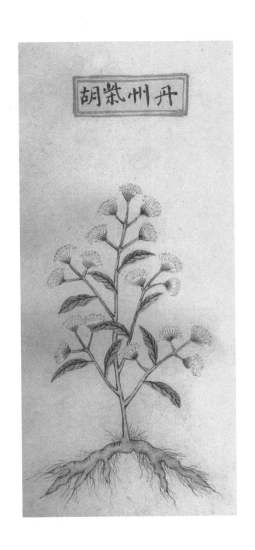

柴胡

无毒　植生

柴胡出神农本经。主心腹，去肠胃中结气，饮食积聚，寒热邪气，推陈致新。久服轻身，明目益精。以上朱字神农本经。除伤寒，心下烦热，诸痰热结实，胸中邪逆，五脏间游气，大肠停积，水胀及湿痹，拘挛。亦可作浴汤。以上黑字名医所录。

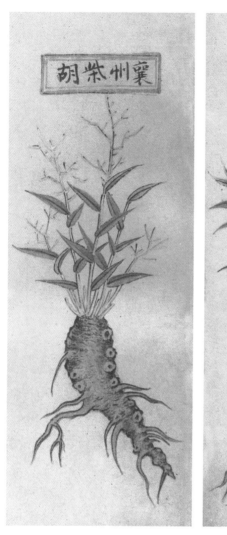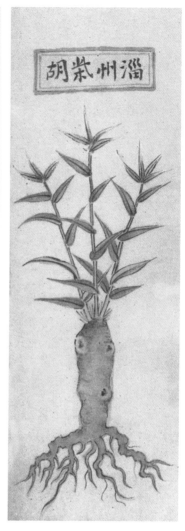

名 地薰、山菜、茹草叶、芸蒿、柴姜、邈^①柴草。

苗〔图经曰〕二月生苗甚香，茎青紫，叶似竹叶稍紧。有似斜蒿，亦有似麦门冬而短者。七月开黄花，一种生丹州者，结青子，与他处者不类。根赤色似前胡而强，芦头有赤毛如鼠尾。独窠长者为佳。

---

① 邈: 原注"音貌"。

地　〔图经曰〕生洪农山谷及冤句，今关、陕、江、湖间近道皆有之。〔道地〕银州、寿州、滦州者为佳。

时　〔生〕春生苗。〔采〕二月、八月取根。

收　暴干。

用　根柔软者为好。

质　类前胡而细小。

色　紫赤。

味 微苦。

性 平、微寒，泄。

气 气味俱轻，纯阳。〔丹溪云〕阴中之阳。

臭 香。

主 伤寒往来寒热。

行 足少阳经、厥阴经。

助 半夏为之使。

反 畏女菀、藜芦，恶皂荚。

制 〔雷公云〕去芦，银刀削上赤薄皮少许，细剉用之，勿令犯火。

治 〔疗〕〔药性论云〕热劳骨节烦疼，热气肩背疼痛，宣畅血气，下气消食，及时疾，内外热不解。〔萧炳云〕痰满，胸胁中痞。〔日华子云〕除烦止惊，消痰止嗽，润心肺及天行瘟疾，热狂乏绝，胸胁气满，健忘。〔汤液本草云〕除虚劳寒热，去早晨潮热及心下痞，胸膈痛并往来寒热，胆痹。〔李杲云〕左右两傍胁下痛，日晡潮热往来，生在脏调经，内主血；在肌主气，上行经。

胡州柴胡

〔补〕〔药性论云〕劳乏，羸瘦。〔日华子云〕五劳七伤，益气力，添精补髓。〔衍义曰〕柴胡，《本经》并无一字治劳，今人治劳方中鲜有不用者。凡此误世甚多。尝原病劳有一种，真脏虚损，复受邪热，因虚而致劳，故曰：劳者，牢也。须当斟酌用之。如《经验方》治劳热青蒿煎丸，用柴胡正合宜耳，服之无不效。《日华子》云：味甘，补五劳七伤，除烦止惊，益气力。《药性论》云：谓治劳乏羸瘦。若此等病，苟无实热，医者取而用之，不亡何待？注释《本草》，一字亦不可忽，盖万世所误，无穷也。苟有明哲之士，自可处制；中下之士，不肯考究，枉致沦没，可不谨哉！可不戒哉！如张仲景治寒热往来如疟，用柴胡正合其宜。

合治 合茯苓、桔梗、大黄、石膏、麻子仁、甘草、桂，以水一斗，煮取四升，入消石三方寸匕，疗伤寒寒热头痛，心下烦满。

○ 草之草

麦门冬

无毒　丛生

麦门冬出神农本经。主心腹结，气伤，中伤，饱胃，络脉绝，羸瘦，短气。久服轻身，不老不饥。以上朱字神农本经。身重目黄，心下支满，虚劳客热，口干燥渴，止呕吐，愈痿蹶，强阴益精，消谷调中，保神，定肺气，安五脏，令人肥健，美颜色，有子。以上黑字名医所录。

名 羊韭、爱韭、马韭、虋①
火冬、忍陵、仆垒、随脂、不死药、
忍冬、羊蓍、禹葭、禹余粮。

苗 〔图经曰〕叶青似莎草，
长及尺余，四季不凋。根黄白
色有须，根作连珠，形似穬麦
颗，故名麦门冬。四月开淡红
花，如红蓼花，实碧而圆如珠。
江南出者叶大如鹿葱；小者如
韭大小，虽有三四种，其功用
亦相似也。

地 〔图经曰〕生函谷川谷
及堤坂、肥土、石间久废处。
今所在有之。〔道地〕江宁、
新安者佳，吴地尤胜。

时 〔生〕四季不凋。〔采〕
二月、三月、八月、十月取根。

收 阴干。

用 根上子，以肥大者为好。

质 根如连珠，形似穬麦颗。

色 淡碧。

味 甘、微苦。

性 平，泄、缓。

睦州麦门冬

---

① 虋：原注"音门"。

气 气厚于味，阳中微阴。

臭 朽。

主 肺热，烦渴。

行 手太阴经。

助 地黄、车前子为之使。

反 畏苦参、青襄、苦芺、木耳，恶款冬花、苦瓠。

制 凡使，以水渍漉周润，俟柔软去心用。若以汤浸则气味失矣。

治 〔疗〕〔药性论云〕热毒，止烦渴，面目肢节浮肿，下水，肺痿，吐脓，疗心腹结气，身黑目黄，心下苦支满。〔日华子云〕止渴肥人，时疾热狂，头痛，止嗽。〔陈藏器云〕止烦热消渴，身重目黄，寒热体劳，止呕开胃，下痰饮。〔东垣云〕退肺中隐伏之火，生肺中不足之金。止燥渴，阴得其养，补虚劳，益气强阴。〔补〕〔药性论云〕泄精。〔日华子云〕五劳七伤，安魂定魄。〔衍义曰〕心肺虚热并虚劳客热。〔汤液本草云〕益心气不足及血妄行。

合治 鲜肥麦门冬二两，以苦瓠汁浸，经宿，去心，捣烂，内宣州九节黄连末二两和剂，并手丸如梧桐子大，食后饮下五十丸，止消渴。○合白蜜银器中，重汤煮，搅不停手，候如饴乃成。酒化温服之，补①中益心，悦颜色，安神益气，令人肥健，其力甚駃。○合五味子、人参为生脉之剂，补肺中元气不足。

禁 不抽心，令人烦闷，绝谷寒多，人不可服。

---

① 补：原作"治"，据清本改。

独活

无毒　丛生

独活 出神农本经。主风寒所击，金疮止痛，奔豚，痫痓 ①，女子疝瘕。久服轻身耐老。以上朱字神农本经。疗诸贼风，百节痛风久新者。此草得风不摇，无风自动。以上黑字名医所录。

---

① 痓：原注"音炽"。

名 胡王使者、独摇草。

苗 〔图经曰〕春生苗，叶如青麻，六月开花，作丛而黄。夹石上生者，结实时则叶黄；土脉中生者则叶青。此草一茎直上，得风不摇，无风自动，故名独活，以微黄白色而作块形虚大者是也。

地 〔图经曰〕雍州川谷或陇西、南安及文州、凤翔府。〔陶隐居云〕出益州北部及西川茂州。〔道地〕蜀汉者为佳。

时 〔生〕春生苗。〔采〕二月、八月取根。

收 暴干。

用 根虚大者为好。

质 类前胡而粗大。

色 微黄白。

味 苦、辛。

性 温，泄、散。

气 气味俱薄，阳也。〔东垣云〕阴中之阳。

臭 香。

主 风寒湿痹。

行 足少阴经。

助 蠡实为之使。

制 去芦，净用。

治 〔疗〕〔药性论云〕诸中风湿冷，奔喘逆气，皮肌苦痒，手足挛痛，劳损及风毒，齿痛。〔汤液本草云〕头眩目晕及燥湿。《经》云：风能胜湿。又云：独活细而低，治足少阴伏风而不治太阳，故两足寒湿痹不能动，止非此不能除。〔东垣云〕诸风掉眩，颈项难伸，风寒湿痹，两足不仁。

合治 合细辛，疗少阴经头痛。○合地黄等分，每服三钱，治牙风上攻肿痛。○每用四两，合好酒一升，煎半升温服，治中风通身冷，口噤不知人。

○ 草之草

羌活

无毒　丛生

羌活主遍身百节疼痛，肌表八风贼邪，除新旧风湿，排腐肉，疽疮，亦去温湿风，一身尽痛，非此不能除。名医所录。

名　羌青、护羌使者。

苗　〔图经曰〕春生苗，叶如青麻，六月开花作丛而紫。夹石上生者，结实时则叶黄；土脉中生者则叶青。此草得风不摇，无风自动，以紫色而节密者为羌活也。〔谨按〕旧本羌、独不分，混而为一。然其形色功用不同，表里行经亦异，故分为二，则各适其用也。

地　〔图经曰〕出雍州川谷或陇西、南安及文州、宁化军。〔陶隐居云〕出益州北部及西川。〔道地〕今蜀汉出者佳。

时　〔生〕春生苗。〔采〕二月、八月取根。

收　暴干。

用　根节密者为佳。

质　类川大黄苗而有节。

色　紫赤。

味　苦、辛。

性　温，散。

气　气味俱轻，阳也。〔东垣云〕阴中之阳。

臭　香。

主　肢节疼痛。

行　足太阳经、厥阴经。

助　蘦实为之使。

制　去芦，净用。

治　〔疗〕〔唐本注云〕除风兼水。〔药性论云〕贼风，失音不语，多痒血癞，手足不遂，口面㖞斜，遍身㾓痹。〔日华子云〕一切风并气，筋骨拳挛，四肢羸劣，头旋明，目赤疼及伏梁水气，通利五脏。〔补〕〔日华子云〕五劳七伤，虚损冷气，骨节酸疼。

合治　为末，每服五钱，水酒各半盏，煎去滓，温服，治产后中风语涩，四肢拘急。○合川芎，治足太阳、少阴头痛，透关节。

○ **草之草**

升麻

无毒　植生

升麻主解百毒，杀百
精、老物、殃鬼，辟
瘟疫、瘴气、邪气、
蛊毒，入口皆吐出，
中恶腹痛，时气毒疬，
头痛，寒热风肿，诸
毒、喉痛、口疮。久
服不夭，轻身长年。

名医所录。

名 周麻。

苗〔图经曰〕春生苗，高二三尺，叶似麻叶而青，四五月著白花似粟穗，六月结黑实。根紫如蒿根，有须多孔，其孔如眼。用引诸药上升，故俗谓之鬼眼升麻也。

地〔图经曰〕出陕西及宁州、嵩高，淮南州郡皆有之。〔道地〕益州川谷及蜀川者为胜。

时〔生〕春生苗。〔采〕二月、八月取根。

收 暴干。

用 根坚实者为好。

质 类羌活而多须。

色 青白。

味 甘、苦。

性 平、微寒。

气 气厚味薄，阳中之阴。〔东垣云〕阴中之阳。

臭 香。

主 解肌，升胃气。

行 手阳明经、太阴经，足阳明经。

制〔雷公云〕以刀刮去粗皮一重，用黄精自然汁浸一宿出，蒸，暴干用。

治〔疗〕〔图经曰〕咽喉肿痛，口舌生疮，解伤寒头痛并诸丹毒。〔药性论云〕小儿风惊痫，时气热壅闭不通，口疮，烦闷。疗痈肿，豌豆疮，水煎，绵沾拭疮上。又主百邪鬼魅。〔日华子云〕安魂定魄，鬼附啼泣，游风肿毒，口气疳

秦州升麻

蜜。〔丹溪云〕理胃，解肌肉间热，脾痹，手足阳明伤风，引用之要药及发散本经风邪。〔补〕〔汤液本草云〕元气不足者，用此于阴中升阳气于上行，不可缺也。

合治 合犀角、黄芩、朴消、栀子、大黄各二两，豉二升，微熬，同捣末蜜丸，每服三十丸，治四肢大热，大便难。○以五两合水蜜煎三沸，半服半傅，治时行病发疮。○合芍药、葛根等分，甘草少许，治春温头疼，发热及小儿斑疹。

禁 升麻入足阳明，若初病太阳证便服升麻、葛根，发出阳明经汗，或失之过阳明经燥，太阳经不可解，必传阳明矣。投汤不当，非徒无益而又害之。

代 瘀血入里，若衄血、吐血者，犀角地黄汤，乃阳明经圣药也。如无犀角，以升麻代之。升麻、犀角性味相远不同，何以代之？盖以升麻止是引地黄及余药同入阳明尔。

解 喉痹肿，邪气，恶毒入腹。

赝 落新妇为伪。

○ 草之草

车前子

无毒　丛生

车前子出神农本经。主气癃，止痛，利水道小便，除湿痹。久服轻身耐老。以上朱字神农本经。男子伤中，女子淋沥，不欲食，养肺强阴，益精，令人有子，明目，疗赤痛。○叶及根，味甘寒，主金疮，止血，衄鼻，瘀血，血瘕，下血，小便赤，止烦，下气，除小虫。以上黑字名医所录。

名　当道、虾蟆衣、马舄①、胜舄、牛遗、牛舌草、芣②苢③。

苗　〔图经曰〕春生叶，布地如匙面，累年者长及尺余，穗如鼠尾，花甚细，青色微赤，实如葶苈，赤黑色。今人家庭除中多有之。亦可作茹，蜀中尤尚。郭璞云：大叶长穗，好生道傍，喜在牛迹中生，故曰车前当道也。

地　〔图经曰〕生真定平泽、丘陵道路中，今江湖淮甸、近京北地处处有之。〔道地〕开州者为最。

时　〔生〕春生苗。〔采〕五月五日取苗，七月、八月取实。

收　阴干。

用　子黑细者为好。

质　类鸡冠子。

色　黑。

味　甘、咸。

性　冷，软。

气　味厚于气，阴中之阳。

臭　朽。

主　明目，利小便。

助　常山为之使。

制　〔雷公云〕凡使，须一窠有九叶，内蕊，茎可长一尺二寸者。和蕊，叶、根去土，称重一镒者，力全堪用。使叶勿使蕊茎。其叶剉，于新瓦上摊干用之。

---

① 舄：原注"音昔"。

② 芣：原注"音浮"。

③ 苢：原注"音以"。

治〔疗〕〔图经曰〕妇人难产。○叶，生研，以水解饮之，止衄血。〔药性论云〕去风毒，肝中风热，毒风冲眼，目赤痛，瘴翳，脑痛，泪出及心胸烦热。○叶，主尿血，明目，利小便，通五淋。〔萧炳云〕养肝。〔东垣云〕利小便而不走气。〔补〕〔药性论云〕叶，补五脏。

合治　合常山为使，通小便淋涩，壮阳，治脱精，心烦，下气。○以五两合葵根切一升，以水五升煎取一升半，分三服，治妊娠患淋，小便涩，水道热而不通。○为末，合米饮服二钱，治泻如神。○合干地黄、麦门冬等分为末，蜜丸如梧桐子大，服之，治久患内瘴眼。○叶绞取汁一盏，入蜜一合煎，温作二服，治热痢不止者。

禁　叶捣取汁服，疗泄精，大误矣。此药甘滑，利小便，走泄精气及主小便赤，下气。有人作菜食，小便不禁，尝为所误。

木香

无毒　植生

木香出神农本经。主邪气，辟毒疫，温鬼，强志。主淋露，久服不梦寤，魇寐。以上朱字神农本经。疗气劣，肌中偏寒。主气不足，消毒，杀鬼精物，温疟，蛊毒，行药之精，轻身，致神仙。除肺中滞气，若治中下焦气结滞，须用槟榔为使。以上黑字名医所录。

名 蜜香。

苗 〔图经曰〕根窠大类茄子，叶似羊蹄而长大，花开如菊，其实黄黑色。以根形如枯骨者良。

地 〔图经曰〕出永昌山谷。〔道地〕昆仑及广州舶上来者佳。

时 〔生〕春生苗。〔采〕不拘时取。

收 日干。

用 根轻浮、苦而粘齿者为好。

质 类枯骨。

色 土褐。

味 辛、苦。

性 温，散。

气 味厚于气，阴中阳也。〔东垣云〕纯阳。

臭 香。

主 调诸气，止泻痢。

助 得肉豆蔻、陈皮、生姜、槟榔为佐使。

制 不见火，细剉用。

治 〔疗〕〔陶隐居云〕消毒肿，除恶气。〔药性论云〕九种心痛，积年冷气，痃癖，癥块，胀满，逐诸壅气上冲，烦闷及霍乱，吐泻，心腹疗刺。〔日华子云〕除心腹一切气，止泻，霍乱，痢疾，安胎，健脾，消食及膀胱冷痛，呕逆，反胃。〔衍义曰〕专泄决胸膈间滞塞冷气。〔汤液本草云〕去肺中滞气及腹中气转运，和胃气。〔丹溪云〕行肝经气，火煨可实大肠。

合治 为末，合酒服，治女人血气刺心，心痛不可忍。

赝 土青木香为伪。

○ 草之草

青木香

无毒　植生

青木香主妇人血气刺
心，痛不可忍，九种
心痛，积年冷气，痃
癖，癥块，胀痛，逐
诸壅气上冲，烦闷，
霍乱,吐泻,心腹疞刺。
名医所录。

苗〔图经曰〕春生苗三四尺，叶如牛蒡，但狭长八九寸，皱软而有毛。夏开黄花如金钱，其根类甘草而辛香。又一种叶如山芋而开紫花者，江淮人呼为土青木香也。

地〔图经曰〕出岷州及江淮间苑中，处处有之。

时〔生〕春生苗。〔采〕不拘时。

收 日干。

用 根。

质 类南苦参而黑褐。

色 青黑。

味 辛、苦。

性 温。

气 味厚于气，阴中之阳。

臭 香。

主 行气。

海州青木香

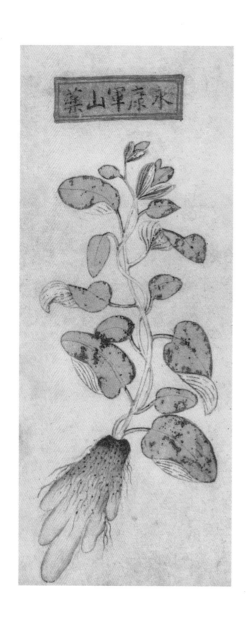

山药

无毒　蔓生

山药出神农本经。主伤中，补虚羸，除寒热邪气，补中，益气力，长肌肉。久服耳目聪明，轻身不饥延年。以上朱字神农本经。主头面游风，头风，眼眩，下气，止腰痛，补虚劳，羸瘦，充五脏，烦热。以上黑字名医所录。

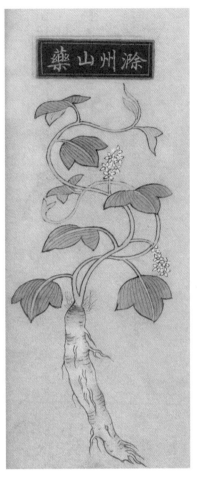

名　薯蓣、山芋、玉延、土薯、薯署、山羊、修脆、儿草。

苗〔图经曰〕春生苗，蔓延援篱。茎紫叶青，有三尖角，似牵牛更厚而光泽。夏开细白花，大类枣花。秋生实于叶间，其状如铃。南中有一种生山中，根细如指，极紧实过于家园种者，味更珍美，食之尤益人。今江、湖、闽中出一种，根如姜、芋之类，皮紫，极有大者一枚可重斤余，但性冷于北地者尔。〔吴氏云〕始生赤茎细蔓，五月华白，七月实青黄，八月熟落。其根中白皮黄，类芋。

地〔图经曰〕生嵩高山谷及临朐、钟山，今处处有之。〔陶隐居云〕东山、南江、南康。〔唐本注云〕蜀道。〔道地〕北都、四明，今河南者佳。

时〔生〕春生苗。〔采〕二月、八月取根。

收 暴干或风干。

用 白色、坚实不蛀者为好。

色 皮土褐，肉白。

味 甘。

性 温、平，缓。

气 气厚于味，阳中之阴。

臭 朽。

主 安神，健脾。

助 天门冬、麦门冬、紫芝为之使。

反 恶甘遂。

制 取粗大者，用竹刀刮去黄皮，以水浸，末白矾少许掺水中，经宿取净，洗去涎，风干用。

治〔疗〕〔药性论云〕去冷气，止腰疼，镇心神，安魂魄，开达心孔，多记事。〔日华子云〕长志安神，疗泄精，健忘。〔东垣云〕凉而能补，亦治皮肤干燥，此物润之。

眉州山药

○ 草之草

薏苡仁

无毒

薏①苡②仁出神农本经。主筋急拘挛，不可屈伸，风湿痹，下气。久服轻身，益气。其根下三虫。以上朱字神农本经。除筋骨邪气不仁，利肠胃，消水肿，令人能食。以上黑字名医所录。

---

① 薏：原注"音意"。
② 苡：原注"音以"。

名 解蠹、屋菼①、起实、籢②、竿珠、薏珠子。

苗〔图经曰〕春生苗，茎高三四尺，叶如黍叶。开红白花作穗，五六月结实，其色青白，形如珠子而稍长，故呼薏珠子。〔别本注云〕今多用汉梁者，气力劣于真定，取青水色者良。

地〔陶隐居云〕生交趾及汉梁，今处处有之。〔道地〕真定平泽及田野为佳。

时〔生〕春生苗。〔采〕八月取根、实。

收 暴干。

用 实白微青者为好。

质 类珠子而稍长。

色 青白。

味 甘。

性 微寒，缓。

气 气之薄者，阳中之阴。

臭 香。

主 除肺痿，止消渴。

薏苡仁

---

① 菼：原注"音毯"。
② 籢：原注"音感"。

制 暴于日中，挼之得仁。

治 〔疗〕〔图经曰〕根煮汁，除心腹烦满，胸胁痛。○叶，益中空膈。〔陶隐居云〕根煮汁，去小儿蛔虫。〔药性论云〕热风，筋脉挛急，令人能食，除肺气，吐脓血，咳嗽，涕唾，上气，破五溪毒肿。〔陈藏器云〕杀[①]蛔虫。〔孟诜云〕干湿脚气。

合治 合苦酒，疗肺痈，心胸甲错。○合麻黄、杏仁、甘草，治风湿身烦疼，日晡剧者。○合大附子，治胸痹偏缓急。

禁 妊娠不可服。

赝 粳糯为伪。

---

① 杀：原作"煞"，据清本改。

○ 草之草

益智子

无毒　丛生

益智子主遗精虚漏，
小便余沥，益气安神，
补不足，安三焦，调
诸气。夜多小便者，
取二十四枚碎之，入
盐同煎服，有神效。

名医所录。

苗〔图经曰〕益智子叶似蘘荷，长丈余。其根傍生小枝，高七八寸，无叶。花萼作穗，生其上，如枣许大。皮白，中仁黑，仁细者佳。

地〔图经曰〕益智子生昆仑国，今岭南州郡往往有之。

时〔生〕春。〔采〕无时。

用 去皮用仁。

质 如枣许大。

色 黑。

味 辛。

性 温。

气 气之厚者，阳也。

臭 香。

主 止呕哕，摄涎秽。

行 手、足太阴经，足少阴经。

制 去皮。

治〔疗〕〔汤液本草云〕治脾胃中受寒邪，和中益气，治多唾。当于补中药内兼用之。

合治 本脾经，在集香丸则入肺，在四君子汤则入脾，在凤髓丹则入肾。

禁 多服。

草果

无毒

草果温脾胃，止呕吐，
霍乱，恶心，消宿食，
导滞，逐邪，除胀满，
却心腹中冷痛。今补。

地 〔谨按〕草果生广南及海南。

苗 草果，形如橄榄，其皮薄，其色紫，其仁如缩砂仁而大。又云：南出者名云南草果，其形差小耳。

用 仁。

质 如橄榄。

色 皮紫，仁白。

味 辛。

性 温。

气 气之厚者，阳也。

臭 香。

主 截诸般疟疾。

制 去皮，杵仁。

治 山岚瘴气。

合治 治疟疾药中，同青皮、厚朴、白术、半夏、黄芩、柴胡、茯苓、甘草同煎，为清脾汤。同人参、厚朴、陈皮、苍术、茯苓、半夏、藿香、甘草同煎，为养胃汤。

一种唐本余

辟虺雷味苦，大寒，无毒。主解百毒，消痰，祛大热，疗头痛，辟瘟疫。一名辟蛇雷。其状如粗块苍术，节中有眼。

二十六种陈藏器余

药王味甘，平，无毒。解一切毒，止鼻衄吐血，祛烦躁。苗、茎青色，叶摘之有汁，捣汁饮，验。

兜木香烧去恶气，除病疫。汉武帝故事：西王母降上，烧兜木香末。兜木香，兜渠国所献，如大豆。涂宫门香闻百里，关中大疾疫，死者相枕，烧此香，疫则止。《内传》云：死者皆起，此则灵香，非中国所致，标其功用，为众草之首焉。

草犀根味辛，平，无毒。主解诸药毒。岭南及睦、婺间。如中毒草，此药及千金藤并解之。亦主蛊毒，溪毒，恶刺，虎、狼、虫虺等毒，天行疟瘴，寒热咳嗽，痰壅飞尸，喉闭疮肿，小儿寒热丹毒，中恶疰忤，痢血等，并煮汁服之。其功用如犀，故名草犀。解毒为最。生衢、婺、洪、饶间，苗高二三尺，独茎，根如①细辛，研服更良。生水中者名水犀也。《海药》云谨按《广州记》云：生岭南及海中，独茎，对叶而生，如灯台草，若细辛。平，无毒，

---

① 如：原无，据《证类本草》补。

主解一切毒气，虎狼所伤，溪毒，野蛊等毒，并宜烧研①服，临死者服之得活。

薇味甘，寒，无毒。久食不饥，调中，利大小肠。生水傍，叶似萍。《尔雅》曰：薇，垂也。《三秦记》曰：夷齐食之三年，颜色不异。武王诫之，不食而死。《广志》曰：薇，叶似萍，可食利人也。《海药》云谨按《广州记》云：生海池泽中。《尔雅注》云：薇，水菜。主利水道，下浮肿，润大肠。

无风独摇草带之令夫妇相爱。生岭南，头如弹子，尾若乌尾，两片开合，见人自动，故曰独摇草。《海药》云谨按《广志》云：生岭南。又云：生大秦国。性温，平，无毒，主头面游风遍身痒，煮汁淋蘸。《陶朱术》云：五月五日采，诸山野往往亦有之。

零余子味甘，温，无毒。主补虚，强腰脚，益肾，食之不饥。晒干功用强于薯蓣。有数种②，此则是其一也。一本云大如鸡子，小者如弹丸，在叶下生。

百草花主百病，长生，神仙。亦煮花汁，酿酒服之。《异类》云：凤刚者，渔阳人也。常采百花，水渍，封泥埋之百日，煎为丸。卒死者，内口中即活。凤③刚服药百余岁，入地肺山。《列仙传》云：尧时，赤松子服之得仙。

---

① 研：原作"碎"，据《证类本草》改。

② 种：原无，据清本补。

③ 凤：原作"胡"，据清本改。

红莲花、白莲花味甘，平，无毒。久服令人好颜色，变白却老。生西国，胡人将来至中国也。

旱藕味甘，平，无毒。主长生不饥，黑毛发。生太行，如藕。

羊不吃草味苦、辛，温，无毒。主一切风血，补益，攻诸病。煮之，亦浸酒。生蜀川山谷，叶细长。在诸草中，羊不吃者是。

萍蓬草根味甘，无毒。主补虚益气力，久食不饥，厚肠胃。生南方池泽，大如荇，花黄，未开前如算袋，根如藕，饥年当谷也。

石蕊主长年不饥。生太山石上，如花蕊，为丸散服之。今时无复有。王隐《晋书》曰：庚褒入林虑山，食木实，饵石蕊，得长年也。

仙人草主小儿酢疮，煮汤浴，亦捣傅之。酢疮头小，大硬小者。此疮或有不因药而自瘥者。当丹毒入腹，必危，可预饮冷药以防之，兼用此草洗疮。亦明目，去肤翳，按汁滴目中。生阶庭间，高二三寸，叶细有雁齿，似离鬲草，北地不生也。

会州白药主金疮，生肤止血，碎末傅疮上。药如白蔹，出会州也。

救穷草食之可绝谷长生。生地肺山大松树下，如竹，出《新道书》。地肺山，高六千丈，其下有之，应可求也。

草豉味辛，平，无毒。主恶气，调中，益五脏，开胃，令人能食。生巴西诸国，草似韭，豉出花中，人食之。

陈思岌味辛，平，无毒。主解诸药毒，热毒，丹毒，痈肿，天行壮热，喉痹，蛊毒，除风血，补益。已上并煮服之，亦磨傅疮上，亦浸酒。出岭南，一名千金藤，一名石黄香。今江东又有千金藤，一名鸟虎藤，与陈思岌所主颇有异同，终非一物也。陈思岌，蔓生，如小豆，根及叶辛香也。

千里及味苦，平，小毒。主天行疫气，结黄，疟瘴，蛊毒。煮服之吐下；亦捣傅疮，虫、蛇、犬等咬处。藤生道傍，篱落间有之。叶细厚，宣、湖间有之。

孝文韭味辛，温，无毒。主腹内冷，胀满，泄痢，肠澼，温中补虚。生塞北山谷，如韭，人多食之能行。云昔后魏孝文帝所种，以是为名。又有山韭，亦如韭，生山间，治毛发。又有石蒜，生石间。又有泽蒜，根如小蒜，叶如韭，生平泽。并温补下气又滑水源。又有诸葛亮韭，更①长，彼人食之，是蜀魏时诸葛亮所种也。

倚待草味甘，温，无毒。主血气，虚劳，腰膝疼弱，风缓，赢瘦，无颜色，绝伤无子，妇人老血，浸酒服之。逐病极疾，故名倚待。生桂州如安山谷，叶圆，高二三尺，八月采取。

鸡侯菜味辛，温，无毒。久食温中益气。生岭南。顾《广

① 更：原作"而"，据清本改。

州记》曰：鸡侯菜似艾，二月生，宜鸡羹，故名之。

桃朱术取子带之，令妇人为夫所爱。生园中，细如芹，花紫，子作角。以镜向旁敲之，则子自发，五月五日收之也。

铁葛味甘，温，无毒。主一切风血气，羸弱，令人性健，久服风缓及偏风并血。生山南峡中，叶似枸杞，如葛黑色也。

伏鸡子根味苦，寒，无毒。主解百药毒，诸热烦闷，急黄，天行黄疸，疽疮，疟瘴，中恶，寒热头痛，马急黄及牛疫，并水磨服。生者尤佳，亦傅痈肿。与陈家白药同功，但霍乱、诸冷，不可服耳。生四明天台，叶圆薄似钱，蔓延根作鸟形者良，一名承露仙。

陈家白药味苦，寒，无毒。主解诸药毒，水研服之，入腹与毒相攻必吐，疑毒未止，更服。亦去心胸烦热，天行瘟瘴。出苍梧，陈家解药用之，故有陈家之号。蔓及根并似土瓜，紧小者良，冬春采取。一名吉利菜，人亦食之，与婆罗门白药及赤药功用并相似，叶如钱，根如防己，出明山。

龙珠味苦，寒，无毒。子，主疔肿。叶，变白发，令人不睡。《李邕方》云：主诸热毒，石气发动，调中解烦。生道傍，子圆赤，珠似龙葵，但子熟时赤耳。

本草品汇精要卷之七

本草品汇精要

·卷之八·

草 部
上品之中

三十种 **神农本经** 朱字

一种 **宋本先附** 注云宋附

二十种 **陈藏器余**

已上总五十一种，内九种今增图

泽泻叶、实附　　　　远志苗名，小草附　　　草龙胆山龙胆附

细辛　　　　　　　　石斛　　　　　　　　巴戟天

白英今增图　　　　　白蒿　　　　　　　　赤箭

菴①䕡②子　　　　　菥③蓂④子　　　　　蓍实

赤芝今增图　　　　　黑芝今增图　　　　　青芝今增图

白芝今增图　　　　　黄芝今增图　　　　　紫芝今增图

卷柏　　　　　　　　蓝实叶汁、淀、青布附

青黛宋附，自中品今移并增图　芎䓖　　　蘼芜今增图

黄连　　　　　　　　络石地锦、扶芳、土鼓、石血、薜荔、木莲附

蒺藜子　　　　　　　黄芪　　　　　　　　肉苁蓉草苁蓉附

防风叶、花附　　　　蒲黄　　　　　　　　香蒲

---

① 菴：原注"音淹"。
② 䕡：原注"音闾"。
③ 菥：原注"音锡"。
④ 蓂：原注"音觅"。

二十种陈藏器余

捶胡根	甜藤	孟娘菜
吉祥草	地衣草	郎耶草
地杨梅	茅膏菜	鏨菜
益奶草	蜀胡烂	鸡脚草
难火兰	蓼荞	石莼宁
蓝藤根	七仙草	甘家白药
天竺干姜	池德勒	

本草品汇精要卷之八
草部上品之中

○ 草之草

泽泻

无毒　丛生

泽泻_{出神农本经}。主风寒湿痹，乳难，消水，养五脏，益气力，肥健。久服耳目聪明，不饥，延年轻身，面生光，能行水上。以上朱字神农本经。补虚损五劳，除五脏痞满，起阴气，止泄精，消渴，淋沥，逐膀胱三焦停水。扁鹊云：多服，病人眼。○叶，主大

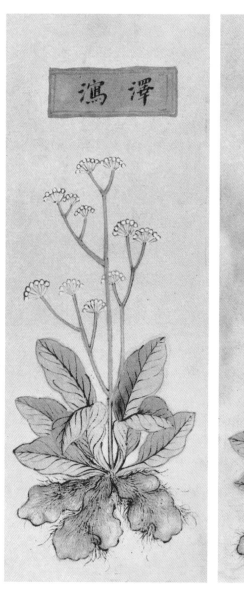
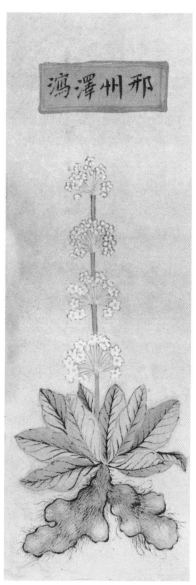

风，乳汁不出，产难，强阴气，久服轻身。○实，主风
痹，消渴，益肾气，强阴，补不足，除邪湿。久服面生
光，令人无子。以上黑字名医所录。

名 水泻、及泻、芸芋、鹄泻、蕍、蕮。

苗〔图经曰〕春生苗，多在浅水中，其叶狭长，似牛舌草。独茎而长，秋开白花作丛，似谷精草。干久，极易朽蠹，常须密藏之。汉中出者，其形长大，尾间有两歧，最佳。

地〔图经曰〕汝南池泽，山东、河陕、江淮、南郑、邵武、青代亦有之。〔道地〕泾州、华州、汉中者佳。

时〔生〕春生苗。〔采〕五、六、八、九月取根，五月取叶，九月取实。

收 阴干。

用 根不蛀者为好，叶、实亦可用。

质 类京三棱而轻浮。

色 白。

味 甘、咸。

性 寒，缓。

气 味厚，阴也。阴中微阳。

臭 朽。

主 利水除湿。

行 足太阳经、少阴经。

反 畏海蛤、文蛤。

制〔雷公云〕去毛，细剉，酒浸一宿，漉出，暴干用。

治〔疗〕〔药性论云〕治五淋，利膀胱热，宣通水道。〔日华子云〕筋骨挛缩，通小肠，止遗沥，尿血，催生难产。叶，壮水脏，下乳，通血脉。〔汤液本草云〕去阴间汗，渗泻止渴。〔补〕〔药性论云〕肾虚精自出。〔日华子云〕五劳七伤，头旋，耳虚鸣，益女人血海，令人有子。

禁 多服，病人眼。

○ 草之草

远志

无毒　丛生

远志出神农本经。主咳逆，伤中，补不足，除邪气，利九窍，益智慧，耳目聪明，不忘强志，倍力。久服轻身不老。以上朱字神农本经。利丈夫，定心气，止惊悸，益精，去心下膈气，皮肤中热，面目黄，好颜色，延年。○叶，主益精，补阴气，止虚损梦泄。以上黑字名医所录。

名　棘菀、葽绕、细草。〔苗〕小草。

苗〔图经曰〕苗似麻黄而青，又如荜豆叶，亦有似大青而小者。
三月开花，白色。根黄色，形如蒿根，长及一尺。泗州出者花红，
根叶俱大于他处，商州者根又黑色，俗传夷门者最佳。〔尔雅云〕
葽绕，棘菀，即远志也。似麻黄，赤华，叶锐而黄。其苗谓之小草。

地〔图经曰〕生泰山及冤句川谷、泗州、商州，今河陕、京西州郡亦有之。〔道地〕夷门者为佳。

时〔生〕春生苗。〔采〕四月取根、叶。

收 晒干。

用 根肥大者为好。

质 类枸杞根而长。

色 黄。

味 苦。

性 温，泄。

气 气厚于味，阳中之阴。

臭 香。

主 安心神，止惊悸。

助 得茯苓、冬葵子、龙骨良。

反 畏珍珠、藜芦、蜚蠊、齐蛤、蛴螬。

制 〔雷公云〕以甘草汤浸一宿，漉出，去心，暴干用。

治 〔疗〕〔日华子云〕膈气惊魇，妇人血噤失音，小儿客忤。〔补〕〔药性论云〕心神健忘，安魂魄，令人不迷，坚壮阳道，主梦邪。〔日华子云〕长肌肉，助筋骨。〔抱朴子云〕久服令人有子。

合治 小草合蜀椒，去汗。干姜、桂心、细辛各三分，附子二分，炮为末，蜜丸如桐子大，名小草丸，食后米汤下三丸，日三服。治胸痹心痛，逆气膈中，饮不下。

忌 服小草丸，忌猪肉、冷水、生葱菜。

解 杀天雄、附子毒。

禁 不去心服之，令人闷。

○ **草之草**

草龙胆

无毒　附山龙胆　植生

草龙胆出神农本经。主骨间寒热，惊痫邪气，续绝伤，定五脏，杀蛊毒。久服益智不忘，轻身耐老。以上朱字神农本经。除胃中伏热，时气温热，热泄下痢，去肠中小虫，益肝胆气，止惊惕。以上黑字名医所录。

名 陵游。

苗 〔图经曰〕苗因旧根而生，下抽根十余本，类牛膝。直上生苗，高尺余，四月生叶而细，茎如小竹枝。七月开花，如牵牛花而作铃，其色青碧，冬后结子，苗叶遂枯。因味苦甚，故以胆为名也。一种浙中所产者，名山龙胆草，其味苦涩，以姜汁制之，亦可入药。其茎经霜雪不凋，与此相类，而非一种也，故附于此。

地 〔图经曰〕生齐朐山谷及冤句，今近道亦有之①。〔道地〕吴兴为胜。

时 〔生〕四月。〔采〕二月、八月、十一月、十二月。

收 阴干。

用 根肥长而脂润者为好。

质 类牛膝而赤。

色 赤黄。

味 大苦。

---

① 今近道亦有之：此后原有"陶隐居云"四字，未见引文，故删。

性 大寒，泄。

气 气味俱厚，阴也。

臭 朽。

主 泻肝热，除湿肿。

助 小豆、柴胡、贯众为之使。

反 恶防葵、地黄。

制〔雷公云〕去芦，洗净，铜刀剉碎，甘草水浸一宿，暴干。用酒浸上行。

治〔疗〕〔药性论云〕小儿惊痫入心，壮热，骨热，痈肿，时疾，热黄，口疮。〔日华子云〕客忤，疳气，热病，狂语，疮疥，明目止烦，益智健忘。〔汤液本草云〕除下焦之湿及翳膜之湿，两目赤肿，睛胀，瘀肉高起，疼痛。〔别录云〕蛔虫攻心如刺，吐清水，用水煎，空心服。卒下血不止，水煎服。〔图经曰〕山龙胆草①，主四肢疼痛。

合治 合柴胡为主，治目疾，必用之药。○合酒煎服，治卒心痛。

禁 空心勿服，服之令人溺不禁。

———————
① 山龙胆草：原为朱字外框，据清本改。

○ 草之草

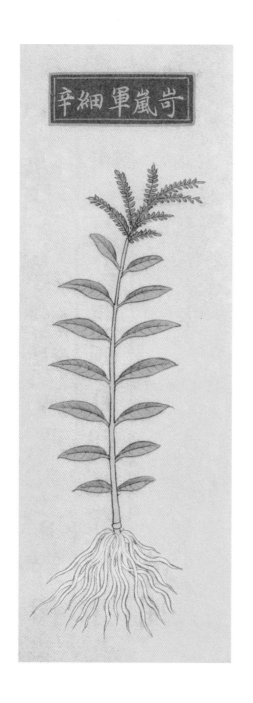

细辛

无毒　<u>丛生</u>

细辛出神农本经。主咳逆，头痛，脑动，百节拘挛，风湿痹痛，死肌。久服明目，利九窍，轻身长年。以上朱字神农本经。温中下气，破痰，利水道，开胸中，除喉痹，齆[1]鼻，风痫，癫疾，下乳结，汗不出，血不行。安五脏，益肝胆，通精气。以上黑字名医所录。

---

[1]　齆：原注"音瓮"。

名 小辛、细草。

苗〔图经曰〕叶如葵叶，赤黑色，一根一叶相连，根极柔韧而细。嚼之，其味辛烈如椒，故以名之。

地〔陶隐居云〕东阳、临海、高丽。〔图经曰〕今处处有之。〔道地〕华阴山谷。

时〔生〕春生苗。〔采〕二月、八月取根。

收 阴干。

用 根细褐而长者为好。

质 类马蹄香。

色 土褐。

味 辛。

性 温，散。

气 气厚于味，阳也。

臭 香。

主 头痛，齿痛。

行 手少阴经。

助 曾青、枣根为之使。

反 藜芦，恶狼毒、山茱萸、黄芪，畏消石、滑石。

制〔雷公云〕拣去土，并芦头、双叶爪，水浸一宿，至

辛細州華

明漉出，暴干，剉碎用。

治〔疗〕〔陶隐居云〕除痰，明目，食之去口臭。〔药性论云〕咳逆上气，恶风，头风，手足拘急，安五脏六腑，添胆气，去皮风湿痒，能止眼风泪下，开胸中滞，除齿痛，血闭，妇人血沥，腰痛。〔日华子云〕止嗽，消死肌疮肉，胸中结聚。〔衍义曰〕头面风痛。

合治 合当归、芍药、白芷、芎䓖、牡丹、藁本、甘草，疗妇人血病。○合决明、鲤鱼胆、青羊肝，疗目痛。○合桂心，内口中，治卒客忤不能言。

禁 不可多用。及双叶者，服之害人。

忌 生菜、狸肉。

赝 杜蘅为伪。

信州细辛

○ 草之草

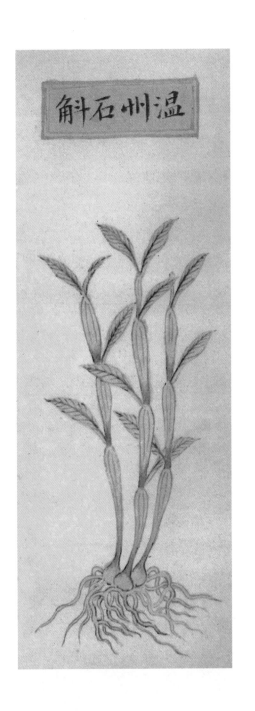

斛石州温

石斛

无毒　丛生

石斛出神农本经。主伤中，除痹，下气，补五脏，虚劳，羸瘦，强阴。久服厚肠胃，轻身延年。以上朱字神农本经。益精，补内绝不足，平胃气，长肌肉，逐皮肤邪热，痱①气，脚膝疼冷，痹弱，定志除惊。以上黑字名医所录。

───────────

① 痱：原注"音沸"。

名 林兰、禁生、杜兰、雀
髀斛、石遂、麦斛。

苗〔图经曰〕五月生苗，
茎似竹节，节间出碎叶。七月
开花，十月结实。其根细长，
黄色。七八月采茎，以桑灰汤
沃之，其色如金。江南生者有
二种，一种似大麦，累累相连，
头生一叶，名麦斛；一种大如
雀髀，名雀髀斛，惟生石上者
胜。亦有生栎木上者，名木斛，
不堪用。〔唐本注云〕麦斛，
叶在茎端，其余斛如竹节间生
叶也。

地〔图经曰〕生六安山谷
水傍石上，今荆州、广州郡及
温、台州亦有之。〔唐本注云〕
荆襄及汉中、江左。〔陶隐居
云〕出始兴、宣城、庐江、始安。
〔道地〕广南者为佳。

时〔生〕五月生苗。〔采〕
七月、八月取茎。

收 阴干。

用 茎。

春州石斛

质 类木贼而扁。

色 黄。

味 甘。

性 平，缓。

气 气厚于味，阳中之阴。

臭 朽。

主 补肾气，暖腰膝。

助 陆英为之使。

反 畏僵蚕、雷丸，恶凝水石、巴豆。

制 〔雷公云〕去头土，用酒浸一宿，漉出，于日中暴干，却，用酥蒸，从巳至酉，徐徐焙干用之。

治 〔疗〕〔药性论云〕除热及男子腰脚软弱，逐皮肌风痹，骨中久冷，虚损腰痛。〔日华子云〕平胃气，逐虚邪。〔衍义曰〕去胃中虚热。〔补〕〔药性论云〕益气健阳，补肾积精，养肾气，益力。〔日华子云〕补虚损劣弱，壮筋骨，暖水脏，轻身益智。

○ 草之草

巴戟天

无毒　丛生

巴戟天 出神农本经。主大风邪气，阴痿不起，强筋骨，安五脏，补中增志，益气。以上朱字神农本经。疗头面游风，小腹及阴中相引痛，下气，补五劳，益精，利男子。以上黑字名医所录。

名　三蔓草、不凋草。

苗　〔图经曰〕叶似茗，经冬不枯，多生竹林内。内地生者，叶似麦门冬而厚大，至秋结实。有宿根者青色，嫩根者白色，用之皆同，以连珠、肉厚、紫色为良。蜀人云：都无紫色者，彼方人采得，或用黑豆同蒸，欲其色紫，殊失气味，尤宜辨之。蜀中又有一种山葎[1]根，似巴戟，但色白，土人采得，以醋水煮之，乃紫以杂之，莫能辨也。真巴戟嫩者亦白，欲其紫色，以大豆汁沃之，则其力弱不可用。两种相杂，人莫能识。但击破视之，其中紫而鲜洁者为伪；若紫而有微白糁如粉色，理小暗者，真也。

地　〔图经曰〕生巴郡及下邳山谷，今江淮、河东州郡亦有之。〔陶隐居云〕建平、宜都。〔道地〕蜀川者为佳。

时　〔生〕春生苗。〔采〕

---

① 葎：原作"律"，据清本改。

二月、八月取根。

收 阴干。

用 根连珠、肉厚者为好。

质 状如牡丹根，细而有须。

色 紫、白。

味 辛、甘。

性 微温，缓。

气 气之厚者，阳也。

臭 香。

主 一切风邪，强阴益精。

助 覆盆子为之使。

反 恶朝生、雷丸、丹参。

制 〔雷公云〕凡使，打碎去心，用枸杞子汤浸一宿，漉出，酒浸一伏时，又漉出。用菊花同熬令焦黄，去菊花，以布拭令干用。

治 〔疗〕〔药性论云〕除头面中风，下气，大风血癞。〔日华子云〕除一切风，邪气，水肿。〔补〕〔药性论云〕男子夜梦鬼交泄精，强阴，病人虚损，加而用之。〔日华子云〕安五脏，定心气。

赝 山茛^①根为伪。

---

① 茛: 原作"茛"，据清本改。

○ 草之走

白英

无毒　蔓生

白英主寒热，八疸，消
渴，补中益气。久服轻
身延年。神农本经①。

---

① 神农本经：原作"名医所
录"，按目录"白英"为《本经》
药，因据改。

名 谷菜、白草、鬼目。

苗 〔唐本注云〕蔓生，叶似王瓜，叶小长而生五桠。其实圆，若龙葵子，生青熟紫黑。煮汁解劳，东人谓之白草，即鬼目草也。〔陶隐居云〕诸方药不用，其叶作羹，饮之甚疗劳，而不用根、华。益州乃有苦菜，土人专食之，皆充健无病，与《图经》吻合①，疑或是此。

地 〔图经曰〕生益州山谷。

时 〔生〕春生苗。〔采〕春采叶，夏采茎，秋采花，冬采根。

收 日干。

用 根、叶、花、茎。

色 白。

味 甘。

性 寒，缓。

气 气之薄者，阳中之阴。

主 烦热，风疹。

制 煮汁或作羹饮之。

治 〔疗〕〔唐本注云〕煮汁饮，解毒。〔陈藏器云〕烦热，风疹，丹毒，疟瘴，寒热，小儿结热，煮汁饮之。〔别录云〕茎叶煮粥，极解热毒。

---

① 与《图经》吻合：此五字《证类本草》无，疑系此书作者增文。

白蒿

无毒　植生

白蒿主五脏邪气，风寒湿痹，补中益气，长毛发令黑，疗心悬，少食常饥。久服轻身，耳目聪明，不老。神农本经。

名 蓬蒿、繁游、胡旁勃、游胡、旁勃、蘩①番②蒿。

苗 〔图经曰〕春初最先诸草而生，似青蒿而叶粗，上有白毛错涩。从初生至枯，白于众蒿，颇似细艾，至秋香美，可生食。《尔雅》所谓蘩番蒿，即此是也。

地 〔图经曰〕生中山川泽，今所在有之。

时 〔生〕春初苗。〔采〕二月、七月取。

收 阴干。

用 苗叶白色者为好，子亦可用。

质 类青蒿。

色 白。

味 甘。

性 平，缓。

气 气厚于味，阳中之阴。

臭 香。

主 补中益气，风寒湿痹。

白蒿

① 蘩：原注"音烦"。
② 番：原注"音婆"。

制 去根土，或生捣汁，或烧淋灰汁。

治〔疗〕〔孟诜云〕汁，去^①热黄，心痛。○灰淋汁，止淋沥。〔补〕〔孟诜云〕叶为菹，益人。

合治 叶干为末，合米饮调一匙，空腹服之，疗夏日暴水痢。○子为末，合酒调服，主鬼气。○白艾蒿十束如升大，煮取汁，合面及米，一如酿酒法，候熟稍稍饮之，治恶疾遍体，面目有疮。

赝 萎蒿为伪。

---

① 去：原脱，据清本补。

○ 草之草

赤箭

无毒 植生

赤箭出神农本经。主杀鬼精物，蛊毒，恶气。久服益气力，长阴肥健，轻身增年。以上朱字神农本经。**消痈肿，下支满疝**①，**下血**。以上黑字名医所录。

---

① 疝：原注"音山"。

名 离母、鬼督邮、独摇、合离草。

苗〔图经曰〕赤箭，天麻苗也。独茎如箭竿，叶生其端，有风不动，无风自摇。四月开花，竿叶俱赤，实似枯苦楝子，核作五六棱，中有肉如面，日暴则枯萎。其根大，类天门冬，惟无心脉耳。去根尺许，有十余子，似芋而为卫之。《抱朴子》云：仙方中谓此为合离草者，由此物下根如芋魁，有游子十二枚周环之，去大魁数尺，虽相须而实不连，但以气相属故也。

地〔图经曰〕生陈仓川谷、雍州及泰山、少室，今江湖间亦有之。〔道地〕兖州。

时〔生〕春初生苗。〔采〕三月、四月、八月取。

收 暴干。

用 茎。

质 类箭竿而茎端有叶。

色 赤。

味 辛。

性 温，散。

气 气之厚者，阳也。

臭 臊。

主 消痈肿，益元气。

制 剉碎用。

○ 草之草

菴蕳子

无毒　植生

菴①蕳②子出神农本经。主五脏瘀血，腹中水气，胪胀留热，风寒湿痹，身体诸痛。久服轻身，延年不老。以上朱字神农本经。疗心下坚，膈中寒热，周痹，妇人月水不通，消食，明目，駏③驉④，食之神仙。以上黑字名医所录。

---

① 菴：原注"音淹"。
② 蕳：原注"音间"。
③ 駏：原注"音巨"。
④ 驉：原注"音墟"。

苗〔图经曰〕春生苗，叶如艾蒿，高二三尺，七月开花，八月结实，江南人家种此辟蛇。

地〔图经曰〕出雍州川谷及上党道边，江淮亦有之。〔道地〕宁州、秦州。

时〔生〕春生苗。〔采〕十月、九月取实。

收 阴干。

用 子、叶。

质 类艾蒿。

色 青。

味 苦。

性 微寒、微温，泄。

气 味厚于气，阴中之阳。

臭 香。

主 瘀血，囊湿。

助 荆实、薏苡仁为之使。

制 为末或煮汁。

治〔疗〕〔图经曰〕踠折瘀血，打扑损，煮汁服。〔药性论云〕男子阴痿不起，心腹胀满，能消瘀血。〔日华子云〕腰脚重痛，膀胱疼，骨节烦痛，不下食。〔陶隐居云〕种之辟蛇。

秦州茴子

〔别录云〕诸瘀血不散变成痈，捣汁服。〔补〕〔药性论云〕益气。〔日华子云〕明目。

○ 草之草

菥蓂子

无毒　植生

菥①蓂②子出神农本经。
主明目，目痛，泪出，
除痹，补五脏，益精
光。久服轻身不老。
以上朱字神农本经。疗心
腹腰痛。以上黑字名医
所录。

---

① 菥：原注"音锡"。
② 蓂：原注"音觅"。

名 蒫蒺、大蕺、马辛、大荠。

苗 〔图经曰〕菥蓂，大荠。郭璞云：似荠，细叶，俗呼之曰老荠。苏恭亦云是大荠。又云：然菥蓂味辛，大荠味甘。陈藏器云：大荠当是葶苈，非菥蓂。菥蓂大而扁，葶苈细而圆，二物殊也。而《尔雅》自有葶苈，谓之蕈①。注云：实、叶皆似芥，一名狗荠。大抵二物皆荠类，故人多不能细分，乃尔致疑也。

地 〔图经曰〕生咸阳川泽及道傍，今处处有之。

时 〔生〕春生苗。〔采〕四月、五月取子。

收 暴干。

用 子。

质 类葶苈而扁大。

色 淡黄。

味 辛。

性 微温，散。

气 气之厚者，阳也。

臭 焦。

主 肝热，明目。

助 得荆实、细辛良。

反 恶干姜、苦参。

制 捣碎用。

治 〔疗〕〔名医别录云〕为细末，疗眼热痛，泪不止，欲卧时用铜箸点眼中，当有热泪及恶物出，并去翳肉。

合治 以苦参为使，能治肝家积聚，眼目赤肿。

---

① 蕈：原注"音典"。

○ 草之草

菁实

无毒　丛生

菁实主益气，充肌肤，明目，聪慧先知。久服不饥，不老轻身。
神农本经。

苗〔图经曰〕其生如蒿，作丛，高五六尺，一本一二十茎，至多者三五十茎，生便条直，所以异于众蒿也。秋后有花出于枝端，红紫色，形如菊。今医家亦稀用。其茎为筮，以问鬼神，知吉凶，故圣人赞之，谓之神物。《史记·龟策传》曰：龟千岁乃游于莲叶之上，蓍百茎共一根。又其所生，兽无虎狼，虫无毒螫。刘向云：龟千年而灵，蓍百年而一本生百茎。又楮先生云：蓍生满百茎者，其下必有神龟守之，其上常有青云覆之。《传》曰：天下和平王道得。而蓍茎长丈，其丛生满百茎。方今世取蓍者，不能中古法度，不能得满百茎。长丈者，取八十茎以上，蓍长八尺，即难得也。好用卦者，取满六十茎以上，长满六尺者，即可用矣。今蔡州所生者，皆不言如此，然则此类其神物也，故不常有。

地〔图经曰〕出少室山谷，今蔡州上蔡县白龟祠傍。〔唐

蔡州蓍实

本注云〕所在有之。

时〔生〕无时。〔采〕八月、九月取实。

收 日干。

用 实坚泽者为好。

质 茎如藉萧，实类粟米。

色 苍黄。

味 苦、酸。

性 平，缓。

气 味厚于气，阴中之阳。

臭 香。

主 明目益气。

赝 楮实为伪。

○ 草之木

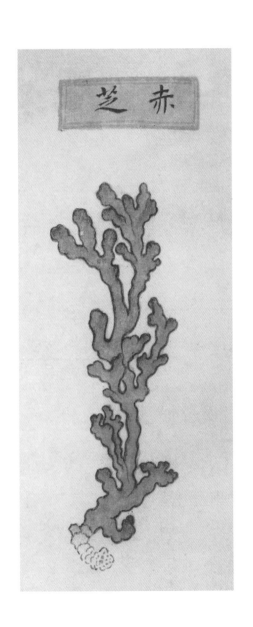

赤芝

无毒　寄生

赤芝主胸中结，益心气，补中，增慧智，不忘。久食轻身，不老延年，神仙。神农本经。

名 丹芝。

苗 〔唐本注云〕五芝，《经》云：皆以五色生于五岳。诸方所献白芝，未必华山黑芝，又非常岳，且芝多黄白，稀有黑青者。然紫芝最多，非五芝之类。但芝自难得，纵获一二，岂得终久服耶？〔陶隐居云〕按郡县无高夏名，恐是山名尔。此六芝皆是仙草之类，俗所稀见，族种甚多，形色坏异，并载《芝草图》中。今俗所用紫芝，此是朽树木株上所生，状如木檽①，名为紫芝。〔尔雅云〕茵②，芝，释曰：瑞草名也。一岁三华，为茵为芝。《论衡》云：芝生于土，土气和，故芝草生瑞命。《礼》曰：王者仁慈，则芝草生是也。

地 〔图经曰〕生霍山。

---

① 檽：原注"音软"。
② 茵：原注"音囚"。

○ 草之木

黑芝

无毒　寄生

黑芝主癃[1]，利水道，益肾气，通九窍，聪察。久食轻身，不老延年，神仙。神农本经。

---

[1] 癃：原注"音隆"。

名 玄芝。

地 〔图经曰〕生常山。

时 〔生〕无时。〔采〕六月、八月取。

质 类泽漆。

色 黑。

味 咸。

性 平。

气 味厚于气，阴中之阳。

臭 朽。

助 山药为之使，得发良。

反 畏扁青、茵陈蒿，恶常山[①]。

制 水洗，剉碎，或为末用。

合治 合麻子仁、白瓜子、牡桂，共益人。

---

① 山：原无，据清本补。

○ 草之木

青芝

无毒　寄生

青芝主明目，补肝气，安精魂，仁恕。久食轻身，不老延年，神仙。神农本经。

名 龙芝。

地 〔图经曰〕生泰山。

时 〔生〕无时。〔采〕六月、八月取。

质 类翠羽。

色 青。

味 酸。

性 平，泄。

气 味厚于气，阴中之阳。

臭 朽。

主 不忘，强志。

助 山药为之使，得发良。

反 畏扁青、茵陈蒿。

制 水洗，剉碎，或为末用。

合治 合麻子仁、白瓜子、牡桂，共益人。

○ 草之木

白芝

无毒　寄生

白芝主咳逆上气，益
肺气，通利口鼻，强
志意，勇悍，安魄。
久食轻身，不老延年，
神仙。神农本经。

名 玉芝。

地 〔图经曰〕生华山。

时 〔生〕无时。〔采〕六月、八月取。

质 类截肪。

色 白。

味 辛。

性 平，散。

气 气之薄者，阳中之阴。

臭 朽。

助 山药为之使，得发良。

反 畏扁青、茵陈蒿，恶常山。

制 水洗，剉碎或为末用。

治 合麻子仁、白瓜子、牡桂，共益人。

○ 草之木

黄芝

无毒　寄生

黄芝主心腹五邪，益脾气，安神，忠信和乐。久食轻身，不老延年，神仙。神农本经。

名 金芝。

地 〔图经曰〕生嵩山。

时 〔生〕无时。〔采〕六月、八月取。

质 类紫金而光明，洞澈如坚冰。

色 黄。

味 甘。

性 平，缓。

气 气之薄者，阳中之阴。

臭 朽。

助 山药为之使，得发良。

反 畏扁青、茵陈蒿，恶常山。

制 水洗，剉碎或为末用。

合治 合麻子仁、白瓜子、牡桂，共益人。

○ 草之木

紫芝

无毒　寄生

紫芝主耳聋，利关节，
保神，益精气，坚筋
骨，好颜色。久服轻
身，不老延年，神仙。
神农本经。

名 木芝。

地 〔图经曰〕生高夏山谷。

时 〔生〕无时。〔采〕六月、八月取。

收 阴干。

用 鲜明润泽者为佳。

质 类木檽。

色 紫。

味 甘。

性 温。

气 气味俱厚，阳也。

臭 朽。

主 疗痔疾。

助 山药为之使。

反 畏发、扁青、茵陈蒿。

制 水洗，剉碎或为末。

治 〔补〕〔药性论云〕保神益寿。

合治 合麻子仁、白瓜子、牡桂，共益人。

○ 草之草

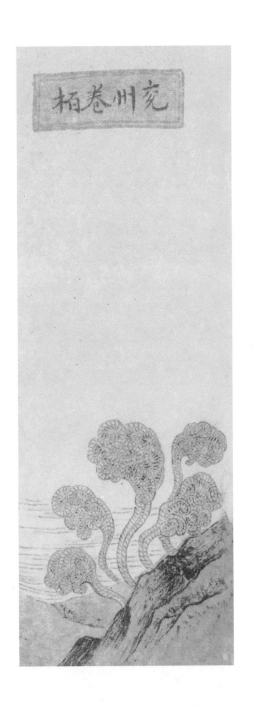

卷柏

无毒　丛生

卷柏出神农本经。主五脏邪气，女人阴中寒热痛，癥瘕，血闭，无子。久服轻身，和颜色。以上朱字神农本经。止咳逆，治脱肛，散淋结，头中风眩，痿蹶，强阴益精。以上黑字[①]名医所录。

---

① 以上黑字：原无，据义例补。

名 万岁、豹足、求股、交时。

地 〔图经曰〕卷柏生常山山谷间，今关、陕、沂、兖诸州亦有之。宿根紫色多须，春生苗，似柏叶而细碎，拳挛如鸡足，青黄色，高三五寸，无花子。多生石上，五月、七月采，阴干，去下近石有沙土处用之。考之《范子》云：卷柏出三辅。《建康记》云：出建康。

时 〔生〕春生苗。〔采〕五月、七月取根。

收 阴干。

用 细劲拳挛者为好。

质 形如鸡足而拳屈。

色 青黄。

味 辛、甘。

性 温、平、微寒。

气 气厚味薄，阳中之阴。

臭 香。

主 生破血，炙止血。

制 去石沙土。

治 〔疗〕〔药性论云〕月经不通，尸疰，鬼疰，腹痛，去百邪鬼魅。〔日华子云〕镇心中邪，啼泣，消面皯，头风，暖水脏。

海州卷柏

○ 草之草

蓝实

无毒　植生

蓝实出神农本经。主解诸毒，杀蛊蚑①，疰鬼，螫毒。久服头不白，轻身。以上朱字神农本经。○叶汁，杀百药毒，解狼毒、射罔毒。其茎叶可以染青。以上黑字名医所录。

---

① 蚑：原注"音其，小儿鬼也"。

注：据正文，图中应作"江宁府吴蓝"

名〔实〕木蓝子。〔叶〕蓼蓝、马蓝、吴蓝、菘蓝、槐蓝。

苗〔图经曰〕苗高二三尺许，叶似水蓼，花红白色，实亦若蓼实而大，黑色。蓝有数种，有木蓝出岭南，不入药；有菘蓝可以为淀者，亦名马蓝，《尔雅》所谓葴，马蓝是也；有蓼蓝但可染碧，而不堪作淀，即医方所用者也。又福州有一种马蓝，四时俱有，叶类苦益菜；又江宁有一种吴蓝，二三月内生，如蒿状，叶青花白。此二种虽不类而俱有蓝名，古方多用吴蓝者，或恐是此，故并附之。〔衍义曰〕蓝实即大蓝实也，谓之蓼蓝，非是《尔雅》所说，是解诸药等毒不可阙也。实与叶两用，《注》不解实，只解蓝叶，为未尽《经》所说尽矣。蓝一本而有数色，刮竹青、绿云、碧青、蓝黄，岂非青出于蓝而青于蓝者也！生叶汁解药毒，此即大叶蓝，又非蓼蓝也。蓼蓝但堪揉汁染翠碧，其花成长穗，细小，浅红色为别。

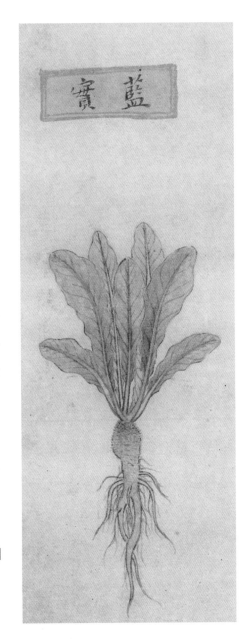

　　地〔图经曰〕出河内平泽、福州、太原、庐陵、南康、江宁，今处处有之。

　　时〔生〕三月、四月。〔采〕五月、六月取实。

　　收 暴干。

　　用 实、叶。

　　质〔实〕类蓼子。〔叶〕类水蓼。

　　色〔实〕黑。〔叶〕青。

　　味 苦。

性 寒，泄。

气 气薄味厚，阴中之阳。

臭 腥。

主 益心力，解毒。

制 〔叶〕捣汁用。

治 〔疗〕〔图经曰〕吴蓝，去热解毒，止吐血。〔陶隐居云〕汁涂五心，止烦闷及蜂螫毒。〔唐本注云〕木蓝子，消毒肿。○蓼蓝汁，去热毒。〔药性论云〕蓝实，利五脏，调六腑，利关节，治经络中结气，使人健，少睡。○汁，止心烦躁。〔日华子云〕吴蓝，除天行热狂，疔疮，游风，热毒肿毒，风疹，去烦，止渴，杀疳，金疮，血闷，虫、蛇伤毒刺，鼻洪，吐血排脓，寒热头痛，赤眼，产后血晕，小儿壮热，热疳。〔陈藏器云〕槐蓝淀，傅热疮。○滓，傅小儿秃疮，热肿初作。○甘蓝，食之，去热黄。○青布，天行烦毒，小儿寒热，丹毒，并水渍取汁饮。烧作黑灰，傅恶疮经年不瘥者，及傅灸疮，止血，令不中风。〔别录云〕唇上生疮，连年不瘥者，以八月蓝叶一斤捣汁洗，瘥。○虎伤人疮，以青布紧卷烧一头，内竹筒中射疮口，令烟熏入疮，瘥。〔补〕〔药性论云〕填骨髓，明耳目，益心力。

 合治 马蓝焙，捣为末，合酒服钱匕，治妇人败血。○大蓝汁合雄黄、麝香细末，点蜘蛛咬处，即瘥。○蓝合鼠屎两头尖者二七枚，水五升，煮取二升，尽服之，温覆取汗，治阴阳易，病身体重，小腹急热上冲胸，头重不能举，曒膝胫拘急欲死者。

 解 毒药、毒箭、金石药毒、狼毒、射罔毒、蛊毒。槐蓝，解诸毒。青布①，解诸物毒。

---

① 青布：原作"青皮"，据上文"治"项改。

○ 草之草

青黛

青黛主解诸药毒，小儿诸热，惊痫，发热，天行头痛，寒热，并水研服之。亦磨傅热疮，恶肿，金疮，下血，蛇犬等毒。染淀亦堪傅热恶肿，蛇虺螫毒。

名医所录。

苗 〔谨按〕青黛出于蓝也，其种人家园圃莳之，叶似蓼。夏采得，以水渍缸瓮中，日搅令沫旋结水面，取起，晒干入药。或云：一种出波斯国者，今不复见之。

地 〔图经曰〕出波斯国，今太原、庐陵、南康处处有之。

时 〔生〕春生苗。〔采〕夏取叶。

收 晒干。

用 轻浮者为好。

色 青。

味 咸。

性 寒，软。

气 气薄味厚，阴也。

臭 腥。

主 杀虫，解毒。

制 研细用。

治 〔疗〕〔陈藏器云〕小儿丹热，和水服之。

○ 草之草

芎䓖

无毒　丛生

芎䓖出神农本经。主中风入脑，头痛，寒痹，筋挛缓急，金疮，妇人血闭无子。以上朱字神农本经。除脑中冷动，面上游风去来，目泪出，多涕唾，忽忽如醉，诸寒冷气，心腹坚痛，中恶，卒急肿痛，胁风痛，温中内寒。以上黑字名医所录。

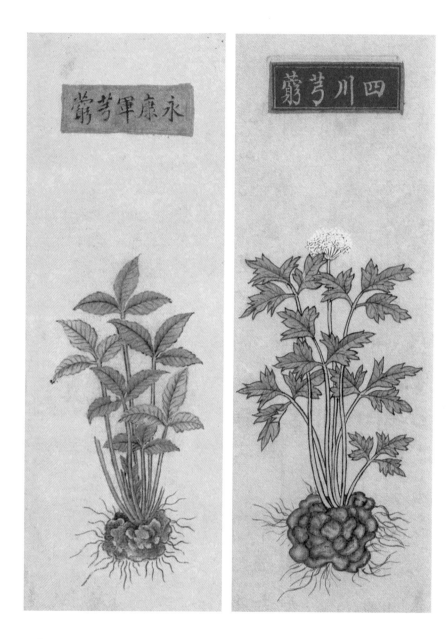

名 胡䓖、香果。

苗〔图经曰〕芎䓖，即蘼芜根也。其苗四月、五月间生，叶似芹、胡荽、蛇床辈，作丛而茎细，七月、八月开白花，根坚瘦，黄黑色。关中出者，俗呼为京芎，并通用，惟贵。形块重实，作雀脑状者，谓之雀脑芎，此最有力也。〔吴氏云〕叶香，细青黑纹，赤如藁本。冬夏丛生，五月华赤，七月实黑，茎端两叶，根有节似马衔状。〔衍义曰〕今出川中大块，其里色白不油，嚼之惟辛、甘者佳。他种不入药，止可为末，煎汤沐浴。此药今人所用最多，头面风不可阙也。然须以他药佐之。

地 〔图经曰〕生武功川谷、斜谷、西岭及关中、秦州、山阴、泰山。〔道地〕蜀川者为胜。

时 〔生〕四月、五月生苗。〔采〕九月、十月取根。

收 暴干。

用 根如雀脑者佳。

质 形类马衔而成块。

色 黑赤。

味 辛。

性 温，散。

气 气之厚者，阳也。

臭 香。

主 头风脑痛。

行 手、足厥阴经，手、足少阳经。

助 白芷为之使。

反 畏黄连。

制 水洗去土，剉用。

治 〔疗〕〔图经曰〕叶作香饮，止泄泻。〔陶隐居云〕齿根血出者，含之瘥。〔药性论云〕主腰脚软弱，半身不遂，及胞衣不出，腹内冷痛。〔日华子云〕除一切风，一切气，一切血，一切劳损，调众脉，破癥结，消宿血，养新血，长肉，止鼻洪，吐血，及溺血，痔瘘，脑痛，发背，瘰疬，瘿赘，疮疖，排脓，消瘀血。〔汤液本草云〕补血，主血虚头痛之圣药，散肝经之风，上行头目，下行血海。○贯芎，治少阳经苦头痛。〔补〕〔日华子云〕五劳七伤，壮筋骨。

合治　合当归等分，水二盏，煎一盏服，治妇人数月胎不动。○末一匙，合艾汤调，如妇人经水三月不行，服此验。腹内微动者是胎。○剉一两，合酒一盏，煎五分，去滓，入生地黄汁二合，煎三沸，食前分二服，疗妇人血崩，昼夜不止。

禁　久服，则走散真气。

○ 草之草

蘼芜

无毒　<u>丛生</u>

蘼芜出神农本经。主咳逆，定惊气，辟邪恶，除蛊毒，鬼疰，去三虫。久服通神。以上朱字神农本经。主身中老风，头中久风，风眩。以上黑字名医所录。

名 薇芜、茫蓠、蕲茞。

苗 〔图经曰〕蘼芜，即芎䓖苗也。其苗四五月生，叶似芹及胡荾、蛇床辈，作丛而茎细，七八月开白花，亦入药用。《淮南子》所谓夫乱人者，芎䓖之与藁本，蛇床之与蘼芜是也。其叶倍香，或莳于园庭，则分馨满径，故江东、蜀人采其叶作饮，香也。

地 〔图经曰〕雍州川泽及冤句。〔道地〕今关陕、蜀川、江东山中皆有之。

时 〔生〕春生苗。〔采〕四月、五月取叶。

收 暴干。

用 叶、花。

质 类蛇床叶。

色 叶青，花白。

味 辛。

性 温，散。

气 气之厚者，阳也。

臭 香。

主 祛风眩。

治 〔疗〕〔图经曰〕止泄泻。

○ 草之草

黄连

无毒　丛生

黄连出神农本经。主热气，目痛，眦伤泣出，明目，肠澼，腹痛，下痢，妇人阴中肿痛。久服令人不忘。以上朱字神农本经。五脏冷热，久下泄澼脓血，止消渴，大惊，除水利骨，调胃厚肠，益胆，疗口疮。以上黑字名医所录。

名 王连、支连。

苗〔图经曰〕苗高尺许，一茎生三叶，叶似甘菊。四月开黄花，六月结实，似芹子而黄。江左一种根若连珠，其苗经冬不凋，叶似小雉尾草，正月开花，作细穗，淡白微黄色，其根于六七月后始坚实也。

地〔图经曰〕生巫阳山谷及泰山，今江、湖、荆、夔州郡亦有之。〔陶隐居云〕生临海诸县者不佳。〔别录云〕歙州、处州者次之。〔道地〕出宣城、秦地及杭州、柳州、蜀道、澧州、东阳、新安诸县者最胜。

时〔生〕春生苗，四月开花。〔采〕二月、八月取。

收 暴干。

用 根连珠、九节者为好。

质 类巴戟。

色 黄。

味 苦。

性 微寒，泄。

气 味厚气薄，阴中之阳。

宣州黄连

臭 焦。

主 泻心火，消痞满。

行 手少阴经。

助 黄芩、龙骨、理石为之使。

反 畏款冬花，恶菊花、白鲜皮、白僵蚕、芫花、玄参，胜乌头。

制 去须生用，酒炒上行。

治 〔疗〕〔陶隐居云〕止下痢及渴。〔药性论云〕小儿疳虫，赤眼昏痛，镇肝，去热毒。〔日华子云〕止心腹痛，惊悸，烦躁，润心肺，长肉，止血，并疮疥，盗汗，天行热疾。〔陈藏器云〕赢瘦气急。〔汤液本草云〕泻心火，除脾胃中湿热，治烦恶心，郁热在中焦，兀兀欲吐，心下痞满。主阳有余，眼暴赤肿，并诸疮疡，及安蛔，通寒格，疗下焦虚，坚肾。又能令人终身不发斑疮，煎黄连一口，儿生未出声时灌之，大应；已出声灌之，斑虽出亦轻。〔别录云〕以㕮咀八两，用水七升，煮五升去滓，适寒温饮五合，日三服，疗卒心痛及伤寒病，发豌豆疮未成脓者。又为末，傅小儿月蚀疮。〔补〕〔日华子云〕五劳七伤，益气。

合治 合猪肚蒸为丸，疗小儿疳气。○以长三寸者三十枚，秤重一两半，龙骨如棋子四枚，重四分，附子大者一枚，干姜一两半，胶一两半，并切，先以水五合著铜器中，去火三寸煎沸便下，著生土上，沸止，又上水五合，如此九上九下，内诸药著火上沸，辄下著土沸止，又复九上九下度，可得一升，顿服，疗下痢不问冷热，赤白谷滞，休息久下之疾，即愈。○合青木香各等分，同捣为末，以白蜜丸如梧子大，空腹米饮下二三十丸，日再，如神。其久冷人即煨熟，大蒜作丸服。○以末一大两，合白羊子肝一具去膜，同于砂盆内研令极细，众手撚为丸如梧子大，每服以暖浆水吞三七枚，连作五剂，瘥。凡诸眼目疾及障翳、青盲皆主之。○合当归、芍药等分，细切，以雪水或甜水煎浓汁洗眼，冷即再温，甚益眼目，但是风毒赤目、花翳等皆可疗之。○末合乳汁浸点，止目卒痒并痛，煎之治目中百病。○末合酒服方寸匕，日三，疗妊妇因惊举重，胎动出血。○末合赤小豆末等分，傅疗痔疾有头如鸡冠者，即瘥。

忌 猪肉、冷水。

解 巴豆毒、热毒。

○ 草之走

络石

无毒　附地锦、扶芳、土鼓、石血、薜荔、木莲　丽生

络石出神农本经。主风热死肌，痈伤，口干舌焦，痈肿不消，喉舌肿不通，浆水不下。久服轻身明目，润泽，好颜色，不老延年。以上朱字神农本经。大惊入腹，除邪气，养肾，主腰髋①痛，坚筋骨，利关节，通神。以上黑字名医所录。

---

① 髋：原注"音宽"。

名 石鲮、石蹉、略石、明石、领石、悬石、耐冬、石龙藤。

苗 〔图经曰〕叶圆如细橘，正青，冬夏不凋。其茎蔓延，茎节著处即生根须，包络石上，以此得名。花白子黑，以石上生者良。其在水上者，随性而移，薜荔、木莲、地锦、石血，皆其类也。薜荔与此极相类，但茎叶粗大如藤状；木莲更大如络石，其实若莲房；地锦味甘，温，无毒，叶如鸭掌，蔓著地上，随节有根，亦缘木石上；石血极与络石相类，但叶头尖而赤耳；扶芳藤味苦，小温，无毒，山人取枫树上者为附枫藤，亦如桑上寄生，一名滂藤，小时如络石、薜荔夤缘树木，三五十年渐大，枝叶繁茂，叶圆，长二三寸，厚若石韦，生子似莲，房中有细子，一年一熟，一名木莲，打破有白汁，停久如漆；土鼓藤味苦，子味甘，温，无毒，生林薄间，作蔓绕草木，叶头尖，子熟如珠，碧色，正圆，小儿取藤于地，打作鼓声，李邕名为长春藤。已上六种皆相类，各有疗疾之功，故附于此。

地 〔图经曰〕泰山川谷，或石山之阴，或高山岩上，或宫寺及人家亭囿山石间，在处有之。

时 〔生〕春生苗[①]。〔采〕正月、六月、七月取。

收 日干。

用 茎叶生于石上者为好。

质 类薜荔而细小。

色 青。

味 苦。

性 温，微寒。

---

① 苗：原作"叶"，据清本改。

气 味厚于气，阴中之阳。

臭 朽。

主 疮疡，喉痹。

助 杜仲、牡丹为之使。

反 畏贝母、菖蒲，恶铁落、铁精。

制 〔雷公云〕凡采得后，用粗布揩叶茎上毛，用熟甘草水浸一伏时出，切，日干，任用。

治 〔疗〕〔唐本注云〕汁洗蝮蛇疮，服之去蛇毒心闷，及刀斧伤，傅之。〔陈藏器云〕去一切风。〔别录云〕喉痹，咽喉寒，喘息不通，须臾欲绝。〔图经曰〕薜荔，治背痈。〔唐本注云〕石血，治产后血结。〔陈藏器云〕地锦，破老血，产后血结，妇人瘦损，不能饮食，腹中有块，淋沥不尽，赤白带下，天行心闷。○扶芳藤，主一切血，一切气，一切冷。其枫上者主血风及渴。○木莲房，破血。○土鼓藤，主血风羸劣，腹内诸冷，血闷。○木莲藤汁，傅白癜，疬疡及风恶，疥癣。〔补〕〔陈藏器云〕暖腰脚，久服延年，去百病，变白不老。〔图经曰〕木莲，壮阳道。

解 杀蘖毒。

○ 草之走

蒺藜子

无毒　散生

蒺藜子出神农本经。主
恶血，破癥结，积聚，
喉痹，乳难。久服长
肌肉，明目轻身。以
上朱字神农本经。身体风
痒，头痛，咳逆伤肺，
肺痿，止烦下气，小
儿头疮，痈肿阴㿉，
可作摩粉。其叶主风
痒，可煮以浴。以上黑
字名医所录。

名　旁通、屈人、止行、犲羽、升推、茨。

苗〔图经曰〕蔓生，细叶布地，子有三角刺人者是也。又一种白蒺藜，无刺，绿叶细蔓，绵布沙上。七月开花，黄紫色，如豌豆花而小，九月结实，作荚子便可采。其实味甘而微腥，褐绿色，如蚕种子，相类而差大。又与马藻子酷相似，但马藻子微大，不堪入药，须细辨之。

同州白蒺藜

地〔图经曰〕蒺藜子生冯翊平泽或道傍；沙苑蒺藜生同州沙苑，牧马草地最多。

时〔生〕二月、四月苗。〔采〕七八月取实。沙苑蒺藜九月取实。

收　暴干。

用　子。

质　蒺藜子状类菱角而细小，有刺；沙苑蒺藜形如蚕种子而大。

色　白。

味　苦、辛。

性 温，微寒。

气 气厚于味，阳中之阴。

臭 香。

主 明目去风。

助 乌头为之使。

制 〔雷公云〕凡使，采得后净拣择了，蒸，从午至酉，出，日干；于木臼中舂，令皮上刺尽，用酒拌，再蒸，从午至酉，出，日干。

治 〔疗〕〔图经曰〕祛风明目，痔漏，阴汗，妇人发乳，带下。〔日华子云〕奔豚，肾气，肺气，胸膈满，催生。疗肿毒及水脏冷，小便多，止遗沥，溺血。〔药性论云〕白蒺藜去诸风，疬疡，破宿血，疗吐脓，产难，去燥热。〔补〕〔日华子云〕益精，止泄精。〔衍义曰〕沙苑者补肾。

合治 合蜜为丸，服如胡豆二枚，治卒中五尸，日三服，愈。

禁 妊娠服之即堕胎。

赝 马藻子为伪。

○ 草之木

黄芪

无毒　植生

黄芪出神农本经。主痈疽，久败疮，排脓止痛，大风癞疾，五痔，鼠瘘，补虚，小儿百病。以上朱字神农本经。妇人子脏，风邪气。逐五脏间恶血，补丈夫虚损，五劳羸瘦，止渴，腹痛，泄痢，益气，利阴气。生白水者，冷补。其茎叶，疗渴及筋挛，痈肿，疽疮。以上黑字名医所录。

名 戴椹、戴糁、独椹、芰草、蜀脂、百本、王孙。

苗 〔图经曰〕根长二三尺，独茎作叶生枝干，去地二三寸，其叶扶疏作羊齿状，又如蒺藜苗。七月中开黄紫花，其实作荚子，长寸许，其皮折之如绵，谓之绵黄芪。然有数种，有白水芪，有赤水芪，有木芪。功用并同，而力不及白水芪。木芪短而理横。人多以苜蓿根假作黄芪，折皮亦似绵，颇能乱真，但苜蓿根坚而脆，黄芪至柔韧，皮微黄褐色，肉中白色，此为异尔。

地 〔图经曰〕蜀郡山谷及白水、汉中，今河东、陕西州郡多有之。〔陶隐居云〕出陇西、洮阳、黑水、宕昌。〔道地〕宪州、原州、华原、宜州、宁州。

时 〔生〕春生苗。〔采〕二月、十月取根。

收 阴干。

用 根折之如绵者为好。

质 类甘草而皮褐。

色 皮黄，肉白。

味 甘。

性 微温，平，缓。

气 气之厚者，纯阳。

臭 微腥。

主 补中益气。

行 手少阳经、足太阴经、足少阴经。

反 恶白鲜皮、龟甲。

制 〔雷公云〕去芦，蒸。槐砧上剉用，或蜜炙，生用亦可。

治 〔疗〕〔药性论云〕去寒热，客热。〔日华子云〕破癥癖，瘰疬，瘿赘，肠风，血崩，带下，赤白痢，产前后一切病，月候不匀，消渴，痰嗽及头风热毒，赤目。○白水芪，治血及烦闷，骨蒸劳，无汗则发汗，有汗则止汗。〔补〕〔药性论云〕发背内补及虚喘，肾衰耳聋，补五脏。〔日华子云〕壮筋骨，长肉，补血。

合治　合防风煮汤，熏风病脉沉，口禁不语。○合人参、甘草，退劳役发热。○合白芷、连翘，排脓止痛，消毒。○合防风，补力愈大。

禁　面黑人不可多服。

赝　苜蓿根为伪。

○ **草之草**

肉苁蓉

无毒　草苁蓉附　丛生

肉苁蓉_{出神农本经}。主五劳七伤，补中，除茎中寒热痛，养五脏，强阴益精气，多子，妇人癥瘕。久服轻身。以上朱字神农本经。除膀胱邪气，腰痛，止痢。以上黑字名医所录。

名 肉松蓉。

苗 〔图经曰〕旧说是野马遗沥落地所生。今西人云：大木间及土堑垣中多生，此非游牝之所而乃有，则知自有种类耳。或疑其初生于马沥后乃滋殖，如茜根生于人血之类是也。皮如松子，有鳞甲，苗下有一细扁根，长尺余。然西羌来者，肉厚而力紧为佳也。采时掘取中央好者，以绳穿，至秋乃堪用。又有一种草苁蓉极相类，但根茎圆，紫色，北来人多取刮去花，压令扁以代肉者，功力殊劣耳。又下品有列当条云：生山南岩石上，如藕根，初生掘取，亦名草苁蓉，性温，补男子，疑即是此物。今人鲜用，故少有辨之者，因附见于此。〔陶隐居云〕第一出陇西，形扁广，柔润多花而味甘；次出北国者，形短而少花。巴东、建平间者不如也。〔日华子云〕又有花苁蓉，即是春抽苗者，力较微耳。

地 〔图经曰〕生河西山谷及代郡雁门，今陕西州郡多有之。〔陶隐居云〕河南、巴东、建平。〔道地〕西羌、陇西。

时 〔生〕春生。〔采〕三月、五月五日取根。

收 阴干。

用 根肥润者为好。

质 形似松塔而长软。

色 紫。

味 甘、酸、咸。

性 温，缓。

气 气厚于味，阳中之阴。

臭 腥。

主 补精壮阳。

制 先以酒浸，去浮甲。心中白膜，复以酒蒸酥炙。

治 〔疗〕〔药性论云〕女人血崩，带下，阴痛。〔日华子云〕男子泄精，尿血，遗沥。〔补〕〔药性论云〕益髓，悦颜色，延年壮阳。〔日华子云〕男绝阳不兴，女绝阴不产，润五脏，长肌肉，暖腰膝。〔汤液本草云〕补命门相火不足。

合治 合山芋、羊肉作羹，益人。

○ **草之草**

防风

无毒　植生

防风出神农本经。主大风头眩痛，恶风，风邪，目盲无所见，风行周身，骨节疼痹，烦满。久服轻身。以上朱字神农本经。胁痛，胁风头面去来，四肢挛急，字乳，金疮，内痉。○叶，主中风，热汗出。以上黑字名医所录。

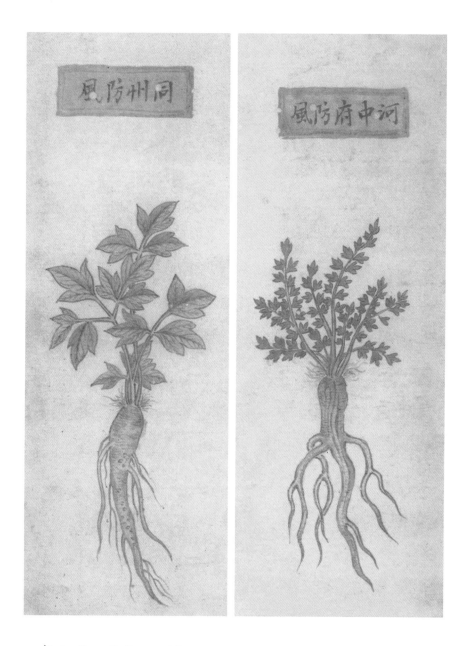

名　铜芸、茴草、百枝、屏风、蕳根、百蜚。

苗　〔图经曰〕茎叶俱青绿色，茎深叶淡，似青蒿而短小，初时嫩紫，作菜茹极爽口。五月开细白花，中心攒聚作大房，似莳萝花。实似胡荽而大，根土黄色，与蜀葵根相类而润实。其关中所产者轻虚，多不及齐州者良。又有石防风出河中府，根如蒿根而黄，叶青花白，五月开花，六月采根，亦疗头风眩痛。又宋亳间及江东出一种防风，其苗初春便生，嫩时红紫色，彼人以作菜茹，味甚佳，然云动风气。《本经》云：叶主中风，热汗出。与此相反，恐别是一种耳。

地〔图经曰〕生沙苑川泽及邯郸、上蔡、同州、解州、河中府，京东、淮、浙州郡皆有之。〔陶隐居云〕彭城、兰陵、琅琊、郁州。〔道地〕齐州龙山者最善，淄州、兖州、青州者尤佳。

时〔生〕初春生苗。〔采〕二月、十月取根。

收 暴干。

用 根头节坚如蚯蚓头，实而脂润者为好。

质 类沙参而细长。

色 土黄。

味 甘、辛。

性 温，散。

气 气厚味薄，阳也。

臭 微香。

主 祛风胜湿。

行 足阳明经、太阴经，手太阳经。

反 恶干姜、藜芦、白蔹、芫花。

制 去芦洗净，剉用。

治 〔疗〕〔日华子云〕去三十六般风，风赤眼，止泪及瘫痪，通利五脏关脉。〔药性论云〕花，主心腹痛，四肢拘急，行履不得，经脉虚羸，除骨节间疼痛。〔汤液本草云〕治风通用，泻肺实，散头目中滞气，除上焦风邪之仙药。身，去身半已上风邪；梢，去身半已下风邪。又云：去湿之仙药。〔补〕〔日华子云〕男子一切劳劣，补中益神，五劳七伤，羸损盗汗，心烦体重，能安神定志，匀气脉。

合治 合泽泻、藁本，疗风。○合当归、芍药、阳起石、禹余粮，疗妇人子脏风。○合南星、童便，疗破伤风。

禁 叉①头者令人发狂；叉尾者发痼疾。

解 杀附子毒。

---

① 叉：原作"义"，据《纲目》改。

○ 草之草

蒲黄

无毒 丛生

蒲黄出神农本经。主心腹膀胱寒热，利小便，止血，消瘀血。久服轻身，益气力，延年，神仙。以上朱字神农本经。蒲荨，以涩肠止泄殊胜，止泻血及血痢。以上黑字名医所录。

名 蒲槌、蒲厘花。

苗 〔图经曰〕春初生嫩叶，未出水时红白色，茸茸然。至夏抽梗于丛叶中，花抱梗端，如武士捧杵，故俚俗谓蒲槌，亦谓之蒲厘花。黄即花中蕊屑也，细若金粉，当其欲开时有便取之。市廛间亦采，以蜜搜作果食货卖，甚益小儿。医家又取其粉，下筛后有赤滓，谓之蒲萼也。

地 〔图经曰〕生河东及南海池泽，今处处有之。〔道地〕泰州者为良。

时 〔生〕春叶。〔采〕夏取蕊。

收 日干。

用 花中蕊屑。

质 类松花。

色 黄褐。

味 甘。

性 平，缓。

气 气厚于味，阳中之阴。

臭 香。

主 诸血。

制 〔雷公云〕凡使，须隔三重纸焙，令色黄。蒸半日，再焙干用。

治 〔疗〕〔药性论云〕通经脉，止女子崩中不住，痢血及鼻衄，尿血，利水道。〔日华子云〕扑伤血闷，排脓及疮疖，妇人带下，月候不匀，血气心腹痛，妊娠下血，堕胎，血晕，血癥，儿枕急痛，小便不通，肠风泻血，游风肿毒，鼻洪，吐血，下乳，血痢。生用破血消肿，炒用补血止血。〔补〕〔日华子云〕止泄精。

禁 妊娠不可生用。

赝 松黄、黄蒿为伪。

○ 草之草

香蒲

无毒　丛生

香蒲主五脏心下邪
气，口中烂臭，坚齿，
明目聪耳。久服轻身，
耐老。神农本经。

名 睢、醮。

苗 〔图经曰〕香蒲乃蒲黄苗也。初生时取其中心入地，大如匕柄白色者，生啖之甘脆。《周礼》以为菹者是也。至夏抽茎于丛叶中，其端花蕊有屑如金粉，即蒲黄也。〔唐本注云〕此甘蒲可作荐者，用白为菹，亦堪蒸食。山南名此蒲为香蒲，谓菖蒲为臭蒲也。

地 〔图经曰〕生南海池泽，今处处有之。〔道地〕泰州者良。

时 〔生〕春初。〔采〕夏。

收 日干。

用 根。

质 类茭白而细。

色 白。

味 甘。

性 平，缓。

气 气厚于味，阳中之阴。

臭 香。

主 聪耳目。

二十种陈藏器余

捶胡根味甘，寒，无毒。主润五脏，止消渴，除烦去热，明目，功用如麦门冬。生江南川谷荫地。苗如萱草，根似天门冬，用去心。

甜藤味甘，寒，无毒。去热烦，解毒，调中气，令人肥健。又主剥马血毒入肉，狂犬，牛马热黄。捣绞取汁，和米粉作糗饵，食之甜美，止泄。捣叶汁，傅蛇咬疮。生江南山林下，蔓如葛。又有小叶尖长，气辛臭，捣傅小儿腹，除痞满，闪癖。

孟娘菜味苦，小温，无毒。主妇人腹中血结，羸瘦，男子阴囊湿痒，强阳道，令人健行不睡，补虚，去痔瘘，瘰疬，瘿瘤。作菜，生四明诸山，冬夏常有叶，似升麻，方茎。山人取之为菜。一名孟母菜，一名厄菜。

吉祥草味甘，温，无毒。主明目强记，补心力。生西国，胡人将来也。

地衣草味苦，平，无毒。主明目。崔知悌方云：服之令人目明。地上衣如草，生湿处是。

郎耶草味苦，平，无毒。主赤白久痢，小儿大腹痞满，丹毒寒热，取根茎服，煮之。生山泽间，三四尺，叶作雁齿，如鬼针苗。

地杨梅味辛，平，无毒。主赤白痢，取茎子煎服，生江东温湿地，四五月有子，似杨梅，苗如蓑草也。

　　茅膏菜味甘，平，无毒。主赤白久痢，煮服之。草高一尺，生茅中，叶有毛，如油腻黏人手，子作角，中有小子也。

　　錾菜味辛，平，无毒。主破血，产后腹痛，煮汁服之。亦捣碎，傅疗疮。生江南国荫地，似益母，方茎，对节，白花。花中甜汁，饮之如蜜①。

　　益奶草味苦，平，无毒。主五野鸡病，脱肛，止血。炙令香，浸酒服之。生永嘉山谷，叶如泽兰，茎赤，高二三尺也。

　　蜀胡烂味辛，平，无毒。主冷气，心腹胀满，补肾，除妇人血气，下痢，杀牙齿虫。生安南，似蘹香子。

　　鸡脚草味苦，平，无毒。主赤白久痢成疳。生泽畔，赤茎对叶，如百合苗。

　　难火兰味酸，温，无毒。主冷气风痹，开胃下食，去腹胀，久服明目。生巴西胡国，似菟丝子，长少许。

　　蓼荞味辛，温，无毒。主霍乱，腹冷胀满，冷气攻击，腹内不调，产后血攻，胸胁刺痛，煮服之。亦食其苗，如葱韭。捣傅蛇咬疮。生高原，如小蒜而长，产后作羹，食之良②。

---

① 汁，饮之如蜜：此五字原在"甘家白药"条文末，为错简，按《证类本草》移此。

② 捣傅……食之良：此二十字原在"錾菜"条文末，为错简，按《证类本草》移此。

石荠宁味辛，温，无毒。主风，冷气。并疮疥瘙，野鸡漏下血，煮汁服。生山石上，紫花细叶，高一二尺，山人并用之。

蓝藤根味辛，温，无毒。上气冷嗽，煮服之。生新罗国，根如细辛。

七仙草主杖疮，捣枝叶傅之。生①山足，叶尖细长。

甘家白药味苦，大寒，有小毒②。主解诸药毒，与陈家白药功用相似，人吐毒物，疑不稳，水研服之，即当吐之。未尽，又服此二药。性冷，与霍乱下痢相反。出龚州已南，甘家亦因人为号。叶似车前，生阴处，根形如半夏。岭南多毒物，亦多解物，岂天资乎③？

天竺干姜味辛，温，无毒。主冷气，寒④中，宿食不消，腹胀下痢，腰背疼，痃癖，气块恶血积聚。生婆罗门国，似姜，小，黄。一名胡干姜。

池德勒味辛，温，无毒。主破冷气，消食。生西国，草根也。胡国人用之。

本草品汇精要卷之八

---

① 生：原作"王"，据《纲目》改。
② 有小毒：原作"小有毒"，据《纲目》改。
③ 岂天资乎：此后原有"汁饮之如蜜"五字，乃"鏨菜"文错简至此，据《证类本草》改。
④ 寒：原作"宿"，据《证类本草》改。